喘息予防・
管理ガイドライン
2021

Asthma
Prevention and
Management
Guidelines 2021

監修 一般社団法人日本アレルギー学会 喘息ガイドライン専門部会
作成 「喘息予防・管理ガイドライン2021」作成委員

序

　アレルギー疾患の患者は増加し続けており、本邦における気管支喘息（以下、喘息）の有病率も成人においては最近も増加傾向が示されています。一方で、喘息は近年最も顕著に死亡者数が減少した疾患であり、2020年の速報値は1,200人を下回るに至りました。これには新規治療薬の開発と臨床応用が寄与していることは論を俟たないですが、日本アレルギー学会による『アレルギー疾患治療ガイドライン』（故・牧野荘平 獨協医科大学名誉教授）や『EBMに基づいた喘息治療ガイドライン』（宮本昭正 東京大学名誉教授）、そして『喘息予防・管理ガイドライン』（JGL）が喘息の病態や治療法に関する情報発信、啓発に大きく貢献してきたと考えられます。

　2004年に日本アレルギー学会の常設委員会として「アレルギー疾患ガイドライン委員会／喘息ガイドライン専門部会」が発足しました。JGLは常に新しい知見を取り入れた安定した改訂を目指して概ね3年ごとに改訂され、このたび『喘息予防・管理ガイドライン2021』（JGL2021）の刊行に至りました。前回のJGL2018において、ページ数の削減、図表重視の方針に基づく改訂が行われており、JGL2021ではJGL2018の骨格を踏襲しながら、以下の基本方針の元に改訂を行いました。

- 文献を綿密に検索、引用してエビデンスに基づく記載をする。
- 文献は最新のものを優先的に引用する。
- 内容の正確さや妥当性を担保するために、セクションごとに委員間の読み合わせ・ピアレビューを十分に行う。
- 日本発のエビデンスを大切にし、積極的に日本からの研究成果を引用する。これにより学会員のモチベーションを上げ、ひいては若手研究者の育成にもつなげる。

　また、各章における具体的な主な改訂は、以下の通りに行いました。

- 従来の第1章「総論」に含まれていた「喘息の病態」の図と解説を第4章「病態生理」に移動し、内容もアップデートしました。
- 第1章や第7章「種々の側面」などに分散していた重症（難治性）喘息に関する記載を「重症喘息の概念と病態（ステロイド抵抗性喘息を含む）」として第4章「病態生理」にまとめました。
- 第7章「種々の側面」に「COVID-19への対応」として、COVID-19について感染制御の観点（スパイロメトリー、ネブライザーの使用など）も踏まえて新たに記載しました。

ガイドラインの骨格となる第6章「治療」の改訂は以下のように行いました。

- 喘息治療ステップ（表6-7）：『Global Initiative for Asthma, GINA』における表記法を踏襲した日本小児アレルギー学会による『小児気管支喘息治療・管理ガイドライン』（JPGL）2020との整合性も重視して、GINAの階段式を採用しました。ただし、ステップ分類はJGL2018の通りに4段階のままとしました。
- 新規治療薬として、ICS/LABA/LAMAトリプル製剤（新規2剤形）、ICS/LABA（新規1剤形、小児で適応追加1剤形）を追加しました。
- 未治療例で用いられることが多い中用量ICS/LABAによる治療導入例と再評価の実際を、図6-2に示しました。
- アレルゲン特異的免疫療法を「喘息治療ステップ」の長期管理療法にオプション治療と

して表6-7に図示し、下段に説明を加えました。
- 治療ステップダウンの考え方についてGINA2021を引用して記載しました。
- 主な喘息治療薬の薬理作用（図6-1）を改訂し、臨床的エビデンスに基づくことを基本方針として記載しました。
- 難治例への対応のためのフローチャート（図6-4）を改訂し、新規薬剤（抗IL-4Rα抗体）の追加だけではなく内容自体も吟味、再考しました。
- 喘息「発作」の用語は、原則として可能な限り喘息「増悪」に統一しました。
- 増悪治療薬に短時間作用性抗コリン薬（SAMA）を追加し、SAMAを含めた個々の増悪治療薬について長期管理薬と同様に簡潔な説明を加えました。
- 使用頻度が減少している増悪治療薬（アミノフィリン点滴静注、アドレナリン皮下注）の位置付けを再考しました。

　喘息の病態メカニズムの解明と治療薬の開発は日々進展を見せています。読者の方々には、かかる最新の情報を網羅した『JGL2021』を毎日の診療に役立てていただければと切に願っております。
　最後に、『JGL2021』の作成にご協力いただいた喘息ガイドライン専門部会員の先生方、作成委員・執筆協力者の先生方、および協和企画各位に深く感謝いたします。

2021年10月
　　　　　　　　　　　　　　一般社団法人日本アレルギー学会ガイドライン委員会
　　　　　　　　　　　　　　喘息ガイドライン専門部会
　　　　　　　　　　　　　　　　新実　彰男（部会長）
　　　　　　　　　　　　　　　　永田　真（副部会長）
　　　　　　　　　　　　　　　　足立　雄一（副部会長、ガイドライン委員長）
　　　　　　　　　　　　　　　　中村　陽一
　　　　　　　　　　　　　　　　堀口　高彦
　　　　　　　　　　　　　　　　横山　彰仁
　　　　　　　　　　　　　　　　山口　正雄
　　　　　　　　　　　　　　　　多賀谷悦子
　　　　　　　　　　　　　　　　谷口　正実
　　　　　　　　　　　　　　　　滝沢　琢己
　　　　　　　　　　　　　　　　福永　興壱
　　　　　　　　　　　　　　　　足立　満（顧問）
　　　　　　　　　　　　　　　　大田　健（顧問）
　　　　　　　　　　　　　　　　田村　弦（顧問）
　　　　　　　　　　　　　　　　東田　有智（顧問）
　　　　　　　　　　　　　　　　西牟田敏之（顧問）
　　　　　　　　　　　　　　　　森川　昭廣（顧問）

『喘息予防・管理ガイドライン 2021』(JGL2021)作成委員

(敬称略)

一般社団法人日本アレルギー学会アレルギー疾患ガイドライン委員会

担当理事	永田　真	埼玉医科大学呼吸器内科／埼玉医科大学病院アレルギーセンター
委員長	足立　雄一	富山大学医学部小児科学教室
副委員長	中村　陽一	横浜市立みなと赤十字病院アレルギーセンター
	浅野浩一郎	東海大学医学部医学科内科学系呼吸器内科学
委員	新実　彰男	名古屋市立大学大学院医学研究科呼吸器・免疫アレルギー内科学
	藤枝　重治	福井大学医学部医学科耳鼻咽喉科・頭頸部外科学（耳鼻咽喉科学）
	後藤　穣	日本医科大学大学院医学研究科頭頸部感覚器科学分野
	佐伯　秀久	日本医科大学大学院医学研究科皮膚粘膜病態学分野
	大矢　幸弘	国立成育医療研究センターアレルギーセンター
	古田　淳一	筑波大学医学医療系皮膚科／医療情報マネジメント学

一般社団法人日本アレルギー学会喘息ガイドライン専門部会

部会長	新実　彰男	名古屋市立大学大学院医学研究科呼吸器・免疫アレルギー内科学
副部会長	永田　真	埼玉医科大学呼吸器内科／埼玉医科大学病院アレルギーセンター
	足立　雄一	富山大学医学部小児科学教室
委員	中村　陽一	横浜市立みなと赤十字病院アレルギーセンター
	堀口　高彦	豊田地域医療センター
	横山　彰仁	高知大学医学部呼吸器・アレルギー内科学
	山口　正雄	帝京大学ちば総合医療センター第三内科（呼吸器）
	多賀谷悦子	東京女子医科大学呼吸器内科学講座
	谷口　正実	湘南鎌倉総合病院臨床研究センター
	滝沢　琢己	群馬大学大学院医学系研究科小児科学分野
	福永　興壱	慶應義塾大学医学部呼吸器内科

JGL2021 作成委員（五十音順）

浅井　一久	大阪市立大学大学院医学研究科呼吸器内科学
浅野浩一郎	東海大学医学部医学科内科学系呼吸器内科学
足立　哲也	むさしのアレルギー呼吸器クリニック
飯倉　元保	国立国際医療研究センター病院第四呼吸器内科
石塚　全	福井大学医学部病態制御医学講座内科学（3）
伊藤　理	愛知医科大学医学部内科学講座（呼吸器・アレルギー内科）
伊藤　靖典	長野県立こども病院小児アレルギーセンター
井上　博雅	鹿児島大学大学院医歯学総合研究科呼吸器内科学
岩永　賢司	近畿大学病院呼吸器・アレルギー内科／総合医学教育研修センター
岩本　博志	広島大学大学院医歯薬学総合研究科分子内科学
海老澤元宏	国立病院機構相模原病院臨床研究センター
大林　浩幸	東濃中央クリニック
大矢　幸弘	国立成育医療研究センターアレルギーセンター
小川　浩正	東北大学大学院医学系研究科産業医学分野／東北大学病院睡眠医療センター
勝沼　俊雄	東京慈恵会医科大学附属第三病院小児科
金子　猛	横浜市立大学大学院医学研究科呼吸器病学教室
金廣　有彦	姫路聖マリア病院
亀田　誠	大阪はびきの医療センター小児科
川山　智隆	久留米大学医学部内科学講座呼吸器・神経・膠原病内科部門
古藤　洋	公立学校共済組合九州中央病院呼吸器内科
後藤　穣	日本医科大学大学院医学研究科頭頸部感覚器科学分野

小屋　俊之	新潟大学大学院医歯学総合研究科呼吸器感染症内科学分野
權　　寧博	日本大学医学部内科学系呼吸器内科学分野
近藤りえ子	藤田医科大学／近藤内科医院
今野　　哲	北海道大学大学院医学研究院呼吸器内科学教室
斎藤　純平	福島県立医科大学医学部呼吸器内科学講座
相良　博典	昭和大学医学部内科学講座呼吸器・アレルギー内科学部門
佐野　博幸	近畿大学病院アレルギーセンター
清水　泰生	獨協医科大学医学部呼吸器・アレルギー内科
下条　直樹	千葉大学予防医学センター
白井　敏博	静岡県立総合病院呼吸器内科
杉浦　久敏	東北大学大学院医学系研究科内科病態学講座呼吸器内科学分野
武山　　廉	たけやま呼吸器・内科クリニック
田中　明彦	昭和大学医学部内科学講座呼吸器・アレルギー内科学部門
田中　裕士	医大前南4条内科
玉田　　勉	東北大学大学院医学系研究科内科病態学講座呼吸器内科学分野
粒来　崇博	聖マリアンナ医科大学横浜市西部病院呼吸器内科
黨　　康夫	国際医療福祉大学医学部呼吸器内科学
中込　一之	埼玉医科大学呼吸器内科／埼玉医科大学病院アレルギーセンター
中島　裕史	千葉大学大学院医学研究院アレルギー・臨床免疫学
長瀬　洋之	帝京大学医学部内科学講座呼吸器・アレルギー学
中村　　豊	東北医科薬科大学医学部医学教育推進センター／呼吸器内科
西村　善博	神戸大学医学部附属病院呼吸器内科
長谷川隆志	新潟大学大学院医歯学総合研究科呼吸器・感染症内科学分野
久田　剛志	群馬大学附属病院呼吸器・アレルギー内科／群馬大学大学院保健学研究科
檜澤　伸之	筑波大学大学院人間総合科学研究科疾患制御医学専攻呼吸器病態医学分野
福家　辰樹	国立成育医療研究センターアレルギーセンター総合アレルギー科
福冨　友馬	国立病院機構相模原病院臨床研究センター診断・治療薬開発研究室
藤枝　重治	福井大学医学部医学科耳鼻咽喉科・頭頸部外科学（耳鼻咽喉科学）
藤澤　隆夫	国立病院機構三重病院
二村　昌樹	国立病院機構名古屋医療センター小児科／アレルギー科
放生　雅章	国立国際医療研究センター病院医療教育部門／呼吸器内科診療科
保澤総一郎	広島アレルギー呼吸器クリニック
星野　友昭	久留米大学医学部内科学講座呼吸器・神経・膠原病内科部門
堀江　健夫	前橋赤十字病院呼吸器内科
松瀬　厚人	東邦大学医療センター大橋病院呼吸器内科
松永　和人	山口大学大学院医学系研究科呼吸器・感染症内科学講座
松元幸一郎	九州大学大学院医学研究院胸部疾患研究施設
松本　久子	近畿大学医学部内科学教室呼吸器・アレルギー内科部門
宮原　信明	岡山大学大学院保健学研究科検査技術科学分野／岡山大学病院呼吸器・アレルギー内科
望月　博之	東海大学医学部付属八王子病院小児科
森　　晶夫	国立病院機構相模原病院臨床研究センター
吉田　幸一	東京都立小児総合医療センターアレルギー科
吉原　重美	獨協医科大学医学部小児科学

執筆協力者

齊藤　律子	福井大学医学部附属病院集中治療部
重見　研司	福井大学医学部附属病院集中治療部

「喘息予防・管理ガイドライン2021」の利益相反事項の開示について

　一般社団法人日本アレルギー学会は、「利益相反委員会」を設置し、内科系学会とともに策定した「医学系研究の利益相反（COI）に関する共通指針」に基づき、学会員のCOIの状況を公正に管理している。「喘息予防・管理ガイドライン2021」策定に関する委員会では、喘息の診断・治療に関係する企業・組織または団体との経済的関係に基づき、COIの状況について過去3年間（2018年1月1日～2020年12月31日）の申告を得た。

〈利益相反事項開示項目〉　該当する場合は具体的な企業名（団体名）を記載した。

■ COI自己申告項目

1. 企業や営利を目的とした団体の役員、顧問職の有無と報酬額（1つの企業・団体からの報酬額が年間100万円以上）
2. 株の保有と、その株式から得られる利益（最近1年間の本株式による利益）（1つの企業の1年間の利益が100万円以上のもの、あるいは当該株式の5％以上保有する場合）
3. 企業や営利を目的とした団体から特許権使用料として支払われた報酬（1つの特許使用料が年間100万円以上）
4. 企業や営利を目的とした団体より、会議の出席（発表、助言など）に対し、研究者を拘束した時間・労力に対して支払われた日当、講演料などの報酬（1つの企業・団体からの講演料が年間合計50万円以上）
5. パンフレット、座談会記事等に対する原稿料として、年間50万円以上受領している報告対象企業名（1つの企業・団体からの原稿料が年間合計50万円以上）
6. 企業や営利を目的とした団体が提供する研究費（1つの企業・団体から、医学系研究（共同研究、受託研究、治験など）に対して、申告者が実質的に使途を決定し得る研究契約金で実際に割り当てられた総額が年間100万円以上）
7. 企業や営利を目的とした団体が提供する奨学（奨励）寄附金（1つの企業・団体から、申告者個人または申告者が所属する講座・分野または研究室に対して、申告者が実質的に使途を決定し得る寄附金で実際に割り当てられた総額が年間100万円以上）
8. 企業などが提供する寄附講座（企業などからの寄附講座に所属している場合）＊実質的に使途を決定し得る寄附金で実際に割り当てられた総額が年間100万円以上
9. その他の報酬（研究とは直接に関係しない旅行、贈答品など）（1つの企業・団体から受けた報酬が年間5万円以上）

■ COI自己申告内容

一部の企業・団体名について次のように略す。企業名は2020年12月現在の名称とした。
AZ：アストラゼネカ、旭化成：旭化成ファーマ、アステラス：アステラス製薬、アッヴィ：アッヴィ合同、小野：小野薬品工業、杏林：杏林製薬、GSK：グラクソ・スミスクライン、サーモフィッシャー：サーモフィッシャーダイアグノスティックス、塩野義：塩野義製薬、全日本コーヒー：全日本コーヒー協会、大正富山：大正富山医薬品、大鵬：大鵬薬品工業、武田：武田薬品工業、田辺：田辺三菱製薬、中外：中外製薬、帝人：帝人ファーマ、鳥居：鳥居薬品、イーライリリー：日本イーライリリー、NBI：日本ベーリンガーインゲルハイム、ノバルティス：ノバルティスファーマ、バイエル：バイエル薬品、マイラン：マイランEPD合同、Meiji：Meiji Seikaファルマ、MSD：MSD製薬

※すべての申告事項に該当がない委員については、表末尾に記載した。
［統］：統括委員会（アレルギー疾患ガイドライン委員会）、［策］：策定委員会（喘息ガイドライン専門部会）、［作］：作成委員

氏名（敬称略）	開示項目	企業・団体名
浅井 一久 ［作］	4	AZ、NBI、ノバルティス
浅野 浩一郎 ［統］［作］	4	AZ、GSK、NBI、ノバルティス
	7	小野、杏林、サノフィ、大鵬、中外、帝人ヘルスケア、帝人、NBI、ノバルティス、フクダライフテック
石塚 全 ［作］	4	AZ、GSK、NBI、ノバルティス
	7	イーライリリー
伊藤 理 ［作］	4	AZ、ノバルティス
井上 博雅 ［作］	4	AZ、杏林、GSK、サノフィ、NBI、ノバルティス
	7	小野、GSK、新日本科学、大鵬、中外、NBI
岩永 賢司 ［作］	4	杏林、GSK
	6	杏林、Meiji
	7	アステラス、小野、杏林、大鵬、帝人、NBI
大林 浩幸 ［作］	6	マイラン、杏林
大矢 幸弘 ［統］［作］	4	マルホ
小川 浩正 ［作］	8	チェスト、フクダライフテック
勝沼 俊雄 ［作］	4	杏林、鳥居、マルホ
金子 猛 ［作］	4	AZ、杏林、GSK、NBI、ノバルティス、Meiji
金廣 有彦 ［作］	4	AZ、GSK、サノフィ、ノバルティス
川山 智隆 ［作］	4	AZ、GSK、NBI、ノバルティス
	6	ヘリオス
古藤 洋 ［作］	4	AZ、GSK、サノフィ、ノバルティス
後藤 穣 ［統］［作］	4	大鵬、田辺、鳥居、ノバルティス、久光、Meiji
	6	全日本コーヒー
小屋 俊之 ［作］	4	AZ、GSK、サノフィ、ノバルティス
権 寧博 ［作］	4	AZ、杏林、GSK、ノバルティス
	6	AZ、GSK、ノバルティス
	8	フィリップス
今野 哲 ［作］	4	AZ、NBI
	7	AZ、杏林、NBI、ノバルティス
	8	日本新薬、NBI
斎藤 純平 ［作］	4	AZ、GSK
	6	塩野義、バイエル
	7	ノバルティス
佐伯 秀久 ［統］	4	アッヴィ合同、金原出版、協和発酵キリン、サノフィ、セルジーン、大鵬、田辺、鳥居、イーライリリー、日本たばこ産業、ノバルティス、マルホ、ユーシービージャパン、ヤンセンファーマ
	6	アッヴィ合同、サノフィ、マルホ、レオファーマ
	7	常盤薬品、サンファーマ、大鵬、マルホ、エーザイ、鳥居

相良 博典 ［作］	4	AZ、杏林、GSK、クラシエ、サノフィ、ノバルティス
佐野 博幸 ［作］	4	AZ、GSK、NBI、ノバルティス
白井 敏博 ［作］	4	AZ、GSK、サノフィ、NBI、ノバルティス
杉浦 久敏 ［作］	4	AZ、GSK、NBI、ノバルティス
	7	GSK、NBI
多賀谷 悦子 ［策］［作］	4	AZ、GSK、サノフィ、NBI、ノバルティス
	7	大鵬
田中 明彦 ［作］	4	AZ、サノフィ、ノバルティス
田中 裕士 ［作］	4	AZ、杏林、GSK、ノバルティス
谷口 正実 ［策］［作］	4	AZ、杏林、GSK、サノフィ、ノバルティス
	6	GSK
玉田 勉 ［作］	4	AZ、GSK、ノバルティス
黨 康夫 ［作］	4	AZ、GSK、サノフィ
中込 一之 ［作］	4	AZ、ノバルティス
中島 裕史 ［作］	4	AZ、GSK、サノフィ
	7	旭化成、ブリストル・マイヤーズ、中外
長瀬 洋之 ［作］	4	AZ、杏林、GSK、サノフィ、NBI、ノバルティス
永田 真 ［統］［策］［作］	4	AZ、杏林、GSK、サノフィ、鳥居、ノバルティス
	7	アステラス、TTC、ノバルティス
中村 陽一 ［統］［策］［作］	4	GSK
中村 豊 ［作］	2	大塚ホールディングス
	4	AZ、杏林、ノバルティス
新実 彰男 ［統］［策］［作］	4	AZ、杏林、GSK、サノフィ、NBI、ノバルティス
	6	MSD、NBI、ボストン
	7	小野、杏林、NBI
西村 善博 ［作］	4	AZ、GSK、NBI
	6	帝人ヘルスケア、帝人
久田 剛志 ［作］	4	AZ
檜澤 伸之 ［作］	4	AZ、GSK、NBI、ノバルティス
	6	NBI
	7	アステラス、第一三共、ノバルティス、GSK、小野、MSD
福冨 友馬 ［作］	4	ノバルティス
	6	GSK
福永 興壱 ［策］［作］	4	AZ、GSK、サノフィ、NBI、ノバルティス
	6	帝人
	7	大鵬、サノフィ、NBI
藤枝 重治 ［統］［作］	4	杏林、協和発酵キリン、サノフィ、大鵬、田辺
	6	田辺、マルホ

藤澤 隆夫　［作］	4	鳥居、マルホ
	6	マルホ
放生 雅章　［作］	4	AZ、杏林、GSK、NBI、ノバルティス
保澤 総一郎　［作］	4	AZ、杏林、GSK、ノバルティス
星野 友昭　［作］	4	AZ
	7	MSD、中外、イーライリリー、NBI
堀江 健夫　［作］	4	AZ
堀口 高彦　［策］［作］	4	AZ、杏林、GSK、サノフィ、大鵬、NBI、ノバルティス
	7	大鵬
松瀬 厚人　［作］	4	アステラス、AZ、GSK、NBI、ノバルティス、ファイザー
松永 和人　［作］	4	AZ、杏林、GSK、サノフィ、中外、NBI、ノバルティス、Meiji
	7	MSD、小野、中外、NBI、ノバルティス
松元 幸一郎　［作］	4	GSK
松本 久子　［作］	4	AZ、杏林、GSK、サノフィ、NBI、ノバルティス
	6	ノバルティス
	7	帝人
宮原 信明　［作］	4	AZ、GSK、ノバルティス
森 晶夫　［作］	6	東レ
山口 正雄　［策］［作］	4	AZ、ノバルティス
横山 彰仁　［策］［作］	4	AZ、GSK、サノフィ、NBI、ノバルティス
吉田 幸一　［作］	6	鳥居

※以下の委員については、特に申告事項なし
足立 哲也　［作］、足立 雄一　［統］［策］［作］、飯倉 元保　［作］、伊藤 靖典　［作］、岩本 博志［作］、海老澤 元宏　［作］、亀田 誠　［作］、近藤 りえ子　［作］、清水 泰生　［作］、下条 直樹［作］、滝沢 琢己　［策］［作］、武山 廉　［作］、粒来 崇博　［作］、土肥 眞　［作］、長谷川 隆志［作］、福家 辰樹　［作］、二村 昌樹　［作］、古田 淳一　［統］、望月 博之　［作］、吉原 重美　［作］

〈組織としての利益相反〉
日本アレルギー学会の事業活動及び「喘息予防・管理ガイドライン 2021」策定に関連して資金提供が行われた企業名を記載する。
（対象期間：2020 年 1 月 1 日～2020 年 12 月 31 日）

1) 日本アレルギー学会の事業活動に関連して、資金（寄附金等）を提供した企業名
　　学会 HP に掲載
2) 「喘息予防・管理ガイドライン 2021」ガイドライン策定に関連して、資金を提供した企業名
　　該当なし

CONTENTS

1 総説

- 1-1 喘息の定義 2
- 1-2 喘息の管理目標 2
- 1-3 病型 3
- 1-4 喘息の問診、聴診と身体所見 3
  - 1) 問診 3
  - 2) 聴診所見 4
  - 3) その他の理学所見 4
- 1-5 喘息の診断 5
  - 1) 診断の目安と診断アルゴリズム 5
  - 2) 診断に有用な検査 6
    - (1) 変動性気流制限 6
    - (2) 気道過敏性の亢進 7
    - (3) 気道炎症の存在 7
    - (4) アトピー素因の存在 7
    - (5) 他疾患の除外 7
- 1-6 喘息の重症度と増悪強度分類 7
- 1-7 喘息診断・管理の指標 9
  - (1) スパイロメトリー 9
  - (2) ピークフロー（PEF） 9
  - (3) 喘息日誌、質問票など 9
  - (4) 喀痰中好酸球比率 11
  - (5) 気道過敏性 11
  - (6) 呼気中一酸化窒素濃度（FeNO） 11
  - (7) 末梢血好酸球数 11
  - (8) その他の検査 11
- 1-8 喘息の自然史と予後 12
- 1-9 小児の喘息の特徴 13
  - 1) 病態生理 13
    - (1) 気道炎症 13
    - (2) 気道リモデリング 13
    - (3) 気道過敏性 14
    - (4) 気流制限 14
  - 2) 診断 14
    - (1) 症状・所見 14
    - (2) アレルギー疾患の既往歴・家族歴 14

　　　　（3）検査所見 ·· 14
　　　　（4）鑑別診断 ·· 15
　　3）病型 ·· 16
　　4）重症度の評価 ··· 16

2 疫学

2-1 喘息の疫学 ··· 24
　1）調査方法 ·· 24
　　（1）ATS-DLD（American Thoracic Society for Division of Lung Diseases）··· 24
　　（2）ISAAC（International Study of Asthma and Allergies in Childhood）··· 24
　　（3）ECRHS（European Community Respiratory Health Survey）············ 24
　2）調査結果 ·· 24
　　（1）期間有症率 ·· 24
　　（2）期間有症率・有病率の経年変化 ·· 25
　　（3）期間有症率の地域差 ·· 25
　　（4）喘息患者の男女比 ··· 26
　　（5）喘息の発症年齢 ··· 26
2-2 喘息死 ·· 27

3 喘息の危険因子とその予防

　一次予防、二次予防、三次予防とは ··· 36
3-1 喘息発症の危険因子とその予防 ··· 36
　1）個体要因 ·· 36
　　（1）家族歴および遺伝的要因 ··· 36
　　（2）性差 ·· 36
　　（3）アレルギー素因 ··· 36
　　（4）早産児・低出生体重児 ·· 37
　　（5）肥満 ·· 37
　　（6）気道過敏性 ·· 37
　2）環境要因 ·· 37
　　（1）アレルゲン曝露 ··· 37
　　（2）呼吸器感染症 ·· 37
　　（3）喫煙 ·· 38
　　（4）大気汚染（室外、室内）··· 38
　　（5）鼻炎 ·· 39
　　（6）食物 ·· 39
3-2 増悪の危険因子とその予防 ··· 39
　1）総論 ·· 39
　2）個体要因 ·· 40

　　　　(1) 増悪の病歴 40
　　　　(2) 現在のコントロール状態 40
　　　　(3) 治療薬の不適切な使用、アドヒアランス不良 40
　　　　(4) 併存症 41
　　　　(5) 運動ならびに過換気 42
　　3) 環境要因 42
　　　　(1) 喫煙 42
　　　　(2) アレルゲン曝露 42
　　　　(3) 気象 43
　　　　(4) 大気汚染（屋外、屋内） 43
　　　　(5) 薬物 43
　　　　(6) アルコール 43
　　　　(7) ビタミンD低下 43
　　　　(8) 呼吸器感染症 43
3-3　重症喘息および喘息死の危険因子と予防 44
　　1) 成人 44
　　　　(1) 重症喘息の悪化予防 44
　　　　(2) 喘息急性増悪の危険因子 44
　　2) 小児 45

4　病態生理

4-1　病態生理 50
　　1) 喘息気道の病理 50
　　2) 気道炎症の機序 51
　　3) 気道炎症と気流制限の関係 53
　　　　(1) 気道平滑筋の収縮 53
　　　　(2) 気道の浮腫 53
　　　　(3) 気道粘液の分泌亢進 53
　　　　(4) 気道リモデリング 53
　　4) 気道炎症と気道過敏性の関係 54
　　　　(1) 気道上皮の傷害 54
　　　　(2) 神経系への影響 54
　　　　(3) 気道平滑筋の質的変化 54
　　　　(4) 気道リモデリング 54
　　5) アレルゲン曝露による即時型・遅発型喘息反応 54
4-2　病態評価のための検査法（成人） 55
　　1) 気道炎症の評価 55
　　　　(1) 末梢血好酸球数および喀痰中の好酸球や好中球の比率 55
　　　　(2) 呼気中一酸化窒素濃度（FeNO） 55
　　2) アレルギーの評価 55

- 3）呼吸機能の評価 ･･･ 56
    - （1）スパイロメトリー ･･･ 56
    - （2）ピークフロー検査 ･･ 57
    - （3）気道可逆性検査 ･･ 57
    - （4）気道過敏性検査 ･･ 58
    - （5）広域周波オシレーション検査 ･･･ 60
    - （6）動脈血酵素分圧（PaO_2）、動脈血炭酸ガス分圧（$PaCO_2$）、
経皮的動脈血酸素飽和度（SpO_2） ････････････････････････････････････ 60
- 4）喘息の呼吸生理 ･･･ 60
- 5）その他の検査 ･･･ 61
    - （1）胸部X線、HRCT（high resolution CT scan） ･････････････････････････ 61
    - （2）血液中のバイオマーカー ･･ 61

4-3 病態評価のための検査法（小児） ･･ 61
- 1）アレルギー状態の評価 ･･ 61
    - （1）血清総IgE値 ･･･ 61
    - （2）末梢血好酸球数 ･･ 61
    - （3）特異的IgE抗体とプリックテスト ･･････････････････････････････････････ 61
    - （4）呼気中一酸化窒素濃度（FeNO）と喀痰中好酸球数 ････････････････････ 62
- 2）呼吸機能の評価法 ･･･ 62
    - （1）スパイロメータによる評価 ･･･ 62
    - （2）ピークフロー（PEF）による評価 ･･･････････････････････････････････････ 62
    - （3）広域周波オシレーション検査（FOT） ･･････････････････････････････････ 65
- 3）気道過敏性試験 ･･･ 65
- 4）気道炎症の評価 ･･･ 65
    - （1）FeNO ･･ 65
    - （2）喀痰細胞診 ･･･ 65
- 5）新しい検査法 ･･･ 65
    - （1）肺音解析 ･･･ 65
    - （2）好酸球顆粒タンパク ･･ 66
    - （3）ペリオスチン ･･ 66

4-4 重症喘息の概念と病態（「ステロイド抵抗性喘息」を含む） ･･････････････････････ 66
- 1）概念 ･･･ 66
- 2）病態 ･･･ 66
- 3）ステロイド抵抗性喘息 ･･ 66

5 患者教育・パートナーシップ

5-1 医師と患者のパートナーシップに基づいた喘息患者教育（成人） ･･････････････････ 72
- 1）教育の目的 ･･･ 72
- 2）高齢者では介護者への教育も重要 ･･･ 72
- 3）教育の内容 ･･･ 72

4）治療アドヒアランスを高める条件 ……………………………………………… 73
　　　5）チーム医療（病薬連携ツール・自己注射指導）、Webサイトの活用 ……… 74
　　　6）在宅自己注射指導 ………………………………………………………………… 74
　5-2 医師と患者、保護者とのパートナーシップに基づいた喘息患者教育（小児）…… 78
　　　1）小児喘息治療・管理における患者教育の位置づけ（意義）………………… 78
　　　2）患者・家族とのパートナーシップの確立 ……………………………………… 79
　　　　（1）患者教育の対象 ……………………………………………………………… 79
　　　　（2）信頼関係の構築と患者側のニーズの把握 ………………………………… 79
　　　3）治療目標の設定と共有 …………………………………………………………… 79
　　　　（1）増悪予防を基盤とした治療目標と治療姿勢 ……………………………… 79
　　　　（2）病態生理の説明 ……………………………………………………………… 79
　　　　（3）治療目標の共有 ……………………………………………………………… 79
　　　4）アドヒアランスの向上 …………………………………………………………… 79
　　　　（1）理解と納得の上に成り立つアドヒアランス ……………………………… 79
　　　　（2）行動医学モデルが指摘するアドヒアランスを高める条件 ……………… 79
　　　　（3）喘息日誌（セルフモニタリング）と個別対応プラン
　　　　　　（アクションプラン）の活用 ………………………………………………… 80
　　　　（4）発達段階に応じた教育 ……………………………………………………… 80
　　　　（5）患者教育における種々の側面 ……………………………………………… 80
　5-3 QOL（生活/生命の質）………………………………………………………………… 81
　　　1）成人におけるQOL ……………………………………………………………… 81
　　　　（1）QOL評価の意義 …………………………………………………………… 81
　　　　（2）QOLの評価法と尺度 ……………………………………………………… 82
　　　　（3）QOLの向上 ………………………………………………………………… 82
　　　2）小児におけるQOL ……………………………………………………………… 82
　5-4 吸入指導 …………………………………………………………………………………… 82
　　　1）成人における吸入指導 …………………………………………………………… 82
　　　　（1）目で確認できる吸入デバイスの操作 ……………………………………… 84
　　　　（2）目で確認できない口腔内の指導 …………………………………………… 84
　　　2）小児における吸入指導 …………………………………………………………… 86
　　　　（1）吸入機器の種類と年齢に応じた選択 ……………………………………… 86
　　　　（2）吸入指導の重要性 …………………………………………………………… 86
　　　　（3）吸入補助具スペーサー ……………………………………………………… 90

6 治療

　6-1 薬剤 ………………………………………………………………………………………… 94
　　　1）副腎皮質ステロイド ……………………………………………………………… 94
　　　2）長時間作用性 β_2 刺激薬（LABA）……………………………………………… 97
　　　3）長時間作用性抗コリン薬（LAMA）…………………………………………… 98
　　　4）吸入ステロイド薬（ICS）/長時間作用性吸入 β_2 刺激薬（LABA）配合剤 …… 98

5) ICS/LAMA/LABA 配合剤 ・・ 99
　　　6) ロイコトリエン受容体拮抗薬（LTRA） ・・・・・・・・・・・・・・・・・・・・・・・・・・・・・・・・・・・・・・・ 100
　　　7) テオフィリン徐放製剤（SRT） ・・ 101
　　　8) 抗 IgE 抗体製剤オマリズマブ ・・・ 101
　　　9) 抗 IL-5 抗体製剤メポリズマブ、抗 IL-5 受容体 α 鎖抗体製剤ベンラリズマブ ・・・ 101
　　　10) 抗 IL-4 受容体 α 鎖抗体製剤デュピルマブ ・・・・・・・・・・・・・・・・・・・・・・・・・・・・・・・・ 102
　　　11) その他の薬剤、療法 ・・・ 103
　　　12) 今後期待される製剤 ・・・ 103
　6-2　段階的薬物投与プラン ・・ 107
　　　1) 喘息の治療目標 ・・ 107
　　　2) 治療の原則 ・・ 107
　　　3) 喘息治療の 4 つのステップ ・・ 108
　　　　（1）治療ステップ 1（長期管理薬 0〜1 剤＋増悪治療薬） ・・・・・・・・・・・・・・・・・・・ 108
　　　　（2）治療ステップ 2（長期管理薬 1〜2 剤＋増悪治療薬） ・・・・・・・・・・・・・・・・・・・ 110
　　　　（3）治療ステップ 3（長期管理薬 2〜3 剤＋増悪治療薬） ・・・・・・・・・・・・・・・・・・・ 110
　　　　（4）治療ステップ 4（長期管理薬＋追加療法＋増悪治療薬） ・・・・・・・・・・・・・・・・ 110
　　　4) 未治療患者における治療ステップの選択 ・・・・・・・・・・・・・・・・・・・・・・・・・・・・・・・・・ 111
　　　　（1）治療導入期（治療開始から 1〜4 週間まで） ・・・・・・・・・・・・・・・・・・・・・・・・・・ 111
　　　　（2）治療導入後の再評価（治療開始から 1〜4 週以降） ・・・・・・・・・・・・・・・・・・・・ 112
　　　5) 治療ステップダウンの考え方 ・・・ 114
　　　6) 難治例への対応 ・・ 114
　6-3　気管支熱形成術（bronchial thermoplasty, BT） ・・・・・・・・・・・・・・・・・・・・・・・・・・・・・ 120
　6-4　アレルゲン免疫療法 ・・・ 121
　6-5　急性増悪への対応（成人） ・・・ 123
　　　1) 一般的な急性増悪の治療（救急外来患者の治療手順を含む） ・・・・・・・・・・・・・・・ 123
　　　　（1）急性増悪状態の評価 ・・ 124
　　　　（2）急性増悪の治療 ・・ 124
　　　2) 家庭での対応 ・・ 127
　　　3) 救急室から帰宅させる場合の留意点 ・・・・・・・・・・・・・・・・・・・・・・・・・・・・・・・・・・・・ 128
　　　4) 入院治療の適応 ・・ 128
　　　5) ICU 管理の適応 ・・ 129
　　　6) 退院の条件 ・・ 129
　　　7) 増悪治療薬 ・・ 129
　　　　（1）SABA ・・・ 129
　　　　（2）副腎皮質ステロイド（ステロイド薬） ・・・・・・・・・・・・・・・・・・・・・・・・・・・・・・・・ 129
　　　　（3）SAMA ・・ 130
　　　　（4）テオフィリン薬 ・・ 130
　6-6　小児喘息の長期管理に関する薬物療法 ・・・・・・・・・・・・・・・・・・・・・・・・・・・・・・・・・・・・ 130
　　　1) 長期管理の目標と実践：薬物療法の位置づけ ・・・・・・・・・・・・・・・・・・・・・・・・・・・・ 130
　　　2) 小児喘息の長期管理に用いられる薬剤 ・・・・・・・・・・・・・・・・・・・・・・・・・・・・・・・・・・ 131

- (1) 吸入ステロイド薬（ICS） ……………………………………………… 131
- (2) 吸入ステロイド薬/長時間作用性吸入 β_2 刺激薬（LABA）配合剤 ……… 131
- (3) ロイコトリエン受容体拮抗薬（LTRA） ……………………………… 132
- (4) LTRA 以外の抗アレルギー薬 …………………………………………… 132
- (5) 生物学的製剤 ……………………………………………………………… 132
- 3) 短期追加治療に用いられる薬剤（LABA 以外の長時間作用性 β_2 刺激薬）…… 132
- 4) 小児喘息の長期管理における薬物療法の進め方 …………………………… 132
  - (1) 長期管理における薬物療法開始時の重症度評価と治療開始ステップ …… 132
  - (2) 長期管理中のコントロール状態、増悪因子や副作用の評価 ………… 132
  - (3) 小児喘息の長期管理の考え方 ………………………………………… 134
  - (4) 各治療ステップにおける薬物療法の進め方 ………………………… 136
  - (5) 難治性喘息について …………………………………………………… 138

6-7 小児喘息の急性増悪（発作）への対応 …………………………………… 141
- 1) 家庭での対応 …………………………………………………………………… 141
  - (1)「強い喘息発作のサイン」の有無による対応 ……………………… 141
  - (2)「強い喘息発作のサイン」がある場合の対応 ……………………… 142
  - (3)「強い喘息発作のサイン」がない場合の対応 ……………………… 142
  - (4) 喘息児とその家族に対する指導のポイント ………………………… 143
- 2) 医療機関での対応 ……………………………………………………………… 143
  - (1) 救急外来治療で把握すべきこと ……………………………………… 143
  - (2) 小発作に対する治療 …………………………………………………… 144
  - (3) 中発作に対する治療 …………………………………………………… 144
  - (4) 大発作・呼吸不全に対する治療（入院での対応） ………………… 148
  - (5) 入院治療の調整と退院の基準 ………………………………………… 150
  - (6) 退院時の指導 …………………………………………………………… 150

6-8 医療連携 ……………………………………………………………………… 153
- 1) アレルギー疾患対策基本法を受けて ………………………………………… 153
- 2) 吸入療法の課題と医療連携 …………………………………………………… 153
- 3) 多職種医療連携ネットワークの構築 ………………………………………… 154

7 種々の側面

7-1 AERD（NSAIDs 過敏喘息、N-ERD、アスピリン喘息） ………………… 158
- 1) 定義、呼称 ……………………………………………………………………… 158
- 2) 疫学、臨床像、誘発症状 ……………………………………………………… 158
- 3) 病態 ……………………………………………………………………………… 158
- 4) 診断方法 ………………………………………………………………………… 158
- 5) 発熱疼痛時の対応 ……………………………………………………………… 158
- 6) 急性増悪時の対応 ……………………………………………………………… 158
- 7) 長期管理と NSAIDs 誤使用の防止対策 ……………………………………… 159

7-2 運動誘発喘息・運動誘発気管支収縮（アスリート喘息の管理を含む） …… 161

- 1) 実臨床における運動に関連する喘息症状 ……… 161
- 2) 運動誘発喘息・運動誘発気管支収縮の概念 ……… 161
- 3) 診断 ……… 161
- 4) 治療・予防 ……… 162
  - (1) SABA ……… 162
  - (2) LTRA ……… 162
  - (3) DSCG ……… 162
  - (4) 抗コリン薬 ……… 162
- 5) アスリート喘息 ……… 162
  - (1) アスリート喘息の現状 ……… 162
  - (2) アスリート喘息の病因、病態 ……… 162
  - (3) アスリート喘息の診断 ……… 162
  - (4) アスリート喘息の治療 ……… 163
  - (5) アスリート喘息の管理 ……… 163

7-3 肥満関連喘息 ……… 165
- 1) 肥満が喘息の病態に及ぼす影響 ……… 165
- 2) 日本人における肥満の定義と喘息との関連 ……… 165
- 3) 肥満関連喘息の分類 ……… 166
- 4) 治療 ……… 166

7-4 慢性閉塞性肺疾患（COPD）（Asthma and COPD Overlap, ACO） ……… 167
- 1) ACO 診断の手順 ……… 167
- 2) 発症要因 ……… 167
- 3) 有病率・予後 ……… 167
- 4) 治療 ……… 167

7-5 乳幼児期の喘息 ……… 169
- 1) 乳幼児期における「診断的治療」の導入 ……… 169
- 2) 乳幼児期の特徴と課題 ……… 170
- 3) 乳幼児喘息の病態生理 ……… 170
- 4) 喘鳴性疾患の病型分類（フェノタイプ） ……… 170
- 5) 診断 ……… 170
- 6) 鑑別診断 ……… 172

7-6 思春期喘息・移行期医療 ……… 175
- 1) 思春期・青年期における疫学 ……… 175
- 2) 思春期・青年期の喘息の特徴 ……… 175
  - (1) 呼吸機能 ……… 175
  - (2) 気道過敏性 ……… 175
  - (3) 肥満や内分泌疾患 ……… 175
  - (4) 生活習慣の変化・アドヒアランスに伴う問題 ……… 175
- 3) 小児気管支喘息治療管理ガイドラインから喘息予防・管理ガイドラインへ ……… 175
- 4) 移行期医療（成人診療科的診療へ向けて） ……… 176

- 5) 思春期・青年期の患者指導 ···································· 177
    - (1) 学童期の患者指導 ·· 177
    - (2) 思春期・青年期の患者指導 ···························· 177
  - 6) 成人診療科への転科について ································ 177
- 7-7 高齢者喘息 ··· 179
  - 1) 特徴 ·· 179
  - 2) 病型 ·· 179
  - 3) 診断 ·· 179
  - 4) 治療 ·· 181
  - 5) 管理・患者教育 ·· 181
- 7-8 喘息と妊娠 ··· 183
  - 1) 喘息が妊娠に与える影響 ·· 183
  - 2) 妊娠中の喘息治療 ·· 183
- 7-9 合併症 ··· 186
  - 1) アレルギー性鼻炎 ·· 186
  - 2) 慢性副鼻腔炎 ·· 188
  - 3) 好酸球性副鼻腔炎 ·· 188
  - 4) 好酸球性中耳炎 ·· 193
  - 5) 好酸球性多発血管炎性肉芽腫症（eosinophilic granulomatosis with polyangiitis, EGPA） ······························ 194
    - (1) 概念 ·· 194
    - (2) 疫学 ·· 194
    - (3) 臨床像 ·· 194
    - (4) 診断 ·· 195
    - (5) 治療 ·· 195
  - 6) アレルギー性気管支肺アスペルギルス症（ABPA）・アレルギー性気管支肺真菌症（ABPM） ················ 196
    - (1) 概念 ·· 196
    - (2) 病態・病理 ·· 197
    - (3) 疫学と臨床像 ··· 197
    - (4) 診断 ·· 197
    - (5) 治療 ·· 197
  - 7) 心不全 ·· 198
  - 8) 胃食道逆流症（gastroesophageal reflux disease, GERD） ········ 199
- 7-10 職業性喘息 ··· 200
    - (1) 定義 ·· 200
    - (2) 有病率 ·· 200
    - (3) 診断 ·· 200
    - (4) 治療・管理 ·· 201
    - (5) 予防 ·· 201

- 7-11 外科手術と喘息 ... 203
  - 1) 術前の対応 ... 203
    - (1) 喘息重症度の把握 ... 203
    - (2) 手術時期 ... 204
    - (3) 薬物治療 ... 204
  - 2) 麻酔 ... 204
    - (1) 局所麻酔、脊髄くも膜下麻酔や硬膜外麻酔などの区域麻酔 ... 204
    - (2) 全身麻酔 ... 204
    - (3) 麻酔薬および麻酔関連薬 ... 204
  - 3) 術中の急性増悪（発作）への対応 ... 205
  - 4) 術後管理 ... 205
- 7-12 咳喘息・慢性咳嗽 ... 206
- 7-13 予防接種 ... 208
  - 1) ステロイド薬の治療を受けている場合の注意点 ... 208
  - 2) インフルエンザワクチン ... 208
  - 3) 23価肺炎球菌多糖体ワクチン ... 209
  - 4) 新型コロナウイルス感染症に対するワクチン ... 209
- 7-14 心身医学的側面 ... 210
  - 1) 喘息と心理的因子の相関関係 ... 210
  - 2) うつ・不安障害と喘息 ... 210
  - 3) 心理学的要因から捉えた喘息診断・治療 ... 210
- 7-15 災害時の喘息診療 ... 212
- 7-16 COVID-19への対応 ... 214
  - 1) COVID-19と喘息との関連 ... 214
  - 2) COVID-19蔓延下における喘息診療に関して ... 215
- 7-17 重症心身障害児（者）の喘息診療 ... 216

8 主な喘息治療薬一覧

エビデンスの評価

本ガイドラインでは，喘息治療・管理に関する勧告の信憑性を示すエビデンスレベルを適宜，文献番号の後に記載した．

カテゴリー	エビデンスの出所	定　義
A	無作為化比較試験（RCTs），大規模データ	エビデンスは適切にデザインされたRCTsのエンドポイントから得られたもので，RCTsとは推奨される対象集団において一貫した所見が得られるものである． カテゴリーAには十分な数の集団を対象とした十分な数の研究が必要である．
B	無作為化比較試験（RCTs），（比較的）小規模データ	エビデンスは限定された数の患者を対象とした臨床研究のエンドポイント，またはRCTsのpost hocまたはサブグループ解析，あるいはRCTsのメタアナリシスによるものである． カテゴリーBとは，一般に，小規模で少数の無作為化試験があり，試験は推奨される患者集団と異なる患者集団で行われ，また，結果にいくらか矛盾が見られる場合である．
C	非無作為化試験，観察的研究	エビデンスは非対照試験または非無作為化試験の結果によるか，観察的研究から導かれたものである．
D	パネルコンセンサスの総意	このカテゴリーは，次のような場合にのみ用いられる．あるガイダンスを示すのが有用と考えられるが，それを示す臨床文献が他のカテゴリーの1つを満たすのに不十分な場合である．パネルコンセンサスは上記の基準を満たさない臨床的経験ないしは知識によるものである．

RCTs：randomized controlled trials

小児科領域の図版について

本ガイドラインの小児科領域の原稿は，主に『小児気管支喘息治療・管理ガイドライン2020』から要約して収載されているが，日本小児アレルギー学会は重要かつ必要と思われる図表は印刷版に掲載し，補足的な図表などは本文中に（web ◎）と記載している．

閲覧にあたっては，日本小児アレルギー学会ホームページ（https://www.jspaci.jp）を参照されたい．

1

総 説

1-1　喘息の定義

　気管支喘息（以下、喘息）は、「気道の慢性炎症を本態とし、変動性を持った気道狭窄による喘鳴、呼吸困難、胸苦しさや咳などの臨床症状で特徴付けられる疾患」である。

　気道炎症には、好酸球、リンパ球、マスト細胞、好中球などの炎症細胞、加えて、気道上皮細胞、線維芽細胞、気道平滑筋細胞などの気道構成細胞、および2型サイトカインなどの種々の液性因子が関与する。また、喘息は多様な表現型を有する疾患である。気道炎症や気道過敏性亢進によって生じる気道狭窄・咳は自然に、あるいは治療により可逆性を示す。持続する気道炎症は、気道粘膜の傷害とそれに引き続く気道構造の変化（リモデリング）を誘導し、非可逆性の気流制限をもたらす（図1-1）。

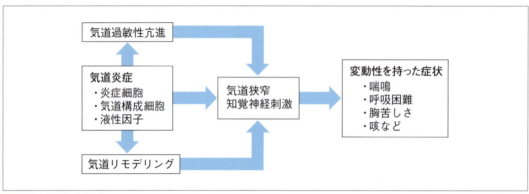

図1-1　喘息の概念

1-2　喘息の管理目標

　喘息の管理目標は、「Ⅰ. 症状のコントロール」、「Ⅱ. 将来のリスク回避」、の2点に集約される（表1-1）。

表1-1　喘息の管理目標

Ⅰ. 症状のコントロール （増悪や喘息症状がない状態を保つ）	①気道炎症を制御する*。 ②正常な呼吸機能を保つ（PEFが予測値の80%以上かつ日内変動が10%未満）。
Ⅱ. 将来のリスク回避	①喘息死を回避する。 ②急性増悪を予防する。 ③呼吸機能の経年低下を抑制する。 ④治療薬の副作用発現を回避する。 ⑤健康寿命と生命予後を良好に保つ。

＊：可能な限り呼気中一酸化窒素濃度（FeNO）測定や喀痰好酸球検査で気道炎症を評価する。

症状のコントロールでは、気道炎症の原因となる危険因子を回避・除去して、適切な薬物治療により気道炎症の抑制と十分な気道拡張（可能な限り正常に近い呼吸機能[1]）を達成し、患者が健常人と変わらない日常生活を送れることを目標とする。その結果、喘息死や急性増悪の予防、呼吸機能低下の抑制といった将来のリスク回避が可能になると考えられる。治療は長期にわたることから治療薬の副作用発現の回避や吸入指導の継続が重要である。

特に、経年的な閉塞性換気障害[2]の進行や重症喘息における経口ステロイド薬の長期使用による骨折[3]が生命予後を不良化させるため[4]、それらを回避する長期的な治療が重要である。

1-3 病型

喘息には多様な原因や増悪因子、臨床像が存在し、それらは臨床的特徴あるいは表現型（フェノタイプ）[5]として分類される。遺伝因子（ジェノタイプ）と環境に対する生体反応の分子ネットワークに基づく分類がエンドタイプであり、同一患者においても経時的に変化する場合があるフェノタイプは、分子メカニズムであるエンドタイプにより決定される[6]。

喘息の病型が多くのフェノタイプとエンドタイプに分類され研究されるようになった背景には、すべての患者の症状改善を治療目標とする単一治療から個別化治療へ転換したことと、多くの生物学的製剤の登場により精密医療（precision medicine）が行われ、薬剤の効果から新たな病型分類が提示され、さらに新たな分類が必要となったことが挙げられる[7]。したがって、例えば代表的な病型の一つである「アトピー型喘息」と、特異的IgE抗体が検出されずアレルギー歴のない「非アトピー型喘息」の病型[8]分類は、現在ではアレルゲンの回避・除去、免疫療法の効果予測[9]に非常に有用であることが明らかとなっている。

そのほかの主なフェノタイプとして発症年齢（小児期発症・成人発症）、性別、季節性、肥満、AERD（aspirin-exacerbated respiratory disease、NSAIDs過敏喘息、N-ERD、アスピリン喘息）、アルコール誘発、運動誘発、末梢血好酸球数、好酸球性副鼻腔炎合併、吸入ステロイド薬（ICS）低反応などがあり[10]、一方でエンドタイプとしては喘息発症[11]やステロイド感受性低下[12]に関連する遺伝子多型、また環境に対する体内分子の動態などが報告されている[13]。こうしたフェノタイプとエンドタイプによる病型分類は治療ターゲットを明確にして、個別化医療や予防医学、予測医学、さらに参加型医療[14]といった先制医療を促進させることになる。

1-4 喘息の問診、聴診と身体所見

1）問診

喘息患者は喘鳴、咳、息切れ、胸苦しさなどを訴えて外来を受診することが多い。「喘鳴を伴った息苦しさ」の訴えは比較的喘息に特徴的とされる[15]が、基本的には日常臨床で頻繁に

遭遇する非特異的な症状である。初期診療に際しては、まず感染性疾患の除外が必要であり、呼吸器以外の疾患が原因である可能性についても検討を要する。成人の場合は年齢や喫煙歴、併存疾患も考慮しながら評価する[16]。咳が唯一の症状である場合もあるので注意する。

ほかに明らかな原因がなく、症状の持続性や反復性から慢性気道疾患の可能性が高いと判断されたら、喘息を疑わせる症状を詳細に聞き取る。喘息の過小診断（under-diagnosis）に最も関与する要因として、患者が適切にすべての症状を訴えない傾向が指摘されている[17]ことを念頭に置く。COPDや中枢気道の器質的狭窄は、しばしば喘息と鑑別困難で注意を要する。症状の変動が大きく、反復するエピソードの間に無症状の時期が存在することが病歴上で確認できれば参考になる。また、高齢者の喘息では典型的な喘息症状に乏しい場合がある。喘息を疑わせる症状が複数認められた際は喘息の可能性が高いと考えて、さらに追加問診によって情報を収集する（表1-2、表1-3）[18]。特に「繰り返す喘鳴」が喘息診断において特異性が高い[19,20]と考えられている。

表1-2　喘息で典型的に認められる症状[17]

・喘鳴、息切れ、咳、胸苦しさの複数の組み合わせが変動をもって出現する。
・夜間や早朝に増悪する傾向がある。
・症状が感冒、運動、アレルゲン曝露、天候の変化、笑い、大気汚染、冷気、線香の臭い（強い臭気）などで誘発される。

表1-3　成人喘息を疑う際の追加問診項目[18]

・症状の初発時期、過去の医療機関受診・投薬歴と治療に対する反応
・既往歴：アレルギー性鼻炎、薬剤や食物アレルギー、副鼻腔炎の既往や手術歴
・生活歴：喫煙（受動喫煙を含む）、常用薬剤（健康食品も含む）、住環境、ペット飼育状況
・職業と職場環境：勤務と症状との関連に注意する
・家族歴：アトピー素因、喘息

2）聴診所見

呼気性喘鳴（wheezes）が特徴的である。気道狭窄の程度によっては吸気時にも聴取され、呼気延長を伴うこともある。安静換気で喘鳴や呼気延長が明らかでなくとも、強制呼出させると顕在化することがある。喘鳴が聴取される部位はびまん性のことも散在性のこともあるが、常に同じ部位で喘鳴が聴取される場合は器質的狭窄の可能性も考慮する。明らかな呼吸音の左右差や水泡音、捻髪音が認められる場合は他疾患を疑う。

喘息は症状の変動を特徴とする疾患であり、診察時の呼吸音に異常を認めなくても喘息を否定する根拠にはならない。ただし、受診の動機となった症状が持続しているにもかかわらず、一貫して喘鳴が聴取されない場合は喘息以外の疾患である可能性が高い[18]。

3）その他の理学所見

併存症のない軽症喘息では、咳、喘鳴以外の理学所見は乏しい。胸郭変形や呼吸補助筋の

強調、頸静脈怒張や浮腫、進行性のるいそう、ばち指などの存在は他疾患を示唆する。急性増悪の際には気胸や縦隔気腫が併発することがあるため、皮下気腫の有無にも注意する。

喘息を否定する根拠にはならないまでも、喘息の可能性を低くする所見や他疾患の併存を示唆する症状や身体所見を**表 1-4** に挙げる[17), 18)]。

表 1-4　喘息以外の疾患を疑わせる所見 [17), 18)]

- 慢性の咳・痰にもかかわらず喘鳴や呼吸困難を伴わない。
- 症状は持続しているが聴診所見が一貫して正常である。
- 明らかな水泡音、呼吸音の左右差、常に同じ部位に限局した喘鳴がある。
- 頸部に最強点を示す吸気喘鳴（stridor）、吸気終末のみに目立つ喘鳴（squawk）がある。
- 心疾患を疑わせる病歴や身体所見を認める。
- 著明なふらつきや末梢のしびれを伴う呼吸困難を認める。

1-5　喘息の診断

1）診断の目安と診断アルゴリズム

喘息の診断は**表 1-5** に示すように、①発作性の呼吸困難、喘鳴、胸苦しさ、咳などの症状の反復、②変動性・可逆性の気流制限、③気道過敏性の亢進、④気道炎症の存在、⑤アトピー素因の有無、⑥他疾患の除外（**表 1-6**）を目安として行う。

図 1-2 に喘息診断のアルゴリズムを示す。ただし、エビデンスに基づき確立された診断アルゴリズムはなく、治療を優先せざるを得ない場合は、薬剤の反応性をもって評価するが、経過中の検査により診断の再評価を行うことが重要である。

表 1-5　喘息診断の目安

1. 発作性の呼吸困難、喘鳴、胸苦しさ、咳（夜間、早朝に出現しやすい）の反復
2. 変動性・可逆性の気流制限
3. 気道過敏性の亢進
4. 気道炎症の存在
5. アトピー素因
6. 他疾患の除外

- 上記の 1、2、3、6 が重要である。
- 4 が好酸球性の場合は診断的価値が高い。
- 5 の存在は喘息の診断を支持する。

表1-6 喘息と鑑別すべき他疾患

1. 上気道疾患：喉頭炎、喉頭蓋炎、vocal cord dysfunction（VCD）
2. 中枢気道疾患：気管内腫瘍、気道異物、気管軟化症、気管支結核、サルコイドーシス、再発性多発軟骨炎
3. 気管支〜肺胞領域の疾患：COPD、びまん性汎細気管支炎
4. 循環器疾患：うっ血性心不全、肺血栓塞栓症
5. 薬剤：アンジオテンシン変換酵素阻害薬などによる咳
6. その他の原因：自然気胸、迷走神経刺激症状、過換気症候群、心因性咳嗽

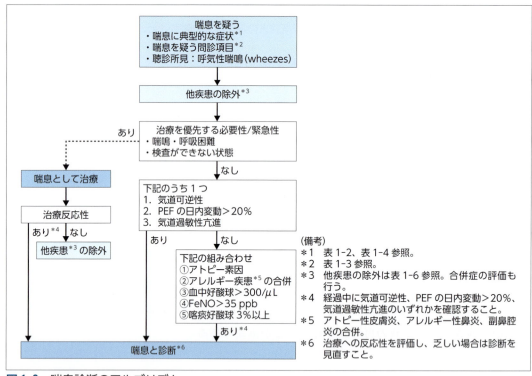

図1-2 喘息診断のアルゴリズム

2）診断に有用な検査

（1）変動性気流制限：喘息は、変動性を示す呼気の気流制限によって特徴づけられる。気流制限は、軽度なものから、致死的な重症増悪で認められる高度なものまで存在する。同じ患者でも増悪期と寛解期で1秒量（FEV_1）やPEFが変化する。変動性気流制限は、下記の検査で評価する。短時間作用性吸入β_2刺激薬（SABA）の吸入前後の呼吸機能検査（気道可逆性検査）では、SABA吸入後、FEV_1が12％以上、かつ200 mL以上の増加があれば、気道可逆性ありと判定する。PEF値の日内変動（朝と夜の差を朝と夜の平均で除して求める）が20％以上の場合も変動性気流制限があると判定できる。また、治療や自然経過によってFEV_1が12％以上、かつ200 mL以上の変化、または、PEF値の20％を超える変化を示す場合は、変動性気流制限の存在を示唆する。寛解期で呼吸機能が正常化している場合や、長期罹患した患者で固定性気流制限が生じている患者では、変動性気流制限を呼吸機能検査で

確認しにくい場合もある。

(2) 気道過敏性の亢進：喘息患者は、健常者では気道が反応しない程度の弱い刺激によっても気道収縮反応が起きる。症状がなくても気道過敏性が亢進している場合は喘息の存在が示唆される。気道過敏性の定量的評価法である気道過敏性検査には、日本アレルギー学会標準法とアストグラフ法がある。いずれも気道狭窄を誘発する負荷試験であるため、呼吸機能の低下が顕著な場合には行わない。

(3) 気道炎症の存在：喀痰中の好酸球増多、あるいは剥離した気道上皮であるクレオラ体の存在は気道炎症を示唆する。喀痰好酸球の数や比率は、健常者と喘息患者で明らかに異なる。健常者の喀痰好酸球比率は平均値＋2 SDで2.2％と報告されており、喘息診断における喀痰好酸球比率の基準は3％以上とする場合が多い[21]。喀痰好酸球比率3％に対応する血中好酸球数は220〜320/μLとされているが[22]、血中好酸球数は、喀痰好酸球比率よりも喘息診断における感度、特異度が低い[23]。喘息患者においてFeNOは、喀痰好酸球数、気管支生検における好酸球浸潤の程度と相関することから、好酸球性気道炎症の評価法として用いられている。好酸球性気道炎症を評価するためのFeNOのカットオフ値は、ATS（American Thoracic Society）/ERS（European Respiratory Society）ガイドラインでは25 ppbと50 ppbを一応の指標としている[24]。また、日本人を対象とした検討では、FeNOの正常上限値は37 ppbであることから[25]、35 ppbを喘息診断の目安とすることもできる[26]。

(4) アトピー素因の存在：血清総IgE高値、種々の環境アレルゲンに対する特異的IgE抗体の存在は、アトピー素因の存在を示す。また、アレルギー疾患の既往歴・家族歴はアトピー素因の可能性を示唆する。アトピー素因の存在は、アトピー型喘息の診断の一助になる。アトピー性皮膚炎や通年性アレルギー性鼻炎は、アトピー型喘息に合併する頻度が高い。特異的IgE抗体は、即時型皮膚反応や血清特異的IgE抗体検査などで証明する。ただし、日本人健康若年者におけるアトピー素因保有率は80％程度と高率であり[27,28]、若年喘息を診断する際のアトピー素因は特異性にやや乏しい。一方、高齢者やCOPDにおけるアトピー素因やIgE値は喘息診断に有用である[29]。

(5) 他疾患の除外：喘息と鑑別すべき疾患を表1-6に示す。特に心不全との鑑別は重要である。COPDとの鑑別は、典型的な場合には容易であるが、喫煙者や高齢者では困難な場合もある。また、両者が併存することも多く、喘息とCOPDオーバーラップ（Asthma and COPD Overlap, ACO）と呼ばれる[30]。

1-6　喘息の重症度と増悪強度分類

　喘息重症度の評価は喘息症状を基本とするが、PEF値、FEV_1などの呼吸機能は重症度の客観的把握に有用であり、5歳以上であれば多くは測定できるので積極的に行うべきである。未治療の喘息あるいは標準的な維持療法が未導入の喘息の重症度は4段階に分類する

（**表 1-7**）。各重症度を症状の頻度および強度で分類すると、症状が毎週ではないのが軽症間欠型、毎週だが毎日ではないのが軽症持続型、毎日ではあるが日常生活に支障を来さないのが中等症持続型、毎日で日常生活に支障を来しているのが重症持続型である。なお、小児では重症度判定が設けられている（**表 1-11** 参照）。各重症度に応じて治療ステップ1から治療ステップ4までの内容による治療が推奨される（第6章 6-2「段階的薬剤投与プラン」参照）。

表 1-7　未治療の喘息の臨床所見による重症度分類（成人）

重症度[*1]		軽症間欠型	軽症持続型	中等症持続型	重症持続型
喘息症状の特徴	頻度	週1回未満	週1回以上だが毎日ではない	毎日	毎日
	強度	症状は軽度で短い	月1回以上日常生活や睡眠が妨げられる	週1回以上日常生活や睡眠が妨げられる	日常生活に制限
				しばしば増悪	しばしば増悪
	夜間症状	月に2回未満	月に2回以上	週1回以上	しばしば
PEF FEV$_1$[*2]	%FEV$_1$, %PEF	80%以上	80%以上	60%以上80%未満	60%未満
	変動	20%未満	20〜30%	30%を超える	30%を超える

[*1]：いずれか1つが認められればその重症度と判断する。
[*2]：症状からの判断は重症例や長期罹患例で重症度を過小評価する場合がある。呼吸機能は気道閉塞の程度を客観的に示し，その変動は気道過敏性と関連する。%FEV$_1$＝（FEV$_1$測定値/FEV$_1$予測値）×100，%PEF＝（PEF 測定値/PEF 予測値または自己最良値）×100

　治療下における喘息重症度は、日常の喘息症状のコントロールに要した薬剤の種類と量を加味して判断する。つまり、症状や増悪のコントロールに必要な薬物の投与レベルから後ろ向きに評価する[31,32]。長期管理薬の投与開始から数か月が経過し、適宜治療のステップダウンを試みて患者に必要な治療内容の最低レベルを見出すことで重症度が評価できる。急性増悪（発作）時は、喘息症状・増悪強度の分類（**表 1-8**）と治療効果に応じて、増悪治療ステップ1から増悪治療ステップ4までの治療内容が推奨される（第6章「救急外来患者の治療の手順」参照）。呼吸困難の程度は、軽度では「苦しいが横になれる」、中等度では「苦しくて横になれない」、高度では「苦しくて動けない」となり増悪強度の判定に有用である。

表1-8 喘息症状・増悪強度の分類（成人）

増悪強度[*1]	呼吸困難	動作	検査値[*3]			
			%PEF	SpO$_2$	PaO$_2$	PaCO$_2$
喘鳴/胸苦しい	急ぐと苦しい 動くと苦しい	ほぼ普通	80％以上	96％以上	正常	45 Torr 未満[*4]
軽度（小発作）	苦しいが横になれる	やや困難				
中等度（中発作）	苦しくて横になれない	かなり困難 かろうじて歩ける	60〜80％	91〜95％	60 Torr 超	45 Torr 未満
高度（大発作）	苦しくて動けない	歩行不能 会話困難	60％未満	90％以下	60 Torr 以下	45 Torr 以上
重篤[*2]	呼吸減弱 チアノーゼ 呼吸停止	会話不能 体動不能 錯乱，意識障害，失禁	測定不能	90％以下	60 Torr 以下	45 Torr 以上

*1：増悪強度は主に呼吸困難の程度で判定し，他の項目は参考事項とする。異なった増悪強度の症状が混在するときは増悪強度の重いほうをとる。
*2：高度よりさらに症状が強いもの，すなわち，呼吸の減弱あるいは停止，あるいは会話不能，意識障害，失禁などを伴うものは重篤と位置付けられ，エマージェンシーとしての対処を要する。
*3：気管支拡張薬投与後の測定値を参考とする。
*4：喘息増悪時，通常は過換気となりPaCO$_2$は低下する。PaCO$_2$が正常域または上昇している場合は、気道狭窄が進んでいる可能性がある。

1-7 喘息診断・管理の指標（表1-9）

(1) **スパイロメトリー**：スパイロメトリーによる呼吸機能（気流制限）の評価は、喘息重症度の判定や治療効果判定のための客観的指標としてきわめて重要である[33]。気流制限は1秒量（FEV$_1$）、予測値に対する1秒量（%FEV$_1$）、1秒率（FEV$_1$% = FEV$_1$/FVC）、最大呼気流量（ピークフロー、PEF）の低下で示される。フローボリューム曲線の$\dot{V}_{50}$、$\dot{V}_{25}$の低下や$\dot{V}_{50}/\dot{V}_{25}$比の増加（フローボリューム曲線下行脚が下に凸のパターン）は末梢気道病変の早期検出に有用である。一般的には初診時と治療開始後1〜3か月以内に再検し、その後は年1回以上の測定が望ましい。

(2) **ピークフロー（PEF）**：患者が気流制限を毎日客観的に評価する方法としてPEFモニタリングが推奨される。PEFモニタリングは、喘息の自覚症状の乏しい場合や増悪を頻回に起こす場合は特に有用であり、アレルゲンや誘発因子の同定、職業性喘息の診断時にも用いることができる。PEFの日内変動は気道過敏性と相関し、日内変動が大きい場合は気道過敏性の亢進を示唆し、コントロール状態を評価する指標となる[34〜38]。

(3) **喘息日誌、質問票など**：患者自身が症状を記入する喘息日誌やAsthma Control Questionnaire（ACQ）やAsthma Control Test（ACT）などの質問票を用いることは患者のコントロール状態を知るのに有用である[39〜43]。

表1-9 喘息管理のために有用な検査

検査	概要	解釈	付記
スパイロメトリー[33]	最も基本的な呼吸機能検査 主要な評価項目 ・努力性肺活量（FVC） ・1秒量（FEV_1） ・1秒率（$FEV_1\%=FEV_1/FVC$） ・予測値に対する1秒量（$\%FEV_1$）	正常範囲：$FEV_1\%$ 70％以上かつ$\%FEV_1$ 80％以上（または自己最良値の80％以上）。治療によりFEV_1が12％かつ200 mL以上改善すれば気道可逆性があると判断する。	気流制限の程度や気道可逆性を調べる際に推奨される方法であり診断とモニタリングに有用である。モニタリングでは年に数回程度の実施が望ましい。COVID-19蔓延下における施行については第7章参照。
ピークフロー（PEF）[34〜38]	簡便なPEFメーターで測定するため患者自身が気流制限を評価するのに適している。喘息悪化が数値で判断でき、より早く治療を強化できる。朝の服薬前と夜の測定の継続でPEFの日（週）内変動率を求めることができる。	予測値に対するPEFが80％以上で正常範囲内とする。80％未満の場合やPEF変動率が20％以上であれば、気道過敏性が亢進している可能性が高く、長期管理薬の強化を検討する。	気流制限の程度や変動性を在宅で調べる際に推奨される。診断とモニタリングに有用である。症状の不安定な患者や増悪時に自覚症状の乏しい患者は定期測定を継続する。呼出時の努力に依存するため過小評価に注意を払う。
質問票 Asthma Control Test（ACT）[39]	症状（3項目）、増悪治療薬使用（1項目）、総合的評価（1項目）から構成される喘息質問票である。	合計が25点で十分なコントロール、20〜24点でコントロール良好、19点以下でコントロール不良と判断する。	小児用ACTもあり、成人と4歳以上の小児において有用である。
Asthma Control Questionnaire（ACQ）[40,41]	症状（5項目）、増悪治療薬使用（1項目）、1秒量（1項目）から構成される喘息質問票である。	平均値が0.75以下でコントロール良好、1.5以上でコントロール不十分と判定する。	成人と5歳以上の小児においても有用である。症状5項目のみの評価も有用性が確認されている。
Japan Asthma Control Survey（JACS）[42,43]	15個の質問から構成され、トータルスコアのほか、4つの下位尺度（症状、心、治療、活動）が算出できる喘息質問票である。	コントロール良好>8点、コントロール不十分が>4.8から≤8.0の間、コントロール不良が≤4.8。	喘息予防・管理ガイドライン2015をもとにカットオフ値を算出。VASを使用している。
喀痰中好酸球比率[49,51]	自発痰あるいは高張食塩水を吸入して得た喀痰（誘発痰）を検体として用いる。	喀痰中の好酸球比率が2〜3％以上であれば、好酸球性気道炎症が存在すると判定する。	診断とモニタリングに有用である。喀痰好酸球比率をガイドとして治療薬を調節して喘息増悪を抑制できたことが報告されている。
気道過敏性検査[52]	気道収縮物質を吸入投与することにより生じる気道狭窄反応を計測して気道過敏性の有無および程度を評価する。負荷試験なので必ず医師が行う。	COPDなどあらかじめ気道狭窄のある疾患でも陽性となるため特異度は高くないが、感度が高いため陰性であれば喘息は、ほぼ否定できる。	診断に有用である。1秒量が1L（または予測値の50％）以下の症例では過度な気道狭窄が懸念されるため気管支拡張薬による気道可逆性検査が推奨される。
呼気中一酸化窒素濃度（FeNO）測定[53〜57]	簡便かつ非侵襲的に測定が可能で迅速性と再現性にも優れている。呼気流速や肺気量位の影響を受けるため測定条件を統一する（NIOX MINO®、NIOX VERO®、NObreath®が薬事承認）。	およその正常上限値は37 ppbである。値の低下は気流制限や気道過敏性の改善と相関し、値の上昇は喘息の悪化やアドヒアランスの低下を示唆することから経時的な測定が有用である。	補助診断に有用である。治療薬の調節における有用性は確立していないが、症状を加味した場合ICS減量における有用性が報告されている。ICSの使用と現喫煙時は低下するため解釈に注意する。
末梢血好酸球数[63〜74]	簡便・安価に測定できる。総白血球数に対する比率よりも絶対数での知見が蓄積している。	高値の場合は、好酸球性気道炎症の存在を示唆し、特に300〜400/μL以上では喘息症状出現、コントロール不良のリスク増加を示唆する。	診断とモニタリングに有用であるが、薬剤アレルギーなどでも上昇するため注意する。重症例で高値の場合はIL-5やIL-4Rαを標的とした生物学的製剤の有用性が期待できる。

(4) 喀痰中好酸球比率：自然喀出痰が採取されない場合は3～5%の高張食塩水吸入による誘発喀痰を採取する。喘息患者では高張食塩水吸入により気道収縮を誘発する可能性があるため事前にSABAを吸入する。喀痰中好酸球比率の変化は、喘息コントロールの変動を反映している[44]。喀痰中好酸球比率の増加（≧3%）は、ステロイド治療[45]、IL-5やIL-4Rαを標的とした生物学的製剤[46～48]への治療反応性予測のバイオマーカーとして有用である。誘発喀痰中の好酸球比率を指標として喘息管理を行った場合は、ガイドラインを用いた管理に比べて増悪回数を減少させることを示す複数の報告がある[49～51]。しかし、侵襲度がやや高く検体処理に熟練を要するため専門施設で行われることが多い。

(5) 気道過敏性：気道過敏性検査は喘息診断に有用である。また、閾値を指標として、気道過敏性を軽減させるようにICS投与量を調節する治療は、症状や呼吸機能のみを判定基準とした治療よりも喘息コントロールを改善させることが示されている[52]。ただし、測定は一部の施設においてのみ可能であるため、臨床応用は限られている。

(6) 呼気中一酸化窒素濃度（FeNO）：呼気中の一酸化窒素（NO）は気道上皮細胞の誘導型NO合成酵素に由来し、FeNOは好酸球を中心とした気道炎症を反映する。その測定は簡便で非侵襲的であるため、喘息の診断や気道炎症の評価法として有用である。未治療でFeNOが高値の場合はステロイド薬の有効性を予測する指標となり、治療下でも症状が残りFeNOが高値の場合はアドヒアランス不良やICS投与量が不十分な可能性を考えて増悪に注意する[53～57]。FeNOが高値であるほどIgEやIL-4Rαを標的とした生物学的製剤の有効性が期待できる[58,59]。FeNOを喘息コントロールの指標にして喘息管理を行うと増悪回数を減少させるとの報告がある[60]。さらにFeNOと末梢血好酸球数を組み合わると、喘息の診断と増悪予測の精度を高める可能性がある[61,62]。しかし、喘息コントロールの指標として一般臨床において使用できるかどうかはエビデンスに乏しい。

(7) 末梢血好酸球数：末梢血好酸球数は薬剤アレルギーなどでも上昇し、必ずしも喘息の気道炎症を反映するわけではないが[63]、末梢血好酸球が多い場合は、好酸球性気道炎症の存在や呼吸機能低下を示唆する[64～66]。特に300～400/μL以上の場合は、喘息増悪やコントロール不良のリスクが上がる[67～70]。また、末梢血好酸球数が高いほどIL-5やIL-4Rαを標的とした生物学的製剤の有効性が期待できるとされる[71,72]。IgE抗体を標的とした生物学的製剤の効果について血中好酸球数が参考になるかは相反する報告がなされている[73,74]。

(8) その他の検査：その他の検査として、特異的IgE抗体はアトピー型喘息診断の目安となる。薬物療法のモニタリングにおいてはテオフィリン血中濃度や血漿コルチゾール値が参考となる。増悪時には、パルスオキシメータや動脈血ガス分析で呼吸不全の評価を行うとともに、一般的な血液検査、胸部X線写真、心電図で鑑別疾患や合併症を診断する。

1-8　喘息の自然史と予後

　小児期発症の喘息が成人期に寛解する割合は6〜65％と報告により大きな幅がある。また、ICSを中心とする治療法の変化により、近年では予後が変わってきている可能性がある。乳幼児の喘鳴については、日本ではまだ長期予後に関する調査結果はないが、2004〜2006年に登録された5歳未満で発症した喘息の5年後の予後が報告されている[75]。それによると、5年後には治療を加味した重症度は間欠型喘息が7％から38.9％へと増加し、有意に軽症化していた。

　喘息児の成人期にかけての呼吸機能の推移が、図1-3に示した4群に分類され、各群には、ほぼ4分の1ずつの症例が均等に属することが報告された[76]。つまり、成人期の1秒量低値には、「肺の低発育」と「呼吸機能低下の加速」の2つの因子が関与すると考えられる。

　肺の低発育に関連する背景因子として、男児、小児期の1秒量低値が示されているが、小児期のICS治療は、呼吸機能の成長を改善しないとする複数の報告がある[77,78]。呼吸機能低下の加速には気道リモデリングが関与していると想定されるが、成人において、①喘息発症後にICS非使用期間が長いと、呼吸機能が十分に改善しなくなる[79]、②ICS非使用例では、重症増悪後に1秒量の経年低下が大きい[80]、③気道収縮のみでリモデリングが生じ得る[81]、ことが報告されており、不十分な長期管理が呼吸機能低下の加速につながる可能性が示唆されている。

　自覚症状の消失を指標とすると、成人喘息の約10年後の寛解率は12〜20％とされ[83,84]、重症、呼吸機能低値などが非寛解に関連する背景因子であった。ICSは小児喘息の寛解率を高めないとされるが[84]、アレルゲン免疫療法は若年者における鼻炎合併喘息の長期寛解率を高めることが報告されている[85]。

　このように、喘息の自然史には、小児期の肺の低発育、成人期の呼吸機能低下の加速、寛解などの複数の因子が関与しているが、それぞれの因子に対するICSの介入効果は現在までのところ必ずしも認められていない。

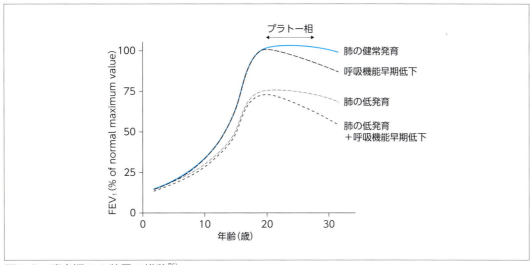

図 1-3 喘息児の1秒量の推移[76]

1-9 小児の喘息の特徴

1）病態生理

　成人の喘息との病態比較では、小児に特異的な部分があるものの、小児の喘息も好酸球、マスト細胞、リンパ球などの活性化と気道粘膜傷害を伴う気道の慢性炎症性疾患と考えられている。一方で、小児の喘息の病態生理、特に気道炎症については成人ほど解明は進んでおらず、成人と病態生理を同一視できるか否かの疑問も、乳幼児を中心に多く残っている。

(1) 気道炎症：乳幼児を対象として得られた気管支肺胞洗浄液（bronchoalveolar lavage fluid, BALF）の解析データによれば、成人喘息と同様に好酸球、リンパ球、マクロファージ/単球を中心とした細胞増多およびBALF中のロイコトリエン（LT）E_4、B_4濃度の上昇が認められている[86]。気道粘膜の生検でも、好酸球、マスト細胞、リンパ球の関与が示唆されている[87,88]。一方、乳幼児の気道粘膜の生検による検討では、1歳前後の喘息が疑われる症例では、多くの場合は基底膜肥厚や粘膜に好酸球浸潤は認められないが、2～5歳の喘息が疑われる症例には基底膜肥厚や好酸球浸潤が認められる傾向にあるとの報告があり、年齢的な特殊性も考慮する必要がある[89]。小児に多いアトピー型喘息（吸入アレルゲン特異的IgE抗体を証明し得る病型）では、IgE抗体の関与する2型炎症が主である。一方、自然免疫系の研究が急速に進歩し、アレルゲンを介さない炎症の機序として、ウイルス感染に伴う気道上皮細胞を中心とした炎症のカスケードが新たに提唱されている。また、ILC2が産生するIL-4、IL-13がTh2細胞やB細胞の分化にも関連することが示されており、自然免疫系と獲得免疫系は独立ではなく、共同して2型炎症に関与することが示唆されている。

(2) 気道リモデリング：気道リモデリングの評価に関して非侵襲的な手段は確立されておらず、生検や剖検材料によるため小児を対象とした報告は限られているが、小児においても気

道リモデリングは認められ、発症早期や軽症例においても存在・進行し得ることが推測される[90]。一方、重症の喘息児に施行した気管支生検の結果からは、基底膜肥厚と年齢、罹患年数、呼吸機能、好酸球性炎症とは関連しないという報告もあり、今後さらなる検討が必要である[91]。

(3) **気道過敏性**：喘息における気道過敏性の普遍性は乳幼児期からすでに認められることや、アトピー型、非アトピー型のいずれでも同様に認められる。その成立には慢性の気道炎症の関与が大きいが、気道リモデリングや先天的な素因についての遺伝子の関与も考えられている。小児では気道径の狭小性、気道の過分泌傾向、易感染性など年齢的な諸因子の関与も大きく、成人とは異なる成立機序が存在すると思われる。

(4) **気流制限**：喘息の特徴的な症状である反復する喘鳴や呼吸困難は、気管支平滑筋の収縮、気道粘膜の浮腫、気道分泌亢進による可逆的な気流制限により生じる。気道炎症により引き起こされる気道過敏性や気道リモデリングの認められる喘息患者で、アレルゲンや感染などの誘発・悪化因子によって気流制限が発現すると考えられる。通常は、$β_2$刺激薬の吸入により改善が認められるが、急性増悪時のみならず、症状の訴えのない期間でも気流制限が存在する症例も認められるため、より良い治療・管理のために、定期的な呼吸機能検査が望まれる。

2）診断（図1-4）

臨床診断には、反復する発作性の喘鳴や呼吸困難、可逆的な気流制限、気道過敏性亢進を確認することに加えて、喘息以外の疾患を除外することが重要である。小児では呼吸機能検査が困難な症例が多いため、実際にはアトピー素因、臨床症状、臨床所見、検査所見などを参考として総合的に判断する。

(1) **症状・所見**：急性増悪の症状・所見は、喘鳴や咳嗽、および呼気延長を伴う呼吸困難である。呼吸困難は呼気性が主体であるが症状が進むと吸気性呼吸困難も認められる。さらに、呼吸状態のみでなく話し方などの生活の状態や意識障害の評価も重要である。このような症状の反復を確認する。喘鳴は、下気道由来の呼気性の高音性喘鳴（wheezes）が特徴的である。呼吸困難とは、通常は自覚症状であるが、乳幼児や重症心身障がい児などでは不快感あるいは苦痛を推測させる他覚所見も含める。発作強度は、小・中・大発作と呼吸不全の4段階に分類し、呼吸状態と生活状態の障害の度合いにより判定する。これは急性増悪時の的確な治療管理や長期管理薬の選択という点でも不可欠である。

(2) **アレルギー疾患の既往歴・家族歴**：一般の小児と比較して喘息児ではアレルギー疾患の既往歴を有する者の割合が高く、家族にアレルギー疾患を有する割合が高いことが報告されているため診断に有用である。さらに、気道過敏性の存在を示唆する症状、すなわち、運動や冷気、タバコの煙などの刺激により容易に咳嗽や喘鳴を起こすことについて既往歴として確認することも重要である。

(3) **検査所見**：生理検査やアレルギー検査を参考にして診断を進めていく。呼吸機能検査に

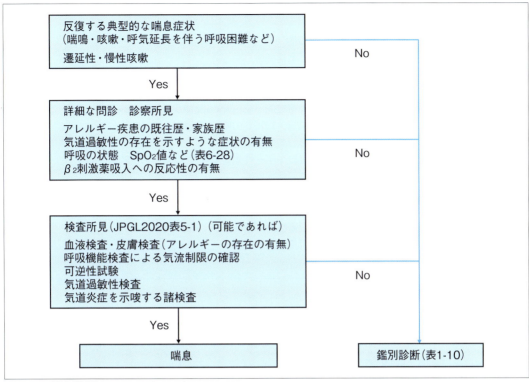

図1-4 喘息診断のフローチャート

より気流制限の確認が可能であり、可逆的な気流制限が認められれば喘息の可能性は高い。これに気道過敏性検査や気道炎症に関連する諸検査を加えることにより診断の確実性はさらに増す。

(4) 鑑別診断：表1-10に示した鑑別診断が必要である。年少児では気道感染に伴い喘鳴を呈することが多いこと、さらに保護者が上気道由来の喘鳴（stridor）と下気道由来の喘鳴（wheezing）を正しく判別することが難しいことに留意する。また、年少児では喘息であっても笛声喘鳴を呈さないことや、呼吸困難を他覚的に判断する必要があることから鑑別診断は容易ではない。気管気管支軟化症や気管支狭窄症、肺動脈スリングや血管輪などは、生後早期より反復喘鳴を認められることが多い。感染症による喘鳴では、細気管支炎をはじめとする急性の下気道感染症で聞かれることも多く、その反復性と経過に注目する。下気道性の喘鳴、呼吸困難が認められる気管支内異物や腫瘍性疾患では、発症と経過の詳細な問診、さらにはβ_2刺激薬などの治療薬の効果を勘案して診断を進める。声帯機能不全（VCD）は吸気時声帯が内転することで喘鳴を来す疾患で、診断には喘鳴増悪時の声帯運動の観察が必要となる。重症心身障がい児は、骨格系の形態学的異常による気道の直接圧迫や呼吸運動の制約、胃食道逆流が生じやすいこと、唾液などの垂れ込みなどにより喘鳴を呈することが多い。呼吸機能検査が行いにくく、喘息の合併を否定することが困難な症例が多い。詳細は関連する指針を参照されたい[92]。咳喘息は、成人では慢性咳嗽の3大原因の1つとされるが、わが国の小児に関する疫学研究は少ない。増悪因子は喘息とほぼ同様で、2型炎症が関与す

表1-10　鑑別を要する疾患

先天異常、発達異常に基づく喘鳴	その他
大血管の解剖学的異常	過敏性肺炎
先天性心疾患	気管支内異物
気道の解剖学的異常	心因性咳嗽
喉頭・気管・気管支軟化症	声帯機能不全（vocal cord dysfunction, VCD）
線毛運動機能異常	気管、気管支の圧迫（腫瘍など）
感染症に基づく喘鳴	うっ血性心不全
鼻炎、副鼻腔炎	アレルギー性気管支肺アスペルギルス症
クループ	嚢胞性線維症
気管支炎	サルコイドーシス
急性細気管支炎	肺塞栓症
肺炎	閉塞性細気管支炎
気管支拡張症	胃食道逆流症
肺結核	

るとされる。気管支拡張薬による咳嗽の改善を確認し、可能であれば気道過敏性を測定する。小児では成人より診断が困難であり、咳喘息と安易に診断して漫然と治療を継続することがないように注意が必要である。

3）病型

　小児の喘息は乳幼児期の発症から思春期に向けた改善傾向の臨床経過が特徴的である。多様な発症因子、悪化因子が報告されていることからも単一の疾患ではなく、この観点から喘息は「症候群」としても捉えられてきた。小児の喘息の診断には喘鳴や呼吸困難が繰り返されることと除外診断を中心としてきたため、喘鳴が起こりやすい年少児では特に間口が広く、複数の表現型（フェノタイプ）が存在する[93]。明らかに病態の異なるフェノタイプを差別化することは効果的な治療を選択できる利点があるが、小児、特に年少児では、各種の呼吸機能検査が施行できないことから、成人に比べてフェノタイプ分類は困難と考えられている。小児の喘息の最も一般的な病型分類としてアトピー型と非アトピー型がある。アトピー型とは吸入アレルゲンに特異的なIgE抗体を証明し得るもので、非アトピー型はそれを証明できないものである。小児の喘息ではアトピー型が多く、ヒョウヒダニに対する特異的IgE抗体が存在する頻度が高い。

4）重症度の評価

　喘息の重症度は、ある期間にどの程度の喘息症状が、どのくらいの頻度で起こったかを指標にして判定される。長期管理の開始時点でも治療中でも、最近の6か月から1年の間の急性増悪の状況により判定される重症度に応じた治療薬を選択して改善を図る。治療開始前の重症度は、間欠型、軽症持続型、中等症持続型、重症持続型と分類する。小児、特に乳幼児では、間欠的に重篤な増悪を起こす児が存在する。中～大発作が月に1回未満であるが、年

に数回生じるような場合には、中等症〜重症間欠型とも表現できるが、症状のない期間の信頼性も問題にすべきであり、このような例は軽症持続型に準じて対応する。

すでに治療が進められている場合は治療薬により症状が軽減するため、治療薬の効果を差し引いた（治療ステップを考慮した）重症度を「真の重症度」とする（表1-11）。治療前の重症度は治療ステップ1（長期管理薬なし）の見かけの重要度に相当する。例えば、治療ステップ4の治療を行っていて間欠型の状態にある患者は重症持続型に相当するが、よく説明しておかないと患者は治ったと錯覚して自己判断で治療薬を減量したり中止してしまい、慢性の気道炎症の治療が不十分になって再び悪化したり、予期せぬ急性増悪により生命の危険が生じることにもなる。

各治療ステップに使用される治療薬の有無や種類が異なるので、厳密には同一の治療ステップでも治療の濃淡が生じる。このような視点で、JPGLにおいては個々の治療内容の変化を数量的に表す必要があると考えて治療点数を提示している（JPGL2020 web 表2-2）。

注：小児喘息については重要な図表は書籍版に収載し、補足的な図表やダウンロードして臨床に活用できる図表は（web ◎）と記載し、日本小児アレルギー学会ホームページに『小児気管支喘息治療・管理ガイドライン2020 web版』として掲載している。

表1-11 小児喘息の重症度分類

症状のみによる重症度（見かけ上の重症度） / 治療ステップ	治療ステップ1	治療ステップ2	治療ステップ3	治療ステップ4
間欠型 ・年に数回、季節性に咳嗽、軽度呼気性喘鳴が出現する。 ・時に呼吸困難を伴うが、短時間作用性 $β_2$ 刺激薬頓用で短期間で症状が改善し、持続しない。	間欠型	軽症持続型	中等症持続型	重症持続型
軽症持続型 ・咳嗽、軽度呼気性喘鳴が1回/月以上、1回/週未満。 ・時に呼吸困難を伴うが、持続は短く、日常生活が障害されることは少ない。	軽症持続型	中等症持続型	重症持続型	重症持続型
中等症持続型 ・咳嗽、軽度呼気性喘鳴が1回/週以上。毎日は持続しない。 ・時に中・大発作となり日常生活や睡眠が障害されることがある。	中等症持続型	重症持続型	重症持続型	最重症持続型
重症持続型 ・咳嗽、呼気性喘鳴が毎日持続する。 ・週に1〜2回、中・大発作となり日常生活や睡眠が障害される。	重症持続型	重症持続型	重症持続型	最重症持続型

現在の治療ステップを考慮した重症度（真の重症度）

[参考文献]

1) Boezen HM, Schouten JP, Postma DS, et al. Distribution of peak expiratory flow variability by age, gender and smoking habits in a random population sample aged 20-70 yrs. *Eur Respir J*. 1994; 7: 1814-20.
2) Okayama Y, Kawayama T, Kinoshita T, et al. Impact of airflow obstruction on long-term mortality in patients with asthma in Japan. *Allergol Int*. 2019; 68: 462-9.
3) Chalitsios CV, Shaw DE, McKeever TM. Risk of osteoporosis and fragility fractures in asthma due to oral and inhaled corticosteroids: two population-based nested case-control studies. *Thorax*. 2021; 76: 21-8.
4) Center JR, Nguyen TV, Schneider D, et al. Mortality after all major types of osteoporotic fracture in men and women: an observational study. *Lancet*. 1999; 353: 878-82.
5) Wenzel SE. Asthma phenotypes: the evolution from clinical to molecular approaches. *Nat Med*. 2012; 18: 716-25.
6) Corren J. Asthma phenotypes and endotypes: an evolving paradigm for classification. *Discov Med*. 2013; 15: 243-9.
7) Kaur R, Chupp G. Phenotype and endotype of adult asthma: Moving toward precision medicine. *J Allergy Clin Immunol*. 2019; 144: 1-12.
8) Menz G, Ying, S, Durham SR, et al. Molecular concepts of IgE-initiated inflammation in atopic and nonatopic asthma. *Allergy*. 1998; 53(45 Suppl): 15-21.
9) 日本アレルギー学会監修. ダニアレルギーにおけるアレルゲン免疫療法の手引き (改訂版) 2018.
10) Gauthier M, Anuradha R, Wenzel SE. Evolving concepts of asthma. *Am J Respir Crit Care Med*. 2015; 192: 660-8.
11) Heinzmann A, Mao XQ, Akaiwa M, et al. Genetic variants of IL-13 signalling and human asthma and atopy. *Hum Mol Genet*. 2000; 9: 549-59.
12) Tantisira KG, Lasky-Su J, Harada M, et al. Genomewide association between *GLCCI1* and response to glucocorticoid therapy in asthma. *N Engl J Med*. 2011; 365: 1173-83.
13) Cecchi L, D'Amato G, Annesi-Maesano I. External exposome and allergic respiratory and skin diseases. *J Allergy Clin Immunol*. 2018; 141: 846-57.
14) Guilleminault L, Ouksel H, Belleguic C, et al. Personalised medicine in asthma: from curative to preventive medicine. *Eur Respir Rev*. 2017; 26: 1600010.
15) Sistek D, Wickens K, Amstrong R, et al. Predictive value of respiratory symptoms and bronchial hyperresponsiveness to diagnose asthma in New Zealand. *Respir Med*. 2006; 100: 2107-11.
16) Levy ML, Fletcher M, Price DB, et al. International Primary Care Respiratory Group (IPCRG) Guidelines: Diagnosis of respiratory diseases in primary care. *Prim Care Resp J*. 2006; 15: 20-34.
17) Aaron SD, Boulet LP, Reddel HK, et al. Underdiagnosis and overdiagnosis of asthma. *Am J Respir Crit Care Med*. 2018; 198: 1012-20.
18) Global Initiative for Asthma. Global strategy for asthma management and prevention. Updated 2020. http//www.ginasthma.org
19) Aaron SD, Vandemheen KL, FitzGerald JM, et al. Reevaluation of Diagnosis in Adults With Physician-Diagnosed Asthma. *JAMA*. 2017; 317: 269-79.
20) Variations in the prevalence of respiratory symptoms, self-reported asthma attacks, and use of asthma medication in the European Community Respiratory Health Survey (ECRHS). *Eur Respir J*. 1996; 9: 687-95.
21) Belda J, Leigh R, Parameswaran K, et al. Induced sputum cell counts in healthy adults. *Am J Respir Crit Care Med*. 2000; 161: 475-8.
22) Korevaar DA, Westerhof GA, Wang J, et al. Diagnostic accuracy of minimally invasive markers for detection of airway eosinophilia in asthma: a systematic review and metaanalysis. *Lancet Respir Med*. 2015; 3: 290-300.
23) Pizzichini E, Pizzichini MM, Efthimiadis A, et al. Measuring airway inflammation in asthma:

eosinophils and eosinophilic cationic protein in induced sputum compared with peripheral blood. *J Allergy Clin Immunol*. 1997; 99: 539-44.

24) Dweik RA, Boggs PB, Erzurum SC, et al. An Official ATS clinical practice guideline: interpretation of exhaled nitric oxide levels (feno) for clinical applications. *Am J Respir Crit Care Med*. 2011; 184: 602-15.

25) Matsunaga K, Hirano T, Akamatsu K, et al. Exhaled Nitric Oxide Cutoff Values for Asthma Diagnosis According to Rhinitis and Smoking Status in Japanese Subjects. *Allergol Int*. 2011; 60: 331-7.

26) 呼気一酸化窒素（NO）測定ハンドブック作成委員会，日本呼吸器学会肺生理専門委員会編．呼気一酸化窒素（NO）測定ハンドブック．メディカルレビュー社，東京，2018．

27) Takahashi D, Hizawa N, Maeda Y, et al. [Evaluation of antigen specific IgE responses in Japanese asthmatics and non-asthmatics]. *Arerugi*. 2004; 53: 1071-8.

28) Tanaka J, Fukutomi Y, Shiraishi Y, et al. Prevalence of inhaled allergen-specific IgE antibody positivity in the healthy Japanese population. *Allergol Int*. 2021 Sep 1; S1323-8930(21)00099-X. doi: 10.1016/j.alit.2021.08.009. Online ahead of print.

29) Toyota H, Sugimoto N, Kobayashi K, et al. Comprehensive analysis of allergen-specific IgE in COPD: mite-specific IgE specifically related to the diagnosis of asthma-COPD overlap. *Allergy Asthma Clin Immunol*. 2021; 17: 13.

30) 日本呼吸器学会 喘息と COPD のオーバーラップ（Asthma and COPD Overlap：ACO）診断と治療の手引き 2018 作成委員会編．喘息・COPD オーバーラップの診断と治療の手引き 2018．メディカルレビュー社，東京，2017．

31) Reddel HK, Taylor DR, Bateman ED, et al. An official American Thoracic Society/European Respiratory Society statement: asthma control and exacerbations: standardizing endpoints for clinical asthma trials and clinical practice. *Am J Respir Crit Care Med*. 2009; 180: 59-99.

32) Chung KF, Wenzel SE, Brozek JL, et al. International ERS/ATS Guidelines on Definition, Evaluation and Treatment of Severe Asthma. *Eur Respir J*. 2014; 43: 343-73.

33) Tweeddale PM, Alexander F, McHardy GJ. Short term variability in FEV_1 and bronchodilator responsiveness in patients with obstructive ventilator defects. *Thorax*. 1987; 42: 487-90.

34) Higgins BG, Britton JR, Chinn S, et al. The distribution of peak expiratory flow variability in a population sample. *Am Rev Respir Dis*. 1989; 140: 1368-72.

35) Reddel HK, Salome CM, Peat JK, et al. Which index of peak expiratory flow is most useful in the management of stable asthma? *Am J Respir Crit Care Med*. 1995; 151: 1320-5.

36) Frey U, Brodbeck T, Majumdar A, et al. Risk of severe asthma episodes predicted from fluctuation analysis of airway function. *Nature*. 2005; 438: 667-70.

37) Matsunaga K, Kanda M, Hayata A, et al. Peak expiratory flow variability adjusted by forced expiratory volume in one second is a good index for airway responsiveness in asthmatics. *Intern Med*. 2008; 47: 1107-12.

38) Hayata A, Matsunaga K, Hirano T, et al. Stratifying a risk for an increased variation of airway caliber among the clinically stable asthma. *Allergol Int*. 2013; 62: 343-9.

39) Juniper EF, O'Byrne PM, Guyatt GH, et al. Development and validation of a questionnaire to measure asthma control. *Eur Respir J*. 1999; 14: 902-7.

40) Juniper EF, Bousquet J, Abetz L, et al. Identifying 'well-controlled' and 'not well-controlled' asthma using the Asthma Control Questionnaire. *Respir Med*. 2006; 100: 616-21.

41) Nathan RA, Sorkness CA, Kosinski M, et al. Development of the asthma control test: a survey for assessing asthma control. *J Allergy Clin Immunol*. 2004; 113: 59-65.

42) Tohda Y, Hozawa S, Tanaka H. Development of a questionnaire to evaluate asthma control in Japanese asthma patients. *Allergol Int*. 2018; 67: 131-7.

43) Tohda Y, Hozawa S, Tanaka H. Examination of the cut-off values for a questionnaire used to evaluate asthma control in Japanese asthma patients. *Allergol Int*. 2019; 68: 46-51.

44) Demarche SF, Schleich FN, Paulus VA, et al. Asthma control and sputum eosinophils: a longitudinal study in daily practice. *J Allergy Clin Immunol Pract*. 2017; 5: 1335-1343.e5.

45) Cowan DC, Taylor DR, Peterson LE, et al. Biomarker-based asthma phenotypes of corticosteroid response. *J Allergy Clin Immunol.* 2015; 135: 877-883.e1.
46) Haldar P, Brightling CE, Hargadon B, et al. Mepolizumab and exacerbations of refractory eosinophilic asthma. *N Engl J Med.* 2009; 360: 973-84.
47) Castro M, Mathur S, Hargreave F, et al. Reslizumab for poorly controlled, eosinophilic asthma: a randomized, placebo-controlled study. *Am J Respir Crit Care Med.* 2011; 184: 1125-32.
48) Wenzel S, Ford L, Pearlman D, et al. Dupilumab in persistent asthma with elevated eosinophil levels. *N Engl J Med.* 2013; 368: 2455-66.
49) Belda J, Leigh R, Parameswaran K, et al. Induced sputum cell counts in healthy adults. *Am J Respir Crit Care Med.* 2000; 161: 475-8.
50) Green RH, Brightling CE, McKenna S, et al. Asthma exacerbations and sputum eosinophil counts: a randomised controlled trial. *Lancet.* 2002; 360: 1715-21.
51) Jayaram L, Pizzichini MM, Cook RJ, et al. Determining asthma treatment by monitoring sputum cell counts: effect on exacerbations. *Eur Respir J.* 2006; 27: 483-94.
52) Sont JK, Willems LN, Bel EH, et al. Clinical control and histopathologic outcome of asthma when using airway hyperresponsiveness as an additional guide to long-term treatment. The AMPUL Study Group. *Am J Respir Crit Care Med.* 1999; 159: 1043-51.
53) Dweik RA, Boggs PB, Erzurum SC, et al. An Official ATS clinical practice guideline: interpretation of exhaled nitric oxide levels (FENO) for clinical applications. *Am J Respir Crit Care Med.* 2011; 184: 602-15.
54) ATS/ERS recommendations for standardized procedures for the online and offline measurement of exhaled lower respiratory nitric oxide and nasal nitric oxide, 2005. *Am J Respir Crit Care Med.* 2005; 171: 912-30.
55) Matsunaga K, Hirano T, Kawayama T, et al. Reference ranges for exhaled nitric oxide fraction in healthy Japanese adult population. *Allergol Int.* 2010; 59: 363-7.
56) Ichinose M, Takahashi T, Sugiura H, et al. Baseline airway hyperresponsiveness and its reversible component: role of airway inflammation and airway calibre. *Eur Respir J.* 2000; 15: 248-53.
57) Essat M, Harnan S, Gomersall T, et al. Fractional exhaled nitric oxide for the management of asthma in adults: a systematic review. *Eur Respir J.* 2016; 47: 751-68.
58) Hanania NA, Wenzel S, Rosen K, et al. Exploring the effects of omalizumab in allergic asthma: an analysis of biomarkers in the EXTRA study. *Am J Respir Crit Care Med.* 2013; 187: 804-11.
59) Castro M, Corren J, Pavord ID, et al. Dupilumab Efficacy and Safety in Moderate-to-Severe Uncontrolled Asthma. *N Engl J Med.* 2018; 378: 2486-96.
60) Petsky HL, Cates CJ, Kew KM, et al. Tailoring asthma treatment on eosinophilic markers (exhaled nitric oxide or sputum eosinophils): a systematic review and meta-analysis. *Thorax.* 2018; 73: 1110-9.
61) Çolak Y, Afzal S, Nordestgaard BG, et al. Combined value of exhaled nitric oxide and blood eosinophils in chronic airway disease: the Copenhagen General Population Study. *Eur Respir J.* 2018; 52: 1800616.
62) Price DB, Bosnic-Anticevich S, Pavord ID, et al. Association of elevated fractional exhaled nitric oxide concentration and blood eosinophil count with severe asthma exacerbations. *Clin Transl Allergy.* 2019; 9: 41.
63) Hartl S, Breyer MK, Burghuber OC, et al. Blood eosinophil count in the general population: typical values and potential confounders. *Eur Respir J.* 2020; 55: 1901874.
64) Ortega H, Katz L, Gunsoy N, et al. Blood eosinophil counts predict treatment response in patients with severe eosinophilic asthma. *J Allergy Clin Immunol.* 2015; 136: 825-6.
65) Hancox RJ, Pavord ID, Sears MR. Associations between blood eosinophils and decline in lung function among adults with and without asthma. *Eur Respir J.* 2018; 51: 1702536.
66) Graff S, Demarche S, Henket M, et al. Increase in blood eosinophils during follow-up is associated with lung function decline in adult asthma. *Respir Med.* 2019; 152: 60-6.

67) Korevaar DA, Westerhof GA, Wang J, et al. Diagnostic accuracy of minimally invasive markers for detection of airway eosinophilia in asthma: a systematic review and meta-analysis. *Lancet Respir Med*. 2015; 3: 290-300.
68) Price DB, Rigazio A, Campbell JD, et al. Blood eosinophil count and prospective annual asthma disease burden: a UK cohort study. *Lancet Respir Med*. 2015; 3: 849-58.
69) Zeiger RS, Schatz M, Dalal AA, et al. Blood Eosinophil Count and Outcomes in Severe Uncontrolled Asthma: A Prospective Study. *J Allergy Clin Immunol Pract*. 2017; 5: 144-53.e8.
70) Peters MC, Mauger D, Ross KR, et al. Evidence for Exacerbation-Prone Asthma and Predictive Biomarkers of Exacerbation Frequency. *Am J Respir Crit Care Med*. 2020; 202: 973-82.
71) Farne HA, Wilson A, Powell C, et al. Anti-IL5 therapies for asthma. *Cochrane Database Syst Rev*. 2017; 9: Cd010834.
72) Castro M, Corren J, Pavord ID, et al. Dupilumab Efficacy and Safety in Moderate-to-Severe Uncontrolled Asthma. *N Engl J Med*. 2018; 378: 2486-96.
73) Casale TB, Chipps BE, Rosén K, et al. Response to omalizumab using patient enrichment criteria from trials of novel biologics in asthma. *Allergy*. 2018; 73: 490-7.
74) Humbert M, Taillé C, Mala L, et al. Omalizumab effectiveness in patients with severe allergic asthma according to blood eosinophil count: the STELLAIR study. *Eur Respir J*. 2018; 51: 1702523.
75) 赤澤　晃, 渡辺博子, 古川真弓, 他. 5歳未満で発症した小児気管支喘息児の5年間の経過 小児気管支喘息予後調査2004 第一報. アレルギー. 2018; 67: 53-61.
76) McGeachie MJ, Yates KP, Zhou X, et al. Patterns of Growth and Decline in Lung Function in Persistent Childhood Asthma. *N Engl J Med*. 2016; 374: 1842-52.
77) Guilbert TW, Morgan WJ, Zeiger RS, et al. Long-term inhaled corticosteroids in preschool children at high risk for asthma. *N Engl J Med*. 2006; 354: 1985-97.
78) Murray CS, Woodcock A, Langley SJ, et al. Secondary prevention of asthma by the use of Inhaled Fluticasone propionate in Wheezy INfants (IFWIN): double-blind, randomised, controlled study. *Lancet*. 2006; 368: 754-62.
79) Selroos O. Effect of disease duration on dose-response of inhaled budesonide in asthma. *Respir Med*. 2008; 102: 1065-72.
80) O'Byrne PM, Pedersen S, Lamm CJ, et al. Severe exacerbations and decline in lung function in asthma. *Am J Respir Crit Care Med*. 2009; 179: 19-24.
81) Grainge CL, Lau LC, Ward JA. Effect of bronchoconstriction on airway remodeling in asthma. *N Engl J Med*. 2011; 364: 2006-15.
82) de Marco R, Marcon A, Jarvis D, et al. Prognostic factors of asthma severity: a 9-year international prospective cohort study. *J Allergy Clin Immunol*. 2006; 117: 1249-56.
83) Holm M, Omenaas E, Gíslason T, et al. Remission of asthma: a prospective longitudinal study from northern Europe (RHINE study). *Eur Respir J*. 2007; 30: 62-5.
84) Covar RA, Strunk R, Zeiger RS, et al. Predictors of remitting, periodic, and persistent childhood asthma. *J Allergy Clin Immunol*. 2010; 125: 359-366.e3.
85) Di Rienzo V, Marcucci F, Puccinelli P, et al. Long-lasting effect of sublingual immunotherapy in children with asthma due to house dust mite: a 10-year prospective study. *Clin Exp Allergy*. 2003; 33: 206-10.
86) Krawiec ME, Westcott JY, Chu HW, et al. Persistent wheezing in very young children is associated with lower respiratory inflammation. *Am J Respir Crit Care Med*. 2001; 163: 1338-43.
87) Barbato A, Turato G, Baraldo S, et al. Airway inflammation in childhood asthma. *Am J Respir Crit Care Med*. 2003; 168: 798-803.
88) van den Toorn LM, Overbeek SE, de Jongste JC, et al. Airway inflammation is present during clinical remission of atopic asthma. *Am J Respir Crit Care Med*. 2001; 164: 2107-13.
89) Saglani S, Payne DN, Zhu J, et al. Early detection of airway wall remodeling and eosinophilic inflammation in preschool wheezers. *Am J Respir Crit Care Med*. 2007; 176: 858-64.

90) Pohunek P, Warner JO, Turzíková J, et al. Markers of eosinophilic inflammation and tissue remodelling in children before clinically diagnosed bronchial asthma. *Pediatr Allergy Immunol*. 2005; 16: 43-51.
91) Payne DN, Rogers AV, Adelroth E, et al. Early thickening of the reticular basement membrane in children with difficult asthma. *Am J Respir Crit Care Med*. 2003; 167: 78-82.
92) 宇理須厚雄, 岡田邦之, 河野陽一, 他. 重症心身障害児（者）気管支喘息診療ガイドライン 2012. 日小呼誌. 2012；23：206-16.
93) Yang L, Narita M, Yamamoto-Hanada K, et al. Phenotypes of childhood wheeze in Japanese children: A group-based trajectory analysis. *Pediatr Allergy Immunol*. 2018; 29: 606-11.

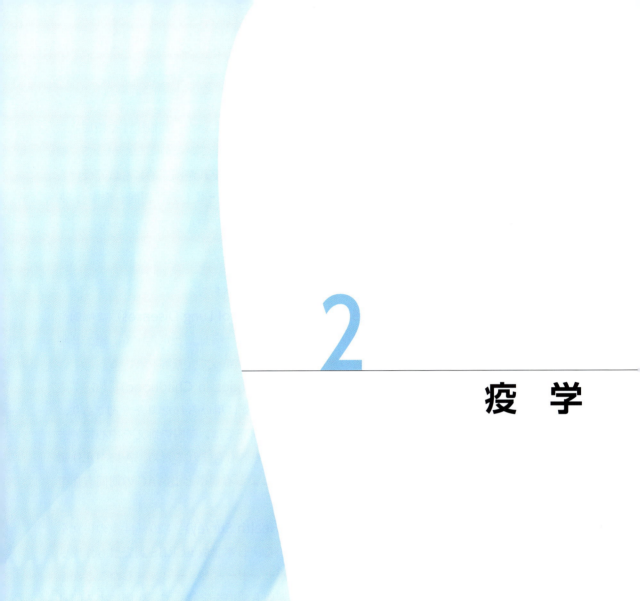

2 疫学

2-1　喘息の疫学

　喘息の診断には呼吸機能検査や気道過敏性検査の実施が望ましいが、高血圧症や糖尿病における血圧測定や HbA1c ほど簡便ではないため十分には普及していない。したがって、喘息の疫学調査は質問票調査によって行われるのが通常であり、それが国際的にも広く受け入れられている。具体的には、過去1年間の喘鳴などの症状をもとにした「期間有症率」、あるいは医師の診断を基準にした「有病率」が用いられることが多い。

1）調査方法

　国際的に汎用される質問票・調査方法として、下記のものがある。
(1) ATS-DLD（American Thoracic Society for Division of Lung Diseases）[1]：喘鳴や呼吸困難感の自覚症状に加えて医師が喘息と診断した患者を「喘息」と定義する。過去2年で区切り現症と既往に分け、過去2年間の無治療・無症状をもって「寛解」とする。
(2) ISAAC（International Study of Asthma and Allergies in Childhood）[2]：6〜7歳と13〜14歳のアレルギー疾患に関する国際アンケート調査に用いられた調査方式であり、喘息に関してはこれまで世界的に2回実施された。この調査では、喘鳴の訴えを中心に過去1年間の期間有症率を算出する。厳密には喘息ではない患者も含まれるため、ATS-DLD 調査より高い有症率が示されることが多く、ATS-DLD による有病率と ISAAC の期間有症率の間にはおよそ2.5倍の開きがあるといわれている[3]。
(3) ECRHS（European Community Respiratory Health Survey）[4]：20〜44歳の男女を対象として、主に欧州地域の国際調査に用いられている。日本語版 ECRHS 調査票も作成されており、「あなたは最近12か月の間に1度でも胸がゼーゼー、ヒューヒューしたことがありますか？」という設問に対する肯定の回答により期間有症率を定義して、医師による喘息診断の設問と合わせることで有病率も算出できる。アンケート調査による喘鳴の期間有症率は、気道過敏性と喘息の診断と相関が高いことも示されている。
　そのほか、BMRC（British Medical Research Council）[5]、IUATLD（International Union against Tuberculosis and Lung Disease）[6] などの調査方法があるが、前述の3つに比較するとその報告数は少ない。わが国においては、2003年に厚生労働省により行われた保健福祉動向調査でアレルギー症状に関する調査を実施しており、その結果が公表されている[7]。

2）調査結果

(1) 期間有症率：2003年（平成15年）に全国で実施された保健福祉動向調査[7]では、喘鳴や呼吸困難感などの症状を「呼吸器アレルギー様症状」と定義し、調査日以前の1年間にこれらの症状を有していた者の数を調査対象全員の数で除した期間有症率を求めている。この調査結果では、小児で11〜14％、成人（15歳以上）で6〜10％の有症率となっている。一方、医師が実施した全国調査によると、近年の期間有症率は ISAAC で小児8〜11％（2015

年)[10]、ECRHS で成人 9〜10%（2006〜2007 年)[11] と報告されている。いずれの場合も小児では低年齢（乳幼児）、成人では高齢で、それぞれ期間有症率が高い傾向が認められている（**表 2-1**）。

(2) 期間有症率・有病率の経年変化（図 2-1）：喘息の期間有症率は、地域差が著しく（次項に記述）、調査年度も異なり、正確な比較は困難であるが、過去の文献によると、わが国の喘息有症率は、小児・成人ともに 1960 年代では 1% 程度であった[14,15]ものが 2000 年初頭までに小児で 10% 以上、成人でも 6〜10% 程度まで急速に増加したと推定される。同一環境背景の住民を対象として施行した国内の経年調査は少ないが、小児では ATS-DLD を用いた経年調査が、西日本で 30 年間にわたり 10 年ごとに実施された[16]。1982〜2002 年に有病率は約 2 倍に増加したが、その後は減少傾向に転じている[17]。全国の ISAAC 調査においても 2005 年以後 6〜7 歳は減少、13〜14 歳は 2015 年で減少に転じている[8〜10]。成人では静岡県藤枝市民を対象とした有病率調査が 1985 年[18]、1999 年[19]、2006 年[20] に実施されており、ほぼ 10 年ごとに 1.5 倍程度の増加傾向にあることが示されている。2010 年以降に行われた全国主要 9 都市における Web 調査においても、近年の成人の有病率の増加傾向が示されている。

(3) 期間有症率の地域差：世界 56 か国、155 拠点の ISAAC 調査結果（調査対象：6〜7 歳

表 2-1　日本の気管支喘息期間有症率・有病率（全国調査）

		小児				成人		
	年齢	調査回収数	期間有症率	有病率	年齢	調査回収数	期間有症率	有病率
保健福祉動向調査[7]* (2003)	0〜4 歳	1,804	13.6%		15〜64 歳	24,174	6.0%	
	5〜14 歳	3,714	10.9%		65 歳以上	6,781	9.7%	
ISAAC[8] (2005)	6〜7 歳	47,050	13.9%					
	13〜14 歳	44,135	8.8%					
ISAAC[9] (2008)	6〜7 歳	43,813	13.5%					
	13〜14 歳	48,641	9.6%					
	16〜17 歳	54,138	8.3%					
ISAAC[10] (2015)	6〜7 歳	43,493	10.1%					
	13〜14 歳	37,513	8.3%					
ECRHS[11] (2006〜7)					20〜44 歳	8,762	9.3%	5.3%
					20〜79 歳	23,483	10.1%	4.2%
ECRHS[12] (2010, web)					20〜44 歳	37,185	12.7%**	7.7%**
ECRHS[13] (2012, web)					20〜44 歳	49,532	13.7%**	8.7%**

＊：呼吸器アレルギー様症状（喘鳴・呼吸困難感など）の有症率
＊＊：47 都道府県庁所在市の中央値

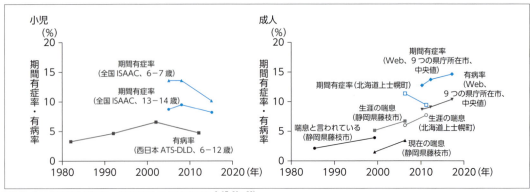

図 2-1　期間有症率、有病率の経年変化[9, 17, 20~22]

および 13～14 歳）によると全世界の喘息期間有症率は 6～7 歳で 3.5％（インドネシア）～34.8％（コスタリカ）、13～14 歳で 3.0％（アルバニア）～32.3％（マン島）と地域的な差が大きい[23]。この調査には日本も 1994 年、2003 年に参加しており、福岡市で 13％程度と欧米先進国よりやや少ないことが示されている。喘息有症率地域差については、①開発途上国に少なく先進国に多い、②寒冷地に少なく温暖地に多いなどと報告されている[23]。

(4) **喘息患者の男女比**：国際的にも若年齢ほど男性が多く、思春期以後は女性が多くなる。2003 年保健福祉動向調査における年齢別期間有症率[7]（図 2-2）においても、乳幼児および小児喘息患者では 1.4（男/女比）、成人では 0.8 程度であると示されている。

(5) **喘息の発症年齢**：小児では乳児期に発症が多く、成人では成人発症、特に中高年発症が多い。

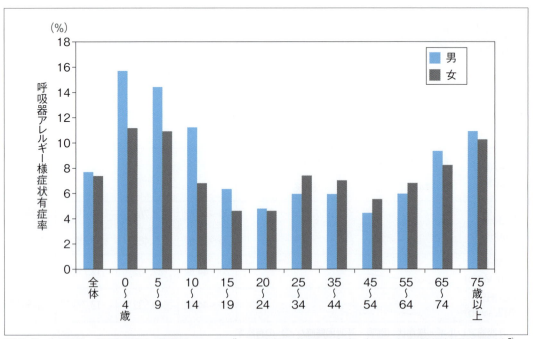

図 2-2　年齢別、性別に見た呼吸器アレルギー様症状の期間有症率（2003 年保健福祉動向調査）[7]

2-2 喘息死

わが国の喘息死の動向を厚生労働省人口動態統計[24]で見ると、人口10万対の喘息死亡率（総数）は近年減少を続けている。1975年頃からほぼ横這い状態で、1995年に一過性に増加したが、1997年からさらに減少し続けて2016年に1.2と最低値になった。喘息死亡総数も1990年代までは年間6,000人を上回っていたが、2016年には1,455人にまで減少した。2017年分よりICD-10の分類法が一部変更になったことにより死亡数が増えたように表現されているが、実際はほぼ横這いである。直近の2019年では1,481人であり、ここ数年は下げ止まっている感が見て取れる（図2-3）。近年の課題として、喘息死をさらに減少させ、ゼロに近づけていくためのさらなる方策が必要である。

わが国の喘息死総数は近年まで男性に多い特徴があったが、2002年に逆転した。人口10万人対で見ると2006年以降は女性の死亡率が高くなり、2019年は男性0.9、女性1.5であった。これは高齢者における女性の比率が年々高まり、死亡数、死亡率とも統計上は女性が多くなっているためと考えられる。喘息死亡率（総数）は総人口の年齢構成に依拠し、年齢階級が高いほど頻度は高くなる。喘息死亡率（総数）の年次推移は年齢を1つの年次に調整した喘息死亡率（調整死亡率）で検討するのがより適切と考えられ、1985年の人口構成をモデル人口とした調整喘息死亡率の推移を確認する必要がある。対数軸として見ると、喘息死亡率は対数直線的に低下し、さらに1996年からは低下が加速した（図2-4）。この統計からも喘息死亡率（総数）で女性が逆転したことが、高齢者に占める女性の割合が増加したことによるということがわかる。

喘息死の年齢階級別および性別を検討すると、かつて20歳代男性の喘息死の増加が見られた時期があったが近年は増加していない。5年ごとに見るとほぼ全年齢階級で低下している。いずれの年も55歳以上の死亡率は指数関数的に上昇している。死亡数は、2019年は

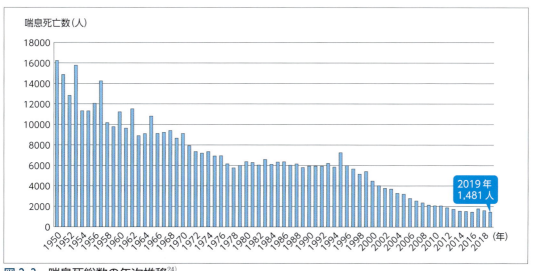

図2-3 喘息死総数の年次推移[24]

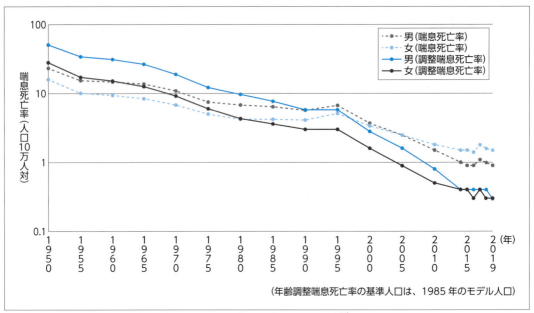

図 2-4 喘息死亡率と年齢調整喘息死亡率の推移（1950〜2019）[24]

90〜94歳がピークで高齢ほど増加しており、喘息死の高齢化が認められる（**図 2-5**）。65歳以上の高齢者の喘息死に占める割合はきわめて高く、1995年79.4%、2000年84.0%、2011年88.5%、2013年89.6%、2016年89.4%、2019年91.8%と増加傾向にあり、近年は90%を超えている。高齢者喘息死は今後ますます大きな問題となるであろう。

一方、小児の喘息死亡数は1970〜2000年頃までは100人を超えていたが、その数は減少を続け2011年以降は一桁まで低下し、2018年では0〜14歳の喘息死は0人、15〜19歳1人、2019年では0〜14歳の喘息死は3人、15〜19歳0人となった（**表 2-2**）[24]。

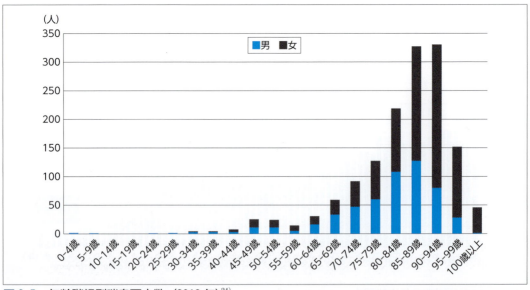

図 2-5 年齢階級別喘息死亡数（2019年）[24]

表 2-2 喘息死亡数の推移[24]

年	総数 ~4歳	5~9歳	10~14歳	15~19歳	0~19歳	男 0~4歳	5~9歳	10~14歳	15~19歳	0~19歳	女 0~4歳	5~9歳	10~14歳	15~19歳	0~19歳
1970	122	77	97	74	370	73	47	70	44	234	49	30	27	30	136
1975	85	33	38	35	191	48	17	28	18	111	37	16	10	17	80
1980	84	49	31	18	182	44	21	19	13	97	40	28	12	5	85
1985	51	30	56	46	183	27	20	30	32	109	24	10	26	14	74
1990	27	18	38	84	167	14	11	25	56	106	13	7	13	28	61
1995	37	15	36	54	142	18	11	22	38	89	19	4	14	16	53
2000	25	11	10	14	60	19	9	7	10	45	6	2	3	4	15
2005	14	2	3	4	23	13	0	0	3	16	1	2	3	1	7
2010	4	1	1	4	10	4	1	1	3	9	0	0	0	1	1
2011	1	1	1	2	5	1	1	1	0	3	0	0	0	2	2
2012	4	0	1	1	6	1	0	1	1	3	3	0	0	0	3
2013	4	0	2	1	7	3	0	1	1	5	1	0	1	0	2
2014	3	2	1	0	6	1	1	1	0	3	2	1	0	0	3
2015	2	1	0	2	5	0	1	0	1	2	2	0	0	1	3
2016	4	0	1	1	6	3	0	1	0	4	1	0	0	1	2
2017	0	0	0	1	1	0	0	0	1	1	0	0	0	0	0
2018	0	0	0	1	1	0	0	0	0	0	0	0	0	1	1
2019	2	1	0	0	3	2	1	0	0	3	0	0	0	0	0

　年齢階級別喘息死亡率は0～4歳では1950年から順調に減少し、2008年からは0.0～0.1と低値で推移している。5～19歳の喘息死亡率は、1950年以降に2回上昇した時期があった。1回目は1960年代に見られ、5～9歳、10～14歳、15～19歳の全年齢層で上昇し、中でも10～14歳で顕著であった。2回目の1980～90年代の増加は10～14歳、15～19歳の年齢層のみが増加し、以後減少に転じている（図2-6）。世界的にも喘息死亡率の低下は観察されているが、その変化は地域により異なる[25, 26]。わが国の5～34歳の喘息死亡率は世界でも最も低い群に属し、5～14歳の喘息死亡率の低下はアジアの中でも顕著であった。今後は小児の喘息死を「0」にする努力とともに高齢者対策を進めることが重要である。

　2011年、わが国では「喘息死ゼロ作戦の実行に関する指針」が喘息死ゼロ作戦評価委員会により作成された。喘息死ゼロ作戦とは、予防できる死亡である「喘息死」をゼロにすることを目標として、地域の関係者が連携して病診連携の構築や普及・啓発、患者の自己管理

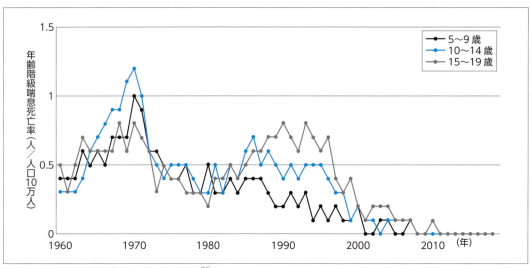

図 2-6　年齢階級別喘息死亡率の推移[24]

の徹底などを進め、さらに医療の質の向上を図るための取り組みである。

　喘息死亡率の動向や世界的な比較には、喘息死の診断の信頼性が高く、集団の年齢による影響を受けにくい5～34歳の年齢階級喘息死亡率が用いられることが多い。わが国の5～34歳の年齢階級喘息死亡率（図 2-7）は、1950年以降、2回にわたり喘息死亡率が上昇した時期があり、1950年代の低下傾向から1960年代に急上昇し、1970年代に減少した。しかし、1980年頃から上昇に転じ、1990年からほぼピークに達した。その後、1997年から急激に低下し、2010年からは0.1（男性0.1、女性0.0）と低率を維持している。このような喘息死亡率の低下は世界的な傾向として観察され[27]（図 2-8）、わが国は最も低い群に属する。2019年末に流行が確認されたCOVID-19の影響により世界の喘息死の動向に変化が見られる可能

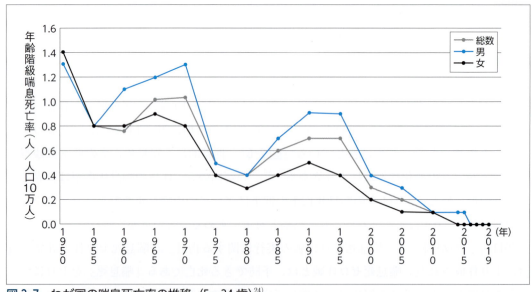

図 2-7　わが国の喘息死亡率の推移（5～34歳）[24]

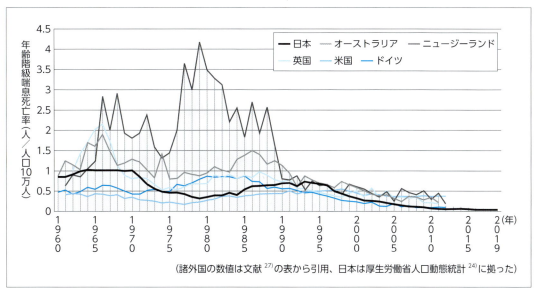

図 2-8　世界の5～34歳の年齢階級喘息死亡率の推移

性も考えられるが、2021年3月時点では、直近のデータを示した論文が認められず、この点に関しては今後の報告を注視していく必要がある。

　過去2回にわたり喘息死が増加した要因について、問題とされたのはいずれもSABA pMDIで、1960年代にはイソプロテレノールpMDI、1980年代から90年代にかけてはフェノテロールpMDIが関与するとして大論争になった。

　SABA pMDIは急性増悪（発作）の症状緩和に有用な薬剤であるが、定期的に使用すると気道過敏性を亢進させ、気道炎症をマスクして、喘息のコントロールを却って悪化させることが明らかとなっている[28]。また、わが国で行われた症例対照研究によると、SABA pMDIが致死的増悪や喘息死のリスクを増加させ、リスクの増加は小児で大きいことが示唆された[29,30]。1994～1996年の喘息死・致死的増悪に関する全国調査によって、わが国の思春期から青年期における2回の喘息死増加はSABA pMDIの不適切使用が要因の1つであった可能性が指摘されている[30]。ICSの必要十分な投与は急性増悪を抑制して喘息死を減少させるが、中止すると継続例に比較し喘息死亡率は増加する[31]。国内の調査でも喘息死亡例の死亡1か月前のICS使用率は低値であったとされ[32]、SABA pMDIへの過信・過度の依存は適切な受診時期の遅れをもたらして喘息死の間接的な要因となることも指摘されている[33]。

　一方、LABAについては、単独で使用すると成人、小児とも致死的で重篤な有害事象や喘息死のリスクを増加させ[34,35]、4～11歳の小児ではこのリスクの増加が大きいとされている[36]。LABAとICSの併用が、成人でこのようなリスクを消失させ得るとのメタ解析[37]と、致死的重篤事象が稀で未だ十分な結論を得るには至っていないとのメタ解析[38]があり、その後も検討が行われたが、2017年12月、FDAはICSとLABAの配合剤の製品表示から喘息死に関する枠組み警告を削除した。FDAが安全性に関する4つの大規模臨床試験についてレビューを行った結果、LABAをICSと併用した喘息治療はICS単独治療に比べて喘

息関連の重篤な副作用を有意に増加させないことが示された[39]。この4試験でLABAをICSと併用した群において、ICS単独治療に比べて主要エンドポイント（喘息関連の入院、気管挿管を要する状態あるいは喘息死）の有意なリスク上昇は示されなかった。

1998～2003年の喘息死について、日本アレルギー学会喘息死特別委員会による調査では、わが国の成人喘息死は増悪後1時間以内の死亡が13.6％、3時間以内の死亡と合わせると29.7％であり、急死が多い。増悪から死亡までの状況は、突然の急性増悪での急死29.8％、不安定な増悪が持続したのちに急死する不安定急変型16.2％、不連続急変型も17.2％であり、臨床的には急死が多いのが目立つ。これに対して従来の喘息死の典型とされた重積発作型は21.2％前後であった[40]。

死亡前1年間の喘息の重症度では、重症が多く39.2％であるが、近年は中等症の割合が高くなる傾向にある[40]。軽症の喘息患者でも喘息死に至ることがあることを医師・患者・周囲とも認識しておく必要がある。また、喘息の病型では非アトピー型がやや多い。死亡と関連する事項としては、患者側では喘息に対する認識不足、不定期受診、医師の指示を守らないなどのアドヒアランスが不良であり、医師側では患者への教育不足、ステロイド薬の急激な減量や中止などの治療薬の不足、救急医療体制の不備や遅延など治療全般の不足などがある。喘息死の危険因子は、喘息死患者の51.2％に過去に重篤な増悪による入院歴があり、26.1％が致死的高度増悪を経験している。合併症として、20％に気腫が認められており、この点は成人喘息死における問題点として挙げられる[40,41]（エビデンスC）。

[参考文献]

1) Ferris BG. Epidemiology standardization project (American Thoracic Society). 2. Recommended respiratory disease questionnaires for use with adult and children in epidemiological research. *Am Rev Respir Dis*. 1978; 118: 7-53.
2) Worldwide variation in prevalence of symptoms of asthma, allergic rhinoconjunctivitis, and atopic eczema: ISAAC. The International Study of Asthma and Allergies in Childhood (ISAAC) Steering Committee. *Lancet*. 1998; 351: 1225-32.
3) 小田嶋博．気管支喘息国際疫学調査—ISAACの結果から—．診断と治療．2004；92：1305-10．
4) Variations in the prevalence of respiratory symptoms, self-reported asthma attacks, and use of asthma medication in the European Community Respiratory Health Survey (ECRHS). *Eur Respir J*. 1996; 9: 687-95.
5) Joseph CL, Foxman B, Leickly FE, et al. Sensitivity and specificity of asthma definitions and symptoms used in a survey of childhood asthma. *J Asthma*. 1999; 36: 565-73.
6) Burney PG, Laitinen LA, Perdrizet S, et al. Validity and repeatability of the IUATLD (1984) Bronchial Symptoms Questionnaire: An international comparison. *Eur Respir J*. 1989; 2: 940-5.
7) 厚生労働省．平成15年保健福祉動向調査，アレルギー様症状．
http://www.mhlw.go.jp/toukei/saikin/hw/hftyosa/hftyosa03/
8) 明石真幸，赤澤 晃．気管支喘息の有病率・罹患率及びQOLに関する全年齢階級別全国調査に関する研究：全国小中学生気管支喘息有症率調査．日小ア誌．2007；21：743-8．
9) Sasaki M, Morikawa E, Yoshida K, et al. The change in the prevalence of wheeze, eczema and rhinoconjunctivitis among Japanese children: Findings from 3 nationwide cross-sectional surveys between 2005 and 2015. *Allergy*. 2019; 74: 1572-5.
10) Morikawa E, Sasaki M, Yoshida K, et al. Nationwide survey of the prevalence of wheeze, rhino-

conjunctivitis, and eczema among Japanese children in 2015. *Allergol Int*. 2020; 69: 98-103.
11) Fukutomi Y, Nakamura H, Kobayashi F, et al. Nationwide cross-sectional population-based study on the prevalences of asthma and Asthma Symptoms among Japanese Adults. *Int Arch Allergy Immunol*. 2010; 153: 280-7.
12) 厚生労働科学研究費補助金．アレルギー疾患の全国全年齢有症率および治療ガイドライン普及効果等疫学調査に基づく発症要因・医療体制評価に関する研究（代表　赤澤　晃）2011 年度報告書．
13) 厚生労働科学研究費補助金．アレルギー疾患の全国全年齢有症率および治療ガイドライン普及効果等疫学調査に基づく発症要因・医療体制評価に関する研究（代表　赤澤　晃）2012 年度報告書．
14) 満川元行，中村　孝，詫摩武人，他．東京都内小学校児童における気管支喘息の頻度について．小児科臨床．1964；17：1288-94．
15) 石崎　達，荒木英斉，佐々木智也，他．喘息及び蕁麻疹の疫学的研究（Ⅰ）農村の発生率と素質的解析．アレルギー．1961；10：230-7．
16) Nishima S, Chisaka H, Fujiwara T, et al. Surveys on the prevalence of pediatric bronchial asthma in Japan: a comparison between the 1982, 1992, and 2002 Surveys conductedin the same region using the same methodology. *Allergol Int*. 2009; 58: 37-53.
17) 西間三馨，小田嶋博，太田國隆，他．西日本小学児童におけるアレルギー疾患有症率調査―1992、2002、2012 年の比較―．日小ア誌．2013；27；149-69．
18) 中川武正，伊藤幸治，奥平博一，他．静岡県藤枝市における成人気管支喘息の有症率調査．日胸疾会誌．1987；25：873-9．
19) 中野純一，田嶋　誠，宮坂　崇，他．成人気管支喘息の疫学調査―静岡県藤枝市における喘息有症率の経年的変動に関する検討―．アレルギー．1999；48：1043．
20) Fukutomi Y, Taniguchi M, Watanabe J, et al, Time trend in the prevalence of adult asthma in Japan: findings from population-based surveys in Fujieda City in 1985, 1999, and 2006. *Allergol Int*. 2011; 60: 443-8.
21) 清水薫子，今野　哲，木村孔一，他．北海道士幌町における成人喘息，アレルギー性鼻炎有病率の検討：2006 年，2011 年の比較．アレルギー．2014；63：928-37．
22) 厚生労働科学研究費補助金．アレルギー疾患対策に必要とされる疫学調査と疫学データベース作成に関する研究（代表　赤澤　晃）2016 年度報告書．
23) Sears MR. Descriptive epidemiology of asthma. *Lancet*. 1997; SuppII: S1-4.
24) 厚生労働省．人口動態．https://www.mhlw.go.jp/toukei/list/81-1a.html
25) Wijesinghe M, Weatherall M, Perrin K, et al. International trends in asthma mortality rates in the 5-to 34-year age group: a call for closer surveillance. *Chest*. 2009; 135: 1045-9.
26) Chua KL, Soh SE, Ma S, et al. Pediatric asthma mortality and hospitalization trends across Asia pacific: relationship with asthma drug utilization patterns. *World Allergy Organ J*. 2009; 2: 77-82.
27) Ebmeier S, Thayabaran D, Braithwaite I, et al. Trends in international asthma mortality: analysis of data from the WHO Mortality Database from 46 countries (1993-2012). *Lancet*. 2017; 390: 935-45.
28) Sears MR, Taylor DR, Print CG, et al. Regular inhaled beta-agonist treatment in bronchial asthma. *Lancet*. 1990; 336: 1391-6.
29) 松井猛彦．気管支喘息急性期治療における薬物の科学的根拠に関する研究．厚生省科学研究費補助金，感覚器障害及び免疫・アレルギー等研究事業，平成 11 年度～13 年度総合研究報告書．厚生労働省．2002．
30) Tanihara S, Nakamura Y, Matsui T, et al. A case-control study of asthma and life-threatening attack: their possible relationship with prescribed drug therapy in Japan. *J Epidemiol*. 2002; 12: 223-8.
31) Suissa S, Ernst P, Benayoun S, et al. Low-dose inhaled corticosteroids and the prevention of death from asthma. *N Engl J Med*. 2000; 343: 332-6.
32) 小田嶋博，荒川浩一，楠　隆，他．日本小児アレルギー学会・喘息死検討部会．喘息死委員会レポート 2014．日小ア誌．2015；29：724-30．
33) 末廣　豊，赤坂　徹，坂本龍雄，他．日本小児アレルギー学会・喘息死委員会．喘息死委員会レポート 2010．日小ア誌．2011；25：810-25．

34) Salpeter SR, Buckley NS, Ormiston TM, et al. Meta-analysis: effect of long-acting beta-agonists on severe asthma exacerbations and asthma-related deaths. *Ann Intern Med*. 2006; 144: 904-12.
35) Cates CJ, Cates MJ. Regular treatment with salmeterol for chronic asthma: serious adverse events. *Cochrane Database Syst Rev*. 2008; (3): CD006363.
36) McMahon AW, Levenson MS, McEvoy BW, et al. Age and risks of FDA-approved long-acting $β_2$-adrenergic receptor agonists. *Pediatrics*. 2011; 128: 1147-54.
37) Sears MR, Radner F. Safety of formoterol in asthma clinical trials: an update. *Eur Respir J*. 2014; 43: 103-14.
38) Cates CJ, Wieland LS, Oleszczuk M, et al. Safety of regular formoterol or salmeterol in adults with asthma: an overview of Cochrane reviews. *Cochrane Database Syst Rev*. 2014; (2): CD010314.
39) FDA Drug Safety Communication: FDA review finds no significant increase in risk of serious asthma outcomes with long-acting beta agonists (LABAs) used in combination with inhaled corticosteroids (ICS). Content current as of: 01/22/2018.
https://www.fda.gov/drugs/drug-safety-and-availability/fda-drug-safety-communication-fda-review-finds-no-significant-increase-risk-serious-asthma-outcomes
40) Nakazawa T, Dobashi K. Current asthma deaths among adults in Japan. *Allergol Int*. 2004; 53: 205-9.
41) 中澤次夫．わが国の喘息死の動向．アレルギー．2004；53：1112-8.

3

喘息の危険因子と
その予防

一次予防、二次予防、三次予防とは

　一般に予防行為は、3段階に分けて考えることができる。
　一次予防とは、喘息の発症を未然に防ぐもので、小児においては、主としてアレルゲン感作前の出産前後に実施すべきものである。非アトピー型喘息の多い成人発症喘息においては発症要因が未知の部分が多いが、職業性喘息については、感作物質の使用について具体的な感作予防策が可能な場合がある。近年では、0次予防（primordial prevention）の概念も確立しており、社会的、経済的、文化的に健康な環境づくりによって、個人の努力によらない予防を達成することをいう。
　二次予防とは、早期に診断、治療を行うことであるが、アレルゲン曝露により感作された後の喘息発症前における発症予防をいう場合もある。
　三次予防とは喘息発症後の増悪予防と進行抑制である。すなわち、呼吸機能低下や喘息死を予防するものである。特にアレルゲンなどの増悪因子を回避することが重要である。
　本項では一次予防と二次予防を合わせて発症因子と予防について述べたのち、増悪因子と三次予防について述べる。

3-1　喘息発症の危険因子とその予防

　喘息は複数の個体要因と環境要因との相互作用の結果として発症し、その表現型はきわめて多彩である。

1）個体要因

(1) **家族歴および遺伝的要因**：喘息の発症リスクは近親者に喘息患者がいると高くなる。両親に喘息が存在するときの児の喘息の発症リスクは、両親とも喘息でない場合の約3～5倍高い[1]。また、二卵性双生児における喘息罹患の一致率（9～26％）と比較して、一卵性双生児の喘息罹患率は38～62％と高く[2]、遺伝的要因の喘息発症への寄与を示唆する。近年、喘息発症に関与する多くの疾患感受性遺伝子がゲノムワイド関連解析（genome-wide association study, GWAS）により解析され、HLA領域を筆頭に、*IL1RL1*、*ORMDL3*、*IL33*、*TSLP*などの遺伝子と喘息発症との関連が報告されている[3,4]。

(2) **性差**：性差は喘息発症に関わる個体要因の一つである。小児期には喘息は女児より男児に多く認められ、アトピー性皮膚炎や食物アレルギーなど他のアレルギー疾患と同様の傾向である[5]。10歳以降では性差はなくなり[6]、成人では喘息の有病率は女性のほうが高い。

(3) **アレルギー素因**：アレルギー素因（アトピー素因）とは、種々の環境アレルゲンへの曝露によってIgE抗体を産生しやすい体質のことであり、喘息の発症に関わる重要な個体要因の一つである。3歳までに吸入アレルゲンに感作された小児は後に喘息を発症しやすいの

に対して、8〜10歳以降に感作された小児では喘息発症への寄与は少なく[7]、年齢による差異がある。また、複数のコホート研究で新生児期から乳児期にかけてのアトピー性皮膚炎の罹患が喘息発症のリスクとされ、特に長期間持続したアトピー性皮膚炎や感作を伴うアトピー性皮膚炎は喘息発症のリスクとなることが示されている[8,9]。なお、アレルギー素因には家族集積性を認め、遺伝的要因の関与が示唆される。

(4) 早産児・低出生体重児：胎児期の肺の発育障害に影響する早産児や低出生体重は、喘息発症に関わる個体要因の一つとされ、低出生体重児や出生時の気流制限と喘息発症との関連が報告されている[10,11]。また、低出生体重は5歳までの喘息様症状のリスクを高めるが、6歳以降の医師の診断による喘息とは関係せず、乳幼児期の一過性のリスクと考えられる[12]。

(5) 肥満：肥満は喘息発症に関わる個体要因の一つであり、肥満度指数（body mass index, BMI）が高いものほど、喘息を発症する危険が高く、女性や成人発症、非アトピーと並び肥満で特徴づけられる表現型が存在する。エネルギー代謝を調節する肥満遺伝子産物レプチンが炎症性サイトカインとして働き、自然／獲得免疫を担う細胞に作用し、慢性炎症の成立・維持やリモデリングに関与する可能性が示唆されている。

(6) 気道過敏性：気道過敏性は、さまざまな刺激に対して気道が過敏に反応し、気道収縮による気流制限を呈する状態を示す。気道過敏性は気道径の短縮、気道平滑筋の肥厚や反応性亢進、血管増生、上皮傷害、炎症細胞浸潤や神経活動性の亢進などにより規定される。先天的な気道過敏性には、遺伝子、早産、低出生体重[11]、母からの受動喫煙[13]などの関与が報告されている。

2) 環境要因

(1) アレルゲン曝露：多くの喘息患者では吸入アレルゲンに感作されており、吸入アレルゲンへの曝露が気道の慢性炎症の誘導に関与している。ダニ抗原などに内在するプロテアーゼ活性により気道上皮細胞由来のサイトカインであるTSLPやIL-33が産生され、活性化したILC2（自然免疫反応）および樹状細胞との相互作用で分化したTh2細胞（獲得免疫反応）からType2サイトカインであるIL-4、IL-5、IL-13などが産生される。喘息発症への関与は、3歳までに通年性アレルゲン（ダニ、ネコ、イヌ）に感作された学童で呼吸機能の低下と気道過敏性の亢進を認めることから、感作時期の重要性が示唆される。アレルゲン曝露の回避が発症予防に効果がある可能性はあるが、単独の方法によるアレルゲン回避のみの効果は乏しく、複数の方法で回避することが望まれる。欧米では妊娠中から乳児期の不透過性カバーや防ダニ剤を用いた介入試験は喘息の発症予防に明確な効果を認めていないが、わが国のごとく高温多湿の環境下においては、これらの効果について今後十分な検討が必要である。また、職業性物質がアレルゲンとなる職業性喘息は、職場で適切な衛生対策を講じて感作を予防する必要がある。

(2) 呼吸器感染症：乳幼児期のライノウイルス感染、RSウイルス感染、細菌感染が、その後の反復する喘鳴、喘息、アレルゲン感作の重要な危険因子である[14]。ウイルス感染への感

受性が遺伝的に高い個体ではウイルス感染による気道上皮細胞からのTSLPやIL-33の産生誘導がより強く、より持続的に起こり、喘息発症のリスクが上昇する。両親のどちらか一方が喘息の小児を6歳まで追跡した出生コホート研究では、3歳でライノウイルスあるいはRSウイルス感染による喘鳴エピソードがあると6歳時点での喘息発症のオッズ比が上昇し[15]、呼吸器感染と遺伝因子との相互作用の重要性が示唆される。世界最初の喘息GWASでは、小児期発症喘息と関連する*ORMDL3/GSDMB*遺伝子が同定された。*ORMDL3/GSDMB*遺伝子はライノウイルス感染による喘鳴を伴う細気管支炎を介して喘息発症のリスクになっており、幼小児期のウイルス感染への感受性に影響を与えることで喘息発症と関連する可能性がある。喘息増悪を繰り返す小児を対象としたGWASでは*CDHR3*遺伝子が同定されている。*CDHR3*遺伝子は機能的にライノウイルスCの受容体と考えられ、日本の成人でも小児期発症のアトピー型喘息の分子基盤となっている可能性がある。また、幼少期の肺炎マイコプラズマ（*Mycoplasma pneumoniae*）や肺炎クラミジア（*Chlamydophila pneumoniae*）感染も喘息発症と関連することが報告されている。喘息では肺の細菌叢の乱れ（dysbiosis）が存在し、乳幼児期における下咽頭の細菌のコロナイゼーションが喘息の発症に関与していることや、動物モデルにおいて肺のdysbiosisが気道のリモデリングの形成に繋がっていくことが示されており、粘膜免疫の異常による細菌感染に対する一次防御機構の破綻が喘息の発症に関与する可能性がある[16]。一方、乳幼児期におけるこれらの呼吸器感染はその後の喘息発症の原因ではなく、喘息病態を有する結果としての易感染性を反映しているとの考え方もある。さらに、乳幼児期に複数のきょうだいがいる場合や託児所・保育園に通っている場合の呼吸器感染症は、喘息などのアレルギー疾患の発症リスクを低減させる可能性もある。

(3) **喫煙**：タバコの煙は粒子相と気相から成り、粒子相にはニコチン、ピレン、ベンゾピレン、カドミウムなどが、気相には一酸化炭素、アセトアルデヒド、シアン化水素、窒素酸化物など4,500種類以上の化合物が含まれている。母親の妊娠中の喫煙と受動喫煙は幼児期の喘鳴の発現と喘息の発症において最もリスクが高い[17]。胎児へのタバコ曝露は気道過敏性に影響を与え、その後の乳児期の呼吸機能低下を招くとされるが、その機序としてエピジェネティクスの関与が示唆されている。妊娠中の喫煙は胎児遺伝子のCpGのメチル化を増加させる[18]。喫煙刺激は気道上皮細胞からのTSLP産生を誘導し、アレルギー性炎症が活性化される。幼少期にRSウイルスの気道感染があるとその後の能動喫煙と喘息発症との関連が増強される[19]。母親に禁煙促進や母乳育児の推進などを指導することで生後1年以内の呼吸器症状発生率が低下したとの報告[20]や、両親や家族の喫煙により乳児の受動喫煙の機会が増えて下気道感染の罹患リスクが高まるとの報告[21]もあり両親・家族の禁煙が推奨される。

(4) **大気汚染（室外、室内）**：大気汚染の喘息発症への影響については既に多くの報告があり、日本においても千葉県の6～9歳児において、主要道路から50m以内に住む女児に喘息発症のリスクが高く、また都市部に居住している児童に喘息が多いことが報告されている[22]。大気汚染の原因となる浮遊粒子状物質は、粒子径が10μm以下の微小粒子をPM10、

2.5 μm以下はPM2.5と呼ばれ、PM10は主に鼻腔から気管支領域に、PM2.5はさらに細気管支から肺胞に到達する。ディーゼル排気微粒子（diesel exhaust particles, DEP）は代表的なPM2.5粒子である。PM2.5への曝露は幼少期における喘息の発症率を増大させたり、肺の発達を阻害したりする[23,24]。出生コホートのメタ解析では自動車由来のPM2.5への曝露は喘息や他のアレルギー疾患発症のリスクとなることが報告されている。特に非アレルギー性の喘息発症で小児期のオゾンへの曝露の重要性が指摘されている。また、大気汚染の改善が小児の気管支炎症状の軽減をもたらすこと、生後6か月～3歳の幼小児期の家庭内での高レベルの揮発性有機化合物（volatile organic compounds, VOC）曝露が喘息発症と関連し、特にトルエンとベンゼンの濃度が10ユニット高くなるにつれて喘息発症リスクは各々2倍、3倍であることなどが報告されている[25]。

(5) 鼻炎：アレルギー性鼻炎や副鼻腔炎は、気道過敏性の亢進や気流閉塞の存在と関連する。鼻茸を伴う慢性好酸球性副鼻腔炎は喘息、特に重症喘息との合併が高率である[26]。複数の大規模前向き研究では鼻炎の存在がアトピー素因と独立した喘息発症の危険因子であることが示され[27]、成人発症喘息でも小児と同様にアレルゲン免疫療法がアレルギー性鼻炎患者での喘息発症を抑制したとの報告がある[28]。

(6) 食物：喘息発症と母乳栄養との関連は多くの検討があり、人工乳は母乳に比べ喘息発症（小児早期の喘鳴）のリスクを高め、特にアトピー性疾患の家族歴のある場合には乳児早期の完全な母乳栄養が喘息発症リスクを減らす。妊娠中の母の食事制限は、児の喘息発症予防とはならないことに留意すべきである。ビタミン類、脂肪酸、マグネシウムなどの摂取量が喘息発症に関与する報告があるがエビデンスレベルは高くない。

3-2 増悪の危険因子とその予防

1）総論

　増悪とは、平常時に比べ明らかに息切れ、咳嗽、喘鳴、胸痛などの呼吸器症状が増強するとともに呼吸機能が低下し、治療の強化・変更が必要となる状態を指す。増悪は必ずしも重症例のみならず、軽症例やコントロール良好の患者にも生じるが、一度でも増悪を起こした患者は再び増悪を起こしやすい。増悪の要因はきわめて多様であり、増悪を繰り返す患者では闇雲に治療をステップアップするのではなく、その患者における増悪の危険因子や併存症を十分に把握した上で治療を進めることが重要である。個々の患者病態に合致した適切な治療を実践するために、本項で挙げる増悪の危険因子とそれぞれの要因への基本的な対策を熟知しておくことが必要である。また、喘息増悪の危険因子や併存症は診断時のみならず、特に増悪時などに適宜評価することも忘れてはならない。

2）個体要因（表3-1、表3-2）

(1) 増悪の病歴：喘息の増悪はそれまでの増悪の回数と重症度に相関し、過去に重篤な喘息症状がある場合は、増悪リスクが高い。挿管歴や集中治療室での治療歴、過去1年間で1回以上の重篤な喘息症状が危険因子として報告されている[29〜32]。

(2) 現在のコントロール状態：喘息症状のコントロールが不良であることや、SABAの過剰使用、1秒量低値（%FEV_1 80％未満）、咳感受性亢進は増悪の危険因子である[30,32〜34]。喀痰中好酸球の増加は有意な増悪のリスク因子であり、血中好酸球や呼気中一酸化窒素濃度（FeNO）が上昇している喘息患者も増悪が多い傾向がある[30,35]。

(3) 治療薬の不適切な使用、アドヒアランス不良：コントロール不良な喘息患者では、薬剤の吸入手技やアドヒアランスに問題がないかを確認する必要がある（第5章5-4「吸入指導」を参照）。

表3-1 喘息増悪の危険因子

個体要因	
(1) 過去の病歴	気管挿管歴、ICU治療歴
	過去1年に1回以上の重篤な増悪
(2) 現在のコントロール状態	1秒量低下（%FEV_1 80％未満）
	短時間作用性$β_2$刺激薬（SABA）の過剰使用
	喘息症状の残存
	咳感受性亢進
	好酸球増多（血中・喀痰中）
	呼気中一酸化窒素濃度（FeNO）の高値
(3) 治療薬の不適切な使用 アドヒアランス不良	吸入ステロイド薬（ICS）の不使用
	吸入手技不良
(4) 併存症	鼻炎・副鼻腔炎
	食物アレルギー
	肥満
	月経、妊娠
	精神的問題・社会経済的問題
	閉塞性睡眠時無呼吸
	胃食道逆流症
	COPD
(5) 運動ならびに過換気	
環境要因	
(1) 喫煙	
(2) アレルゲン曝露	
(3) 気象	
(4) 大気汚染（屋外、屋内）	
(5) 薬物（NSAIDs、β遮断薬）	
(6) アルコール	
(7) ビタミンD低下	
(8) 呼吸器感染症	

表3-2 喘息増悪の危険因子への対策と臨床効果のエビデンスレベル

危険因子	増悪予防の対策	レベル
鼻炎・副鼻腔炎	アレルギー性鼻炎や副鼻腔炎の治療は喘息病態を改善させる	C
食物アレルギー	アレルゲン回避、アドレナリン自己注射を処方する	D
肥満	体重コントロールは症状や呼吸機能を改善させる	B
月経	ロイコトリエン受容体拮抗薬が有効である可能性がある	C
妊娠	妊娠中は吸入ステロイド薬を中心とする薬物治療を継続する	B
閉塞性睡眠時無呼吸	CPAP治療が症状の改善に寄与する可能性がある	C
タバコ煙	喫煙している患者に対しては禁煙指導を行う	C
	喘息児の両親が喫煙者の場合は禁煙プログラムを指導する	B
ダニアレルゲン感作	床や家具の掃除、寝具の管理によるダニ抗原回避の対策により症状が改善する（小児）	B
	ダニ抗原回避はマットレスや枕のカバーなど対策方法の違いにより効果が一定しない	B
	複数の対策方法を併用した包括的なダニ抗原回避が有効である可能性があるが、その治療効果の予測は困難である	B
ペットアレルゲン感作	ペットアレルゲン回避は重要だが、イヌ、ネコなどの屋外にも出るペットの抗原対策の臨床効果は十分に示されていない	D
	ハムスター、モルモットなど屋内飼育のげっ歯類の抗原回避は症状の改善に有効である	B
大気汚染（屋外）	PM2.5、黄砂の飛散状況に応じた外出計画、マスク着用を勧める	D
大気汚染（屋内）	屋内の暖房器具の工夫により症状が改善する可能性がある	B
NSAIDs不耐症	NSAIDs処方の際には必ず喘息についての問診を行う。症状が増悪した場合にはNSAIDsの使用を中止する。	D
	治療の中心は吸入ステロイド薬だがロイコトリエン受容体拮抗薬も有用である	B
β遮断薬	β遮断薬の使用は原則として控えるが、心疾患合併例では選択的β₁遮断薬の使用についてリスク、ベネフィットを慎重に判断する	D
アルコール誘発喘息	飲酒およびアルコール含有飲食物の回避を勧める	D
	通常の喘息治療に加え、抗ヒスタミン薬も有効とされる	C
インフルエンザウイルス	インフルエンザワクチンの接種により増悪頻度減少の可能性がある	C
肺炎球菌	肺炎球菌ワクチンの喘息増悪に対する減少効果は明確ではない	C

(4) 併存症

①**鼻炎・副鼻腔炎**：わが国の疫学調査では喘息患者の約7割が鼻炎を合併しており、合併例では喘息コントロールが不良であった[36]。成人発症喘息における好酸球性副鼻腔炎の合併は増悪リスクを高める。アレルギー性鼻炎や副鼻腔炎の治療は喘息増悪による入院や予約外受

診を減らす[37]（第 7 章 7-9「アレルギー性鼻炎」、「好酸球性副鼻腔炎」を参照）。

②食物アレルギー：食物アレルギーを有する小児喘息は喘息増悪による入院の頻度が高く、複数の食物にアレルギーを有する場合はさらに入院のリスクが高い[38]。成人においても食物アレルギーの合併は入院、全身性ステロイド薬使用のリスク因子である[39]。

③肥満：肥満は喘息症状や増悪頻度の増加と関連してQOLを低下させ、種々の抗喘息薬に対する反応性を低下させる[40]。肥満喘息患者では体重コントロールによって症状や呼吸機能を改善できる可能性がある[41]（第 7 章 7-3「肥満関連喘息」を参照）。一方で、肥満による上気道閉塞や夜間の睡眠時無呼吸を喘息症状と見誤らないことも重要である。

④月経・妊娠：約 3〜4 割の女性で月経前に PEF 低下を認め、重症喘息、肥満、アスピリン不耐症などが月経喘息のリスク因子となる。月経前の喘息の増悪抑制に LTRA が有用との報告がある[42]（エビデンス C）。妊娠中の喘息患者では約 20% に喘息の増悪を生じるが、特に重症の患者で頻度が高い。妊娠中の喘息増悪は極力回避すべきであり、ICS を中心とする薬物治療の継続が推奨される[43]（第 7 章 7-8「喘息と妊娠」を参照）。

⑤精神的問題：喘息は心理的社会的側面と身体的側面が相互に影響するため、診療には心身医学的なアプローチが必要である（第 7 章 7-14「心身医学的側面」を参照）。

⑥閉塞性睡眠時無呼吸：閉塞性睡眠時無呼吸の合併は喘息増悪のリスク因子であり、前向き観察研究では CPAP 治療（continuous positive airway pressure, 持続陽圧呼吸療法）により喘息症状への好影響が示唆されている[41,44]（エビデンス C）。

⑦胃食道逆流症：喘息患者は健常者と比較して胃食道逆流症を有する頻度が高く、特に頻回増悪を認める喘息患者で合併が高率である[30,34]（第 7 章 7-9「GERD」を参照）。

⑧COPD：喘息と COPD の合併は、それぞれ単独の症例と比較して症状コントロール不良と増悪のリスク因子である（第 7 章 7-4「COPD（ACO）」を参照）。

(5) 運動ならびに過換気：「運動誘発喘息・運動誘発気管支収縮（アスリート喘息の管理を含む）」は、第 7 章 7-2 を参照されたい。過換気は喘息増悪との鑑別が問題になると同時に増悪因子でもあるため、十分な説明により同病態への理解と自己管理を促す必要がある。

3）環境要因（表 3-1、表 3-2）

(1) 喫煙：喫煙は喘息患者の呼吸機能や症状を悪化させ、ICS や β_2 刺激薬の効果を減弱させる。さらに、副流煙も増悪リスクとなることが示されており、特に母親が喫煙者の喘息児では投薬の必要度が高く救急治療の頻度も高い[43,46]。したがって、喘息患者自身の禁煙のみならず受動喫煙の回避にも努めるべきであり[47]、喘息児の両親が喫煙者の場合は禁煙プログラムを指導することが望ましい[44,48]（エビデンス B）。

(2) アレルゲン曝露：喘息治療におけるダニ抗原コントロールの効果には諸説あり、寝具類のカバー・防ダニ剤・掃除機エアフィルターなどの有効性を示す報告があるが、これらの効果について否定的な報告も多い[45,49]（エビデンス B）。複数の方法を併用した包括的なダニ抗原回避の有用性が示唆されているが[50]、治療効果の予測が困難であり、複雑な介入方法とな

るため治療コストや継続性の問題も指摘されている[46,51]（エビデンスB）。アレルゲン免疫療法については第6章6-4を参照されたい。ペットアレルゲンの除去も重要だが、ネコやイヌなど屋外にも出るペットでは学校や交通機関などの公共空間でも抗原が検出されることもあり、その臨床効果は十分に示されていない（エビデンスD）。ハムスター、モルモットなど屋内で飼育するげっ歯類の抗原回避は喘息症状の改善に有効性が示されている[47,52]（エビデンスB）。具体的なアレルゲン回避の方法には、環境再生保全機構ホームページの「悪化因子の対策」の項などを参照されたい（https://www.erca.go.jp/yobou/zensoku/）。

(3) **気象**：気温や気圧の変化、雷雨、黄砂なども喘息増悪を起こすため、コントロール不良の患者に対しては、気象予報などを参考にして外出を計画するように指導する。

(4) **大気汚染（屋外、屋内）**：オゾン、窒素酸化物、浮遊粒子物質などの大気汚染物質は喘息症状増悪、救急受診、入院との関連が指摘されている[48,53]。黄砂の飛散についても喘息症状増悪との関連がある[49,54]。PM2.5、黄砂などによる大気汚染状況については環境省、気象庁の情報をもとに外出計画やマスク着用などの対策をすることを考慮する。気密性の高い室内では、暖房器具や建材から発生する窒素酸化物、ホルムアルデヒドが喘息増悪のリスクになり得るため室内の換気に留意する。屋内の暖房器具の工夫により喘息症状、医療機関の受診頻度の抑制が可能な場合がある[50,55]（エビデンスB）。成人発症の喘息では職場環境での曝露による増悪の可能性を念頭に問診を行う（第7章7-10「職業性喘息」を参照）。

(5) **薬物**：AERD（NSAIDs過敏喘息、N-ERD、アスピリン喘息）については常にその可能性を認識し、NSAIDsを処方する際は毎回必ず使用歴と副反応誘発の有無について問診して増悪予防を心がける（詳細は第7章7-1「AERD」を参照）。β遮断薬は気管支収縮を誘発する可能性があるため原則として使用を控えるが、心疾患合併例では選択的β_1遮断薬の使用についてリスクとベネフィットを慎重に判断する[51,56]。

(6) **アルコール**：アルコールで喘息増悪が誘発される患者では、飲酒およびアルコール含有飲食物の回避が勧められる。薬物療法としては通常の喘息治療に加えて抗ヒスタミン薬の有用性が示唆されている[52]（エビデンスC）。

(7) **ビタミンD低下**：ビタミンDの低下と喘息の増悪の関連やビタミンD補充による臨床効果についての報告があるが、治療方針についての一定の見解はまだない。

(8) **呼吸器感染症**：インフルエンザワクチン接種の有用性とリスクについては結論が得られていないが[53,58]、中等症以上の喘息患者では流行時の接種が勧められる。わが国の検討ではインフルエンザワクチン接種により喘息の増悪頻度が減少する可能性が示されている[54,59]（エビデンスC）。インフルエンザウイルス、ライノウイルス、RSウイルスなどのウイルス感染は喘息増悪との関連が示されているが、COVID-19と喘息増悪との関連については明確ではない（第7章7-16「COVID-19への対応」を参照）。肺炎球菌ワクチンの喘息増悪に対する抑制効果については一定の見解が得られていない[60]。

3-3　重症喘息および喘息死の危険因子と予防

1）成人

(1) 重症喘息の悪化予防：重症喘息患者の患者像は heterogeneous であることから、重症喘息の悪化を予防するためには、背景にある当該患者の形質や特徴を捉えて質の高い医療を提供することが必要となってくる（表 3-3）。入院や全身性ステロイド薬による治療を要するコントロール不良の喘息は気流制限が進行するとされ、経口ステロイド薬投与量が 5 mg/日以下でもその後の喘息コントロールは不良になる[62,63]。気流制限の進行は小児期のコントロール不良な喘息や遺伝的素因、喫煙や環境因子によって影響を受け重症化を助長する[64]。慢性副鼻腔炎や嗅覚脱失を伴う慢性好酸球性副鼻腔炎、COPD、肥満などの合併症の管理は重要であり、肥満の患者では ICS に対する反応性が低下する。また、HCV 感染は喘息の重症化因子である。わが国では BMI≧25 kg/m^2 の女性はリスク因子とされるが、必ずしも脂質異常症や糖尿病などの代謝異常を伴うわけではない。重症化の予防のためには、禁煙や環境整備を行い、以前は陰性であった感作アレルゲンに対しても陽性となっていることもあるため、再検してアレルゲン回避のための生活指導を行う。好酸球性気道炎症の再評価を行って気道炎症の特徴を捉え、全身性ステロイド薬投与にかわる治療の導入の可否を検討するとともに合併症の治療を行っていく。

(2) 喘息急性増悪の危険因子：喘息死や生命を脅かすような喘息急性増悪の危険因子は、重症喘息患者だけではなく軽症から中等症の喘息患者にもあてはまる（表 3-4）。意識障害を来すような重篤な喘息症状の進行や既往は、喘息死の危険因子である[65]。軽症と考えられる自覚症状に乏しいような喘息患者でも喘息増悪による定期外受診や入院の既往は喘息死の危険因子となることがあり、喘息死前の喘息重症度は、軽症と中等症を合わせると 40％を超え、重症の占める割合と大きな差はないことが示されている（図 3-1）[66]。頻回の SABA 吸入は喘息のコントロールが不良であることを示唆するだけでなく、気道平滑筋の治療不応性の持続収縮を招き、喘息死に至るまでの時間が短時間である可能性が示されている。細菌や

表 3-3　喘息重症化の危険因子（成人）

1. コントロールが不良な喘息症状
2. 不適切な喘息治療
3. 全身性ステロイド薬による治療を必要とする増悪
4. ステロイド薬治療にもかかわらず残存する気道炎症
5. 高度な気流制限（特に予測値に対する 1 秒量が 60％未満）
6. 喫煙
7. 環境因子（ダニ、真菌、毛の生えたペットなどの感作アレルゲン）
8. 合併症（副鼻腔炎、COPD、肥満、抑うつ、不安障害）
9. 小児期の頻回の喘息増悪や感染症などによる呼吸機能の低下
10. 遺伝的背景
11. HCV 感染

表 3-4　喘息死の危険因子

1. 気管挿管および人工呼吸器管理を要する重症喘息増悪の既往
2. 直近1年間の入院、定期外受診
3. 経口ステロイド薬の現在または最近の使用歴
4. 吸入ステロイド薬の不使用、アドヒアランス不良
5. 頻回のSABA使用歴、1か月に1本以上のSABA使用
6. 呼吸器感染症
7. 運動、疲労、ストレス
8. 薬品、食物アレルギー
9. 高齢者

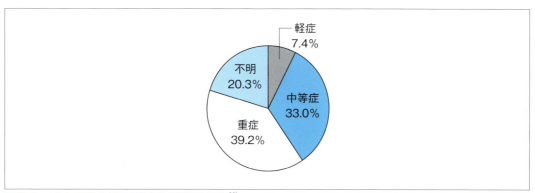

図 3-1　成人喘息の喘息死前の喘息重症度[66]

ウイルスなどによる呼吸器感染症は喘息死の重要な危険因子である。COVID-19感染では、16歳以上の重症喘息患者は非重症喘息患者と比べ致死率が上昇するという報告がある（第7章7-16「COVID-19への対応」を参照）。喘息死の患者数が多い年齢は、日本の疫学調査では80歳以上であり、世界的には70歳以上である。高齢者に喘息死が多い原因は、非特異的呼吸器症状を呈する場合があることに起因する喘息診断の難しさ、不便な交通手段だけでなく社会的、経済的理由も含めた医療アクセスの問題が挙げられる。喘息死の予防のためには、適切な診断と治療薬の使用、および生活指導が必要であり、多職種医療連携などの情報共有基盤を機能させ効果的な対策を講ずることを考慮する。

2）小児

小児においても、治療アドヒアランス不良や不適切な吸入手技、アレルゲンや受動喫煙からの回避困難、肥満、アレルギー性鼻炎や副鼻腔炎の合併、発達・心理・精神的問題などがコントロール不良の要因となる。小児喘息の思春期・青年期までの寛解率は約30〜40％であり、重症喘息ではさらに低下する。思春期までの寛解率に影響する因子として8歳時点での呼吸機能、気道過敏性、血中好酸球数が報告されている[67]。

厚生労働省人口動態統計によると、2018年の小児喘息死亡数は0〜14歳0人、15〜19歳

1人であり、人口10万対の喘息死亡率は、19歳以下の年齢階級で2011年以降0.0人が続いている。1960年代と1980〜90年代の思春期・青年期における喘息死増加はSABAのpMDIの不適切使用が要因であった可能性がある[68]。ICSの必要十分な投与は急性増悪（発作）を抑制して喘息死を減少させると考えられ、国内の調査でも喘息死亡例におけるSABAへの依存と長期管理薬の怠薬が指摘されている[69]。

[参考文献]

1) Sunyer J, Antó JM, Kogevinas M, et al. Risk factors for asthma in young adults. Spanish Group of the European Community Respiratory Health Survey. *Eur Respir J*. 1997; 10: 2490-4.
2) Thomsen SF, Duffy DL, Kyvik KO, et al. Genetic influence on the age at onset of asthma: a twin study. *J Allergy Clin Immunol*. 2010; 126: 626-30.
3) Demenais F, Margaritte-Jeannin P, Barnes KC, et al. Multiancestry association study identifies new asthma risk loci that colocalize with immune-cell enhancer marks. *Nat Genet*. 2018; 50: 42-53.
4) Hirota T, Takahashi A, Kubo M, et al. Genome-wide association study identifies three new susceptibility loci for adult asthma in the Japanese population. *Nat Genet*. 2011; 43: 893-6.
5) Wijga A, Tabak C, Postma DS, et al. Sex differences in asthma during the first 8 years of life: The Prevention and Incidence of Asthma and Mite Allergy (PIAMA) birth cohort study. *J Allergy Clin Immunol*. 2011; 127: 275-7.
6) Vink NM, Postma DS, Schouten JP, et al. Gender differences in asthma development and remission during transition through puberty: the TRacking Adolescents' Individual Lives Survey (TRAILS) study. *J Allergy Clin Immunol*. 2010; 126: 498-504.e1-6.
7) Martinez FD. Viruses and atopic sensitization in the first years of life. *Am J Respir Crit Care Med*. 2000; 162(3 PT 2): S95-9.
8) Tran MM, Lefebvre DL, Dharma C, et al. Predicting the atopic march: Results from the Canadian Healthy Infant Longitudinal Development Study. *J Allergy Clin Immunol*. 2018; 141: 601-7.e8.
9) Huang CC, Chiang TL, Chen PC, et al. Risk factors for asthma occurrence in children with early-onset atopic dermatitis: An 8-year follow-up study. *Pediatr Allergy Immunol*. 2018; 29: 159-65.
10) McGeachie MJ, Yates KP, Zhou X, et al. Patterns of Growth and Decline in Lung Function in Persistent Childhood Asthma. *N Engl J Med*. 2016; 374: 1842-52.
11) Goksör E, Åmark M, Alm B, et al. The impact of pre- and post-natal smoke exposure on future asthma and bronchial hyper-responsiveness. *Acta Paediatr*. 2007; 96: 1030-5.
12) Caudri D, Wijga A, Gehring U, et al. Respiratory symptoms in the first 7 years of life and birth weight at term: the PIAMA Birth Cohort. *Am J Respir Crit Care Med*. 2007; 175: 1078-85.
13) Mai XM, Gäddlin PO, Nilsson L, et al. Asthma, lung function and allergy in 12-year-old children with very low birth weight: a prospective study. *Pediatr Allergy Immunol*. 2003; 14: 184-92.
14) Törmänen S, Lauhkonen E, Riikonen R, et al. Risk factors for asthma after infant bronchiolitis. *Allergy*. 2018; 73: 916-22.
15) Jackson DJ, Gangnon RE, Evans MD, et al. Wheezing rhinovirus illnesses in early life predict asthma development in high-risk children. *Am J Respir Crit Care Med*. 2008; 178: 667-72.
16) Chung KF. Airway microbial dysbiosis in asthmatic patients: A target for prevention and treatment? *J Allergy Clin Immunol*. 2017; 139: 1071-81.
17) Von Mutius E, Smits HH. Primary prevention of asthma: from risk and protective factors to targeted strategies for prevention. *Lancet*. 2020; 396: 854-66.
18) Breton CV, Siegmund KD, Joubert BR, et al. Prenatal tobacco smoke exposure is associated with cihildhood DNA CpG methylation. *PLoS One*. 2014; 9: e99716.
19) Voraphani N, Stern DA, Wright AL, et al. Risk of current asthma among adult smokers with respiratory syncytial virus illnesses in early life. *Am J Respir Crit Care Med*. 2014; 190: 392-8.
20) Persky V, Piorkowski J, Hernandez E, et al. The effect of low-cost modification of the home environment on the development of respiratory symptoms in the first year of life. *Ann Allergy*

Asthma Immunol. 2009; 103: 480-7.
21) Jones LL, Hashim A, McKeever T, et al. Parental and household smoking and the increased risk of bronchitis, bronchiolitis and other lower respiratory infections in infancy: systematic review and meta-analysis. *Respir Res.* 2011; 12: 5.
22) Shima M, Nitta Y, Adachi M. Traffic-related air pollution and respiratory symptoms in children living along trunk roads in Chiba Prefecture, Japan. *J Epidemiol.* 2003; 13: 108-19.
23) Burbank AJ, Sood AK, Kesic MJ, et al. Environmental determinants of allergy and asthma in early life. *J Allergy Clin Immunol.* 2017; 140: 1-12.
24) Holst GJ, Pedersen CB, Thygesen M, et al. Air pollution and family related determinants of asthma onset and persistent wheezing in children: Nationwide case-control study. *BMJ.* 2020; 370: m2791.
25) Rumchev K, Spickett J, Bulsara M, et al. Association of domestic exposure to volatile organic compounds with asthma in young children. *Thorax.* 2004; 59: 746-51.
26) Tokunaga T, Sakashita M, Haruna T, et al. Novel scoring system and algorithm for classifying chronic rhinosinusitis; the JESREC Study. *Allergy.* 2015; 70: 995-1003.
27) Shaaban R, Zureik M, Soussan D, et al. Rhinitis and onset of asthma: a longitudinal population-based study. *Lancet.* 2008; 372: 1049-57.
28) Polosa R, Al-Delaimy WK, Russo C, et al. Greater risk of incident asthma cases in adults with allergic rhinitis and effect of allergen immunotherapy: a retrospective cohort study. *Respir Res.* 2005; 6: 153.
29) Turner MO, Noertjojo K, Vedal S, et al. Risk factors for near-fatal asthma. A case-control study in hospitalized patients with asthma. *Am J Respir Crit Care Med.* 1998; 157: 1804-9.
30) Yang F, Busby J, Heaney LG, et al. Factors Associated with Frequent Exacerbations in the UK Severe Asthma Registry. *J Allergy Clin Immunol Pract.* 2021; 9: 2691-2701.e1.
31) Tanaka A, Uno T, Sato H, et al. Predicting future risk of exacerbations in Japanese patients with adult asthma: A prospective 1-year follow up study. *Allergology International.* 2017; 66: 568-73.
32) Buelo A, McLean S, Julious S, et al. At-risk children with asthma (ARC): a systematic review. *Thorax.* 2018; 73: 813-24.
33) Matsunaga K, Hamada K, Oishi K, et al. Factors Associated with Physician-Patient Discordance in the Perception of Asthma Control. *J Allergy Clin Immunol Pract.* 2019; 7: 2634-41.
34) Kanemitsu Y, Fukumitsu K, Kurokawa R, et al. Increased Capsaicin Sensitivity in Patients with Severe Asthma Is Associated with Worse Clinical Outcome. *Am J Respir Crit Care Med.* 2020; 201: 1068-77.
35) Buhl R, Korn S, Menzies-Gow A, et al. Prospective, Single-Arm, Longitudinal Study of Biomarkers in Real-World Patients with Severe Asthma. *J Allergy Clin Immunol Pract.* 2020; 8: 2630-2639.e6.
36) Ohta K, Bousquet PJ, Aizawa H, et al. Prevalence and impact of rhinitis in asthma. SACRA, a cross-sectional nation-wide study in Japan. *Allergy.* 2011; 66: 1287-95.
37) Oka A, Matsunaga K, Kamei T, et al. Ongoing allergic rhinitis impairs asthma control by enhancing the lower airway inflammation. *J Allergy Clin Immunol Pract.* 2014; 2: 172-8.
38) Friedlander JL, Sheehan WJ, Baxi SN, et al. Food allergy and increased asthma morbidity in a School-based Inner-City Asthma Study. *J Allergy Clin Immunol Pract.* 2013; 1: 479-84.
39) Berns SH, Halm EA, Sampson HA, et al. Food allergy as a risk factor for asthma morbidity in adults. *J Asthma.* 2007; 44: 377-81.
40) To M, Hitani A, Kono Y, et al. Obesity-associated severe asthma in an adult Japanese population. *Respir Investig.* 2018; 56: 440-7.
41) Moreira A, Bonini M, Garcia-Larsen V, et al. Weight loss interventions in asthma: EAACI evidence-based clinical practice guideline (part I). *Allergy.* 2013; 68: 425-39.
42) Nakasato H, Ohrui T, Sekizawa K, et al. Prevention of severe premenstrual asthma attacks by leukotriene receptor antagonist. *J Allergy Clin Immunol.* 1999; 104 (3 Pt 1): 585-8.
43) Wendel PJ, Ramin SM, Barnett-Hamm C, et al. Asthma treatment in pregnancy: a randomized controlled study. *Am J Obstet Gynecol.* 1996; 175: 150-4.
44) Prasad B, Nyenhuis SM, Imayama I, et al. Asthma and Obstructive Sleep Apnea Overlap: What Has the Evidence Taught Us? *Am J Respir Crit Care Med.* 2020; 201: 1345-57.
45) Lazarus SC, Chinchilli VM, Rollings NJ, et al. Smoking affects response to inhaled corticosteroids or

leukotriene receptor antagonists in asthma. *Am J Respir Crit Care Med*. 2007; 175: 783-90.
46) Ehrlich R, Jordaan E, Du Toit D, et al. Household smoking and bronchial hyperresponsiveness in children with asthma. *J Asthma*. 2001; 38: 239-51.
47) McLeish AC, Zvolensky MJ. Asthma and cigarette smoking: a review of the empirical literature. *J Asthma*. 2010; 47: 345-61.
48) Borrelli B, McQuaid EL, Novak SP, et al. Motivating Latino caregivers of children with asthma to quit smoking: a randomized trial. *J Consult Clin Psychol*. 2010; 78: 34-43.
49) Gøtzsche PC, Johansen HK. House dust mite control measures for asthma. *Cochrane Database Syst Rev*. 2008; (2): CD001187.
50) Morgan WJ, Crain EF, Gruchalla RS, et al. Results of a home-based environmental intervention among urban children with asthma. *N Engl J Med*. 2004; 351: 1068-80.
51) Leas BF, D'Anci KE, Apter AJ, et al. Effectiveness of indoor allergen reduction in asthma management: A systematic review. *J Allergy Clin Immunol*. 2018; 141: 1854-69.
52) Matsui EC, Perzanowski M, Peng RD, et al. Effect of an Integrated Pest Management Intervention on Asthma Symptoms Among Mouse-Sensitized Children and Adolescents With Asthma: A Randomized Clinical Trial. *JAMA*. 2017; 317: 1027-36.
53) Zheng XY, Ding H, Jiang LN, et al. Association between Air Pollutants and Asthma Emergency Room Visits and Hospital Admissions in Time Series Studies: A Systematic Review and Meta-Analysis. *PLoS One*. 2015; 10: e0138146.
54) Watanabe M, Yamasaki A, Burioka N, et al. Correlation between Asian dust storms and worsening asthma in Western Japan. *Allergol Int*. 2011; 60: 267-75.
55) Howden-Chapman P, Pierse N, Nicholls S, et al. Effects of improved home heating on asthma in community dwelling children: randomised controlled trial. *BMJ*. 2008; 337: a1411.
56) Morales DR, Jackson C, Lipworth BJ, et al. Adverse respiratory effect of acute β-blocker exposure in asthma: a systematic review and meta-analysis of randomized controlled trials. *Chest*. 2014; 145: 779-86.
57) Takao A, Shimoda T, Matsuse H, et al. Inhibitory effects of azelastine hydrochloride in alcohol-induced asthma. *Ann Allergy Asthma Immunol*. 1999; 82: 390-4.
58) Cates CJ, Rowe BH. Vaccines for preventing influenza in people with asthma. *Cochrane Database Syst Rev*. 2013; 2013 (2): CD000364.
59) Watanabe S, Hoshiyama Y, Matsukura S, et al. Prevention of asthma exacerbation with vaccination against influenza in winter season. *Allergol Int*. 2005; 54: 305-9.
60) Lee TA, Weaver FM, Weiss KB. Impact of pneumococcal vaccination on pneumonia rates in patients with COPD and asthma. *J Gen Intern Med*. 2007; 22: 62-7.
61) Dahlén SE, Malmström K, Nizankowska E, et al. Improvement of aspirin-intolerant asthma by montelukast, a leukotriene antagonist: a randomized, double-blind, placebo-controlled trial. *Am J Respir Crit Care Med*. 2002; 165: 9-14.
62) Nagase H, Adachi M, Matsunaga K, et al. Prevalence, disease burden, and treatment reality of patients with severe, uncontrolled asthma in Japan. *Allergol Int*. 2020; 69: 53-60.
63) Matsunaga K, Adachi M, Nagase H, et al. Association of low-dosage systemic corticosteroid use with disease burden in asthma. *NPJ Prim Care Respir Med*. 2020; 30: 35.
64) Deliu M, Fontanella S, Haider S, et al. Longitudinal trajectories of severe wheeze exacerbations from infancy to school age and their association with early-life risk factors and late asthma outcomes. *Clin Exp Allergy*. 2020; 50: 315-24.
65) Hasegawa W, Yamauchi Y, Yasunaga H, et al. Prognostic nomogram for inpatients with asthma exacerbation. *BMC Pulm Med*. 2017; 17: 108.
66) Nakazawa T, Dobashi K. Current asthma deaths among adults in Japan. *Allegol Int*. 2004; 53: 205-9.
67) Wang AL, Datta S, Weiss ST, et al. Remission of persistent childhood asthma: Early predictors of adult outcomes. *J Allergy Clin Immunol*. 2019; 143: 1752-1759.e6.
68) Tanihara S, Nakamura Y, Matsui T, et al. A case-control study of asthma death and life-threatening attack: their possible relationship with prescribed drug therapy in Japan. *J Epidemiol*. 2002; 12: 223-8.
69) 楠　隆, 赤澤　晃, 荒川浩一, 他. 喘息死委員会レポート 2017. 日小ア誌. 2018；32：739-45.

4 病態生理

4-1 病態生理

1）喘息気道の病理

　喘息の病態では、特に気道炎症が重要である。気道では、好酸球、リンパ球、マスト細胞、好塩基球、好中球などの炎症細胞浸潤に加えて、血管拡張、粘膜・粘膜下浮腫、さらに、気道上皮剥離、杯細胞増生、粘膜下腺過形成、血管新生、上皮下線維増生（基底膜部の肥厚）、弾性線維破壊、平滑筋肥大、気道外膜の線維化、内腔の粘液貯留が認められる[1]（図 4-1）。

　好酸球浸潤は最も特徴的な所見で、アトピー型、非アトピー型のいずれでも認められ、無症状期でも存在することが多い[2]。細胞質顆粒の成分である major basic protein（MBP）や eosinophil cationic protein（ECP）が気管支肺胞洗浄液（bronchoalveolar lavage fluid, BALF）で検出され、免疫染色で多量の細胞外 MBP が粘膜内に存在し、浸潤した好酸球の脱顆粒を示唆する。喘息患者における血中好酸球増加は、気道の好酸球増加を示唆する指標とされる。

　マスト細胞の数は気道の粘膜固有層では健常者と喘息患者間で差がないが、上皮や平滑筋層内のマスト細胞数は喘息患者で増加し、BALF 中のマスト細胞数も喘息患者で有意に多い[3,4]。マスト細胞はヒスタミンやロイコトリエンだけでなく、種々のサイトカインの産生源となる。

　リンパ球は気道炎症の成立に重要となる。T 細胞数は無症状期では健常者と差がないとの報告が多いが、有症状期には増加する。気管支粘膜生検組織の免疫染色で CD4$^+$Th 細胞数が増加し、*in situ* hybridization 解析では IL-4、IL-5、IL-13、GM-CSF の mRNA を発現する CD4$^+$ 細胞が多く、Th1 に比べて Th2 が優位である。一方で、2 型自然リンパ球（ILC2）は組織中での同定は難しいが、末梢血および痰の解析により喘息で増加することが

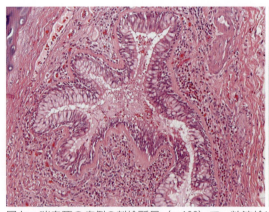 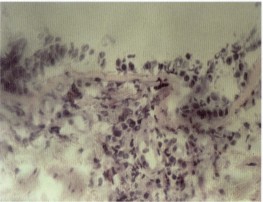

図左：喘息死の症例の剖検所見（×100）で，粘液栓による気道の閉塞，基底膜部の肥厚，平滑筋層の肥厚と著明な細胞浸潤を認める。
図右：軽症例の気道粘膜生検所見（×400）で，気道上皮細胞の剥離，基底膜直下の線維化，好酸球の集簇を特徴とする炎症細胞の浸潤を認める。

図 4-1　喘息における気道病変

示されている。Th2とILC2は産生するサイトカインが類似しており、2型炎症（次項で詳述）の中核となる細胞である[5,6]。

　気道上皮の傷害、剥離も重要な所見である。気道上皮細胞間隙の開大から、上皮細胞の基底膜からの剥離までさまざまな程度の傷害が認められる[7]。喘息患者、特に増悪時の喀痰にはクレオラ体と呼ばれる上皮細胞塊が認められる。好酸球顆粒タンパクには気道上皮傷害作用があり、気道上皮剥離部分に一致して顆粒タンパクが沈着し、電顕で観察される上皮の傷害と気道粘膜中の好酸球数との間には正の相関が認められることなどから、好酸球の関与が強く示唆される。

　基底膜部の肥厚は慢性喘息の特徴的所見とされてきたが、電顕により実際は基底膜には変化がなく、基底膜直下の網状層にⅠ、Ⅲ、Ⅴ型コラーゲンとフィブロネクチンが沈着し、肥厚している[8]。したがって、上皮下線維増生（subepithelial fibrosis）と呼ぶのが適切である。上皮、上皮下、平滑筋の各層は、いずれも喘息患者で厚く、気道壁全体が厚くなり、高解像度CTで壁肥厚を確認できる。また、気道壁肥厚は中枢だけでなく末梢気道でも認められる。好酸球浸潤は、中枢気道よりも末梢気道のほうが多いとされる。さらに、気道炎症は気道の内壁のみならず外壁でも認められる。肥大・増生した気道平滑筋は、気管支熱形成術の主な治療標的部位である。

2）気道炎症の機序

　喘息における気道炎症には、マスト細胞、リンパ球（主としてTh2細胞とILC2）、好酸球などの炎症細胞と、気道上皮細胞あるいは血管内皮細胞などを含む組織構成細胞が関与する。これらの細胞が産生・遊離する各種サイトカインあるいは炎症性メディエーターなどの作用と、特に血管内皮細胞の接着分子群、神経系、また一部の症例では好中球など他の免疫担当細胞の作用などによって炎症病態が形成される（図4-2）。

　アトピー型喘息患者では環境アレルゲンに対して産生される特異的IgE抗体が炎症形成に関与する。これにはマスト細胞の活性化が重要な役割を担う。マスト細胞は上皮下および毛細血管近傍などにも存在している。感作アレルゲンへの曝露の結果、IgE架橋を介してマスト細胞の活性化が生じてシステイニル・ロイコトリエン（CysLT）、PGD_2あるいはヒスタミンなどの産生・遊離が生じる。CysLT、PGD_2は気道平滑筋の攣縮を誘導する他に、それら自体が好酸球の組織への集積も増強し得る。またマスト細胞はIL-4、IL-5、IL-13などの2型サイトカインを産生すること、さらに近年は特にマスト細胞が主として産生するPGD_2などはILC2の機能を増強し得ることも指摘されている[9,10]。

　感作アレルゲンへの曝露は樹状細胞を介して、2型サイトカインを産生する$CD4^+$T細胞であるTh2細胞の活性化を誘導し、またTh2細胞の気道への組織集積を増強する。2型サイトカインのうちIL-4、IL-13はB細胞に作用してIgE産生を誘導するほかに、特に血管内皮細胞に作用すると好酸球に対する強力な接着誘導活性を示すVCAM-1を発現させ、また気道上皮細胞や線維芽細胞などに作用して好酸球表面のCCR3受容体などを介して強力な遊走活性を示すeotaxinあるいはRANTESなどのCCケモカイン群の産生を誘導する。

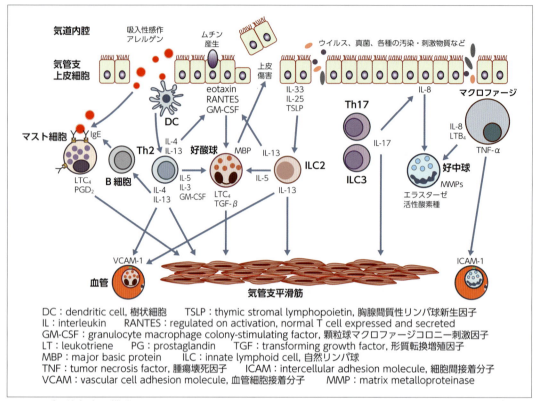

図4-2 気道炎症の機序

VCAM-1に接着した好酸球はCCケモカイン群によって効果的に組織内に遊走する[11]。IL-13はさらに粘液産生誘導作用、気管支平滑筋における易収縮性の亢進にも関与する。IL-13などの作用によって発現するペリオスチンや、またフィブロネクチンなどの細胞外マトリクスタンパク群も好酸球の接着あるいはエフェクター機能亢進をもたらす[12]。IL-5は好酸球の分化および成熟において中心的な役割を果たすとともに、組織においては好酸球の生存延長とエフェクター機能の発現に関与する。IL-3およびGM-CSFも同様に、好酸球の生存延長効果と機能増強効果を示す。好酸球はCysLTを産生して気管支平滑筋の攣縮を、またMBPに代表される特異顆粒タンパクを放出して気道上皮障害などの組織傷害活性などを発現するほか、各種の免疫担当細胞の機能調節にも関与する。好酸球はさらにTGF-βを豊富に産生し、気管支平滑筋層の肥厚などを含めた気道リモデリングの成立にも重要な役割を担う。

　一方、感作アレルゲンとは異なる環境因子などの刺激によって、ILC2の活性化あるいは組織での増加が生じる。ILC2は、細胞数は少ないと推定されるが細胞当たりでは多量の2型サイトカイン、特にIL-5、IL-13を産生する。ILC2の活性化には、気道上皮細胞から分泌されるIL-33やTSLP、またIL-25が重要である。IL-33はIL-1ファミリーに属し、気道上皮傷害の際に核から放出されるとILC2やマスト細胞などに発現するIL-33受容体（ST2）と結合して活性化させ、ILC2におけるIL-5、IL-13産生の引き金となる[13]。TSLP

は、IL-2 ファミリーに属するサイトカインで、マスト細胞、好酸球、ILC2、樹状細胞を活性化するが、ILC2 に対してステロイド抵抗性を付与する作用を有する[13,14]。重症喘息気道では IL-33、TSLP の発現亢進および活性化 ILC2 の増加が指摘されている[15~17]。このように、2 型サイトカイン群およびそれらと関連する免疫調節分子・物質群の産生には Th2 細胞と ILC2 の両者が深く寄与するため惹起される炎症は 2 型炎症と呼ばれ、生じる好酸球性気道炎症はアトピー型、非アトピー型のいずれの病態においても認められる。

一部の症例、特に重症喘息の気道では好中球性炎症が認められる[18]。重症喘息の気道における IL-8 の過剰産生が指摘されており、IL-8 産生の刺激・誘導因子としては環境中のエンドトキシンなどを含む病原微生物の関与が推測されている[19]。Th17 細胞あるいは 3 型（グループ 3）自然リンパ球（ILC3）が産生する IL-17 の関与も想定される。IL-17 は気道平滑筋の易収縮性を亢進させるとの報告もある。また、一部の重症喘息患者では、気道で好中球と好酸球の混在する炎症病態が発現している。重症喘息で下気道での IFN-γ が増加している症例があることなど、Th1 細胞などが産生する 1 型サイトカインの産生の関与も指摘されている[20]。IFN-γ あるいはその下流の CXCL10（IP-10）は好酸球性炎症の増強作用を発揮し得るが、喘息の気道炎症における実際の役割については不明確な部分が多い。

3）気道炎症と気流制限の関係

気道炎症は、喘息を特徴づける変動性の気流制限の原因と考えられている。気流制限は気道径の狭小化に起因し、主として、(1) 気道平滑筋の収縮、(2) 気道の浮腫、(3) 気道粘液の分泌亢進、(4) 気道リモデリング、の 4 つの機序が知られている。

(1) 気道平滑筋の収縮：気道径の狭小化の主たる機序とされる。アレルゲン曝露により、マスト細胞表面の高親和性 IgE 受容体に結合した特異的 IgE 抗体を介して受容体が架橋され、マスト細胞から LT、PG、ヒスタミンなどのメディエーターが放出され、気道平滑筋が収縮する。アレルゲン以外の外因性刺激としては、冷気、煙、化学物質、気象変化などが、内因性刺激としては、運動、心理的ストレスなどが知られており、これらは炎症細胞からのメディエーターの遊離を促進したり、迷走神経反射あるいは軸索反射を介してアセチルコリン、神経ペプチドを遊離して、平滑筋を収縮させる。

(2) 気道の浮腫：炎症細胞から放出される LT、PG、ヒスタミン、トロンボキサン A_2、血小板活性化因子（PAF）、ブラジキニンなどのメディエーターによって血管透過性が亢進し、後毛細管細静脈から血漿成分が漏出することで気道粘膜の浮腫が生じる。急性増悪時には血漿漏出が気道内腔に達して粘液栓の形成を助長する。

(3) 気道粘液の分泌亢進：気道粘液の分泌亢進は気道内腔の狭小化を来す。また、粘液線毛クリアランスを障害し、換気障害の原因となり咳嗽も誘発する。粘液の主成分であるムチンは気道内腔に分泌されると気道表面の水分を吸収して膨張するため、末梢気道では粘液栓を形成しやすい。重篤な増悪時には気道内腔に滲出した血漿タンパク質がムチンと一塊となりタンパク質分解酵素の作用を減弱させて高粘稠度の粘液栓を形成し、喘息死の原因となる[21]。

(4) 気道リモデリング：TGF-β などの増殖因子によってコラーゲンなどの細胞外マトリク

スタンパクが沈着して基底膜部の肥厚を来す。また、気管支平滑筋の過形成と肥大に呼応して微小血管が増生する。喘息では杯細胞の化生・過形成が顕著であり、粘膜下腺の過形成や肥大は重症例以外ではCOPDほど顕著でない[21]。これら気道リモデリングにより不可逆的な気流制限が生じる。気道リモデリングを来した症例は重症度が高く治療に難渋することが多い。気道リモデリングはコントロール良好例でも生じ、また気道収縮反応のみでも誘導されるとの報告があり、必ずしも気道炎症を介さない可能性がある[22]。ADAM33は、炎症を惹起せずに可逆性を有する気道リモデリングを生じることが示唆されている[23]。一方、ICSが気道リモデリングを部分的に改善するとの報告もある[24]。リモデリングの進行により気道壁が硬くなるため、刺激を受けた気道が過度に収縮するのを妨げて防御的に働くとの考え方もある[25]。

4）気道炎症と気道過敏性の関係

気道過敏性は喘息を特徴付ける病態である。気道炎症が持続・遷延により生じた気道過敏性が生じる機序としては、主に以下の4つが想定されている。

(1) **気道上皮の傷害**：気道粘膜の損傷により知覚神経末端が露出して、迷走神経反射や軸索反射の亢進、気道上皮細胞が産生する平滑筋弛緩因子の産生低下などが起きる。

(2) **神経系への影響**：気管支収縮を抑制する方向に作用するアセチルコリンM2受容体やβアドレナリン受容体の機能が抑制される。

(3) **気道平滑筋の質的変化**：炎症局所で作用するさまざまな因子の影響で、気道平滑筋が収縮しやすいフェノタイプへと形質転換する[26]。

(4) **気道リモデリング**：気道炎症が持続・遷延して気道壁が肥厚すると、肥厚を生じていない場合と比べて、同じ程度の収縮を起こしても、気道抵抗の増加率が高くなる。したがって、気道リモデリングが起きた状態では炎症が軽度でも気道過敏性が亢進する[27]。また、気管支収縮自体が気道リモデリングを進展させる[22]。

5）アレルゲン曝露による即時型・遅発型喘息反応

アトピー型喘息症例では、原因アレルゲン吸入の数分後から気流閉塞が生じて、喘鳴、呼吸困難、咳などの症状が誘発される（即時型喘息反応）。通常は1～2時間程度で収まるが、半数以上で3～8時間後に再び気道狭窄が生じて、同様の症状が出現する（遅発型喘息反応）[22]。アレルゲン曝露による即時型・遅発型喘息反応は、喘息病態の解析や原因アレルゲンの診断、薬剤の効果の検証などに用いられる。即時型喘息反応は、マスト細胞から遊離されるLT、PGやヒスタミンなどのメディエーターの作用によると考えられる一方、遅発型喘息反応は、気道炎症局所に浸潤する好酸球等の炎症細胞から産生されるLTなどのメディエーターの作用によると考えられている。β_2刺激薬は即時型反応を抑制し、ステロイド薬はその抗炎症作用により遅発型反応を抑制することから、即時型喘息反応は気道平滑筋の収縮を反映し、遅発型喘息反応はアレルゲン曝露を契機に惹起された気道炎症を反映するものと考えられている。テオフィリン徐放製剤やLTRA、DSCGなどの抗アレルギー薬、抗IgE抗体製剤は、即時型および遅発型喘息反応を部分的に抑制する[28,29]。

4-2 病態評価のための検査法（成人）

1）気道炎症の評価

気道炎症の評価法には、血液中の好酸球数、喀痰中の好酸球や好中球の比率、呼気中一酸化窒素（NO）濃度（FeNO）などがある。

(1) 末梢血好酸球数および喀痰中の好酸球や好中球の比率

末梢血好酸球測定は簡便かつ安価である。比率より実数で解釈することが多い。種々のアレルギー疾患でも上昇し、喘息に特異的ではないが、末梢血好酸球数が220～320/μL以上であれば好酸球性気道炎症の存在を示唆する[30]。末梢血好酸球数が高値の喘息では、重症度が高く、増悪頻度やコントロール不良リスクが増す[31]。さらに、IL-5、IL-5Rα、IL-4Rαを標的とした生物学的製剤への有効性が期待できる[32]。

喀痰中の好酸球比率は、自然喀出痰または3～5％の高張食塩水吸入による誘発喀痰で採取した喀痰の細胞成分を解析する。気道の好酸球性炎症を反映し、喘息管理に用いると喘息コントロールや増悪頻度の減少に寄与することが報告されている[33,34]。喀痰好中球比率の増加は、気道感染や好中球優位型気道炎症の可能性を示唆する。なお、喀痰による気道炎症の評価は、比較的侵襲度が高いため専門施設で研究目的に行われることが多い。

(2) 呼気中一酸化窒素濃度（FeNO）

FeNOは好酸球を中心とした気道の2型炎症を反映する。未治療の喘息では上昇することが多く、ステロイド薬投与により低下することから、喘息診断やCOPDとの鑑別、喘息コントロール評価における補助的指標として有用とされる[35,36]。日本呼吸器学会の『呼気一酸化窒素測定ハンドブック』では、日本人を対象とした検討に基づき、喘息を疑う症状のあるICS未使用患者においてFeNO≧35 ppbを喘息病態検出の目安と提唱している[36]。未治療の喘息でFeNOが高値の場合、ステロイド薬に対する有効性が予測できる[35,36]。治療下でも喘息症状が残存し、FeNOが持続高値の際は、ICS投与量不足、アドヒアランス不良、経年的呼吸機能低下や増悪のリスクが高まることに注意する[35-38]。喘息管理にFeNOを用いた場合の薬剤量調整に対する有用性のエビデンスは乏しいが、増悪頻度の減少や抗IL-4Rα抗体製剤の効果予測への有用性が期待されている[33,39]。さらに、FeNOと末梢血好酸球数を組み合わせることで喘息診断や増悪予測の精度が高まる可能性がある[40]。なお、FeNO値を解釈するにあたっては個体間や異なる機種間で測定値に差があること、現喫煙により低下し、アトピーやアレルギー性鼻炎、好酸球性副鼻腔炎で上昇することに注意する[35,36,41]。

2）アレルギーの評価

個々の症例の病態を把握するためにはアレルギーの評価が不可欠である（表4-1）。血清総IgE値・アレルゲン特異的IgE抗体検査は、急性増悪の誘因を検索し、アレルゲン回避指導およびアレルゲン免疫療法導入の判断において重要である[42]。臨床像の把握にも有用であり、例えば真菌感作例は重症例の割合が高く、一部でアレルギー性気管支肺真菌症の合併例も存在する。アスペルギルスのように長年の経過で陽転化することもあり[43]、定期的な検

表 4-1 アレルギーの評価法

1) **問診によるアレルゲンの推定**：ダニ、花粉、ペットなど、特定のアレルゲン曝露に引き続いて症状が生じるかを問診する。例えば、患者が掃除をした後に呼吸困難を訴えた場合、ダニやカビ類が原因アレルゲンである可能性が高い。
2) **血清総 IgE 値**：喘息病態評価に関して有用性は高くないが、抗 IgE 抗体の適応を判断する上で必要な検査である。アレルギー性気管支肺真菌症の病勢を反映する。また、ACO の診断基準にも「IgE 高値」が含まれている[44]。
3) **血清特異的 IgE 抗体**：200 種類以上のアレルゲンに対する IgE の測定が可能で、1 回の測定で 13 種類までであれば保険償還される。同時多項目測定法は、定量性は劣るがスクリーニングに用いられることがある。クラス 0〜6 の 7 段階で結果が判定され、0 陰性、1 疑陽性、2 以上が陽性となる。
4) **プリックテスト、スクラッチテスト、皮内テスト**：アレルゲンを皮膚に曝露させ、主に I 型アレルギー反応を見る方法である。これらの即時型皮膚反応検査が陽性のときは、特異的 IgE 抗体を有することを示す（『皮膚テストの手引き』を参照[45]）。
   (1) **プリックテスト**：前腕屈側にアレルゲンエキスを 1 滴乗せ、その上から 27 G 針で刺す。あるいは専用針を用いる。陽性コントロールのヒスタミンの「2 分の 1 以上」を陽性とする。陽性コントロールをおかない場合は膨疹 3 mm 以上を陽性とする。
   (2) **スクラッチテスト**：27 G 針で、5 mm 長で出血しない程度の傷をつけアレルゲンエキスを滴下する。膨疹または発赤の径がコントロールの 2 倍以上または発赤 10 mm 以上か膨疹 5 mm 以上を陽性とする。
   (3) **皮内テスト**：アレルゲンエキス 0.02 mL の皮内注射を行い、15 分後に膨疹と発赤の長径と短径を記録する。発赤径（長径と短径の平均）20 mm 以上または膨疹径 9 mm 以上を陽性とする。感度は高いが、アナフィラキシーを誘発し得ることに注意する。
5) **アレルゲン吸入誘発試験**：病因と考えられるアレルゲンエキスを皮内反応陽性の最低濃度（皮内反応陽性閾値）の 1,000 倍（プリック／スクラッチ反応陽性閾値の 10 倍）の濃度から順次濃度を増加して 5 L/分、2 分間吸入させ 1 秒量が 20％以上低下したときに陽性として、その吸入濃度を陽性閾値とする。重篤な喘息症状、アナフィラキシーショックおよび吸入の 3〜8 時間後に起こり得る遅発型喘息反応に注意する。実施は救急処置が可能な施設に限られる。
6) **環境曝露試験**：特殊環境において喘息症状が引き起こされ、病因が推定できない場合に環境曝露試験を行う[46]。当該環境に入る前後の 1 秒量、PEF 値を測定して、20％以上低下したときに、その環境には病因アレルゲンないし病因物質があると考える。

索が望ましい。問診が重要であることは言うまでもないが、血清中のアレルゲン特異的 IgE 抗体価を調べる方法が簡便である。患者にアレルゲンを曝露させてアレルギー反応を誘発する検査もあり、血液検査で特定できないアレルゲンを同定する際などに有用である。

3）呼吸機能の評価

喘息の呼吸生理学的特徴は、気流閉塞、気道過敏性、気道可逆性である。呼吸機能検査は、喘息の診断や治療方針決定、治療経過判定のため重要である。自覚症状は必ずしも呼吸機能の変化に一致しないので、喘息重症度や急性増悪強度の判定には、スパイロメトリーやピークフロー（PEF）検査、また、酸素飽和度（SpO_2）や血液ガス分析など客観的評価が必要である。

(1) **スパイロメトリー**：スパイロメトリーは、喘息において気流閉塞を測定する基本的な検査である。喘息が疑われる患者では、スパイロメトリーを行うことが強く推奨される。喘息治療の目標は、呼吸機能を正常に維持すること、気道リモデリングへの進展を防ぐことであ

る。したがって、治療により症状が消失している場合でも定期的にスパイロメトリーを実施することが望ましい。気流閉塞の程度は、1秒率（$FEV_1\%$）、1秒量（FEV_1）で評価する。喘息の場合、FEV_1、$FEV_1\%$が低下する。閉塞性換気障害（$FEV_1\%$が70％未満）が一般的であるが、喘息の状態によってFEV_1は経時的に変化するので、寛解期や治療奏効時には正常の場合があることに注意する。フローボリューム曲線では最大呼気流速（PEF）が低下して、下に凸のパターンを呈するのが特徴である（図 4-3）。$FEV_1\%$正常で、低肺気量域でのみ下に凸のパターンを呈する場合（$\dot{V}_{50}/\dot{V}_{25}$の増加）もあることに注意を要する。

(2) ピークフロー検査：PEFは、一般に気流閉塞の程度を示し、FEV_1とよく相関する。PEF値の日内変動が20％以上ある場合は可逆性気流制限ありと判断できる。喘息患者のPEFの変動の程度は、気道過敏性のレベルを示唆しており、気道炎症の重症度の指標ともなる。PEFメーターを用いたPEF値測定は喘息の自己管理に有用である。特に症状の不安定な患者、入退院を繰り返す患者、急性増悪の自覚症状の乏しい患者には必須である。

(3) 気道可逆性検査：FEV_1が低下している場合に行われる。気管支拡張薬を吸入させて、吸入前後のFEV_1の改善率および改善量から気道可逆性を判定する。

改善率（％）＝（吸入後のFEV_1－吸入前のFEV_1）/吸入前のFEV_1×100
改善量（mL）＝吸入後のFEV_1－吸入前のFEV_1

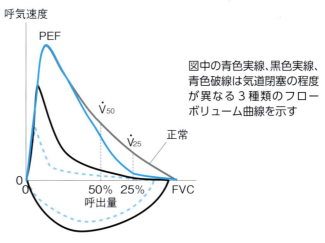

フローボリューム曲線は努力呼出時の呼気速度と肺気量との関係を示す。喘息ではPEFが低下して下に凸のパターンを呈する。気道閉塞の程度が軽度の場合にはPEFは変化せずに低肺気量域（50％ FVC以下）でのみ下に凸のパターンをとる（図中の青色実線）。50％ FVCにおける呼気速度$\dot{V}_{50}$と25％ FVCにおける呼気速度$\dot{V}_{25}$の比で表し「$\dot{V}_{50}/\dot{V}_{25}>4$」で末梢気道障害ありと評価する。
参考：COPDでは低値のPEFを呈した後に呼気速度が急速に低下して低い呼気速度で最大呼気位まで呼出が進む（動的圧迫現象 dynamic compression）。

図 4-3　フローボリューム曲線

改善率が12%以上、かつ改善量が200 mL以上の場合、有意な可逆性あり、と判定する。ただし、有意な気道可逆性のみを根拠に喘息と診断することはできない。また、有意な気道可逆性がなくても、喘息を除外することもできない。閉塞性換気障害が正常化（FEV$_1$%≧70%）する場合は喘息と考えられるのに対し、正常化しない場合は、COPDをはじめとした慢性閉塞性疾患との鑑別が必要となる。気道可逆性検査前に中止することが望ましい薬剤（表4-2）と、気道可逆性検査に使用する代表的な吸入気管支拡張薬（表4-3）を示す。

(4) 気道過敏性検査（図4-4）：喘息患者では、外因性および内因性刺激に対して生じる気流閉塞（気道過敏性）を有する。気道過敏性検査は、気管支収縮薬吸入による気道の収縮反応を評価する誘発試験である。喘息が疑われるものの、気流閉塞が認められない、あるいは気道可逆性が認められない場合に、気道過敏性検査を行う。気管支収縮薬メタコリン塩化物吸入薬を低濃度から吸入させ、気道の収縮性を測定する。気道収縮性の指標としてFEV$_1$を用いる日本アレルギー学会標準法（原報ではアセチルコリンを用いていた）[47]と、呼吸抵抗（Rrs）を用いるアストグラフ法[48]がある。テスト前値に比べて、FEV$_1$が20%低下もしくはRrsが2倍増加で気道過敏性陽性とし、FEV$_1$ 20%低下時の吸入濃度PC$_{20}$もしくはRrs増加時の薬物吸入累積濃度Dminを気道過敏性指標（閾値）とする。PC$_{20}$>8 mg/mLの場

表4-2　気道可逆性検査前に中止することが望ましい薬剤

β$_2$刺激薬	吸入（短時間作用性）		8時間
	吸入（長時間作用性）	1日2回	18時間以上（24時間が望ましい）
		1日1回	36時間以上（48時間が望ましい）
	内服		24時間
	貼付		24時間
抗コリン薬	吸入（短時間作用性）		8時間以上（12時間が望ましい）
	吸入（長時間作用性）		36時間以上（48時間が望ましい）
キサンチン製剤	内服	1日2回	24時間
		1日1回	48時間
	（点滴）静注		8時間
ステロイド薬	吸入	1日2回	12時間
		1日1回	24時間
	内服、注射		24時間
ロイコトリエン受容体拮抗薬	内服		48時間
抗アレルギー薬	内服	1日2回	24時間
		1日1回	48時間
	吸入		12時間

原則として、気道可逆性に影響する薬剤はあらかじめ検査前に中止する。薬剤により作用持続時間が異なるため、薬剤ごとに中止時期が異なることに注意する。

表4-3 気道可逆性検査に使用する代表的な吸入気管支拡張薬

気管支拡張薬	吸入方法	投与例（成人）	吸入後の検査
短時間作用性β_2刺激薬	pMDIで吸入（スペーサー使用可）	サルブタモール硫酸塩 2吸入*（200 μg）	15〜30分後
		プロカテロール塩酸塩 2吸入*（20 μg）	
	加圧式ネブライザーで吸入	サルブタモール硫酸塩 0.3〜0.5 mL（1.5〜2.5 mg）	
		プロカテロール塩酸塩 0.3〜0.5 mL（30〜50 μg）	

＊：必要な場合は4吸入まで可

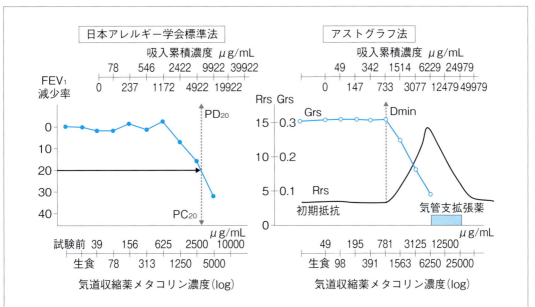

日本アレルギー学会標準法[33]ではメタコリン（またはアセチルコリン）のエアロゾルを低濃度から2分間吸入させて1秒量測定を繰り返す。吸入後の1秒量がテスト前値に比べて20％以上低下したときに気道過敏性陽性とし、気管支拡張薬を吸入させてテスト前値に1秒量が戻ったことを確認して検査を終了する。1秒量を20％低下させるのに要する薬物濃度を PC_{20}、それまで吸入した薬物の累積濃度を PD_{20} として気道過敏性を評価する。PC_{20} は縦軸にFEV1変化率（減少率）、横軸に吸入濃度のlog表示をとりプロットし、以下の計算式より算出する。

$\log PC_{20} = \log C1 + \{(\log C2 - \log C1) \times (20 - R1)\} / (R2 - R1)$

C1：C2濃度の直前の吸入濃度，C2：ターゲットFEV_1となった吸入濃度
R1：C1濃度でのFEV_1減少率，R2：C2濃度でのFEV_1減少率

アストグラフ法[34]はFEV1の代わりに呼吸抵抗Rrsを気道収縮の指標として用いる。Rrsをモニタリングしながらメタコリンエアロゾルを1分ごとに低い濃度から高い濃度へ段階的に吸入させていく。Rrsがテスト前値の2倍に上昇した時点で気道過敏性陽性とし、気管支拡張薬を吸入させてRrsがテスト前値に戻るのを確認して終了する。Rrsが上昇し始めるメタコリンの累積投与量をDminとして1分間で吸入する濃度として表す。

図4-4 気道過敏性検査

合、気道過敏性は正常である[49]。$PC_{20}=8\,mg/mL$ の場合、喘息患者陽性率（感度）は 66.7％、健常成人の陰性率（特異度）は 86.7％と報告されている[50]。また、健常者では $Dmin>50\,mg/mL$ であり、喘息患者の大部分は $Dmin<10\,mg/mL$ である[48]。正常者と喘息患者の閾値にはオーバーラップがある。

(5) 広域周波オシレーション検査：広域周波オシレーション検査では、呼吸器系全体の抵抗である呼吸抵抗（Rrs）、呼吸器系全体の弾性および慣性の和である呼吸リアクタンス（Xrs）が測定される。喘息の場合、気流閉塞を反映して Rrs は高値を示す（Rrs 正常値：$2～3\,cmH_2O/L$）。急性増悪時や中等症・重症時、低周波数になるほど Rrs が高くなる周波依存性が認められる（R5-R20 値増加）。Xrs も気流閉塞の程度により変化する。「Xrs＝0」となる周波数である共振周波数 Fres は、気流閉塞が進むと高くなる。喘息の FEV_1 と Fres は反比例の関係にある[51]。スパイロメトリーを補完する形で行う補助検査としての位置づけで、簡便に測定できることから喘息の経過観察に有用である。

(6) 動脈血酸素分圧（PaO_2）、動脈血炭酸ガス分圧（$PaCO_2$）、経皮的動脈血酸素飽和度（SpO_2）（表 4-6）：喘息の急性増悪強度（気流閉塞の程度）の判定には、血液ガスの測定が重要である。喘息の急性増悪が軽度の場合は過換気により PaO_2・SpO_2 は正常で、$PaCO_2$ のみが低下する。急性増悪の程度が進行すると肺の換気・血流比不均等のため PaO_2・SpO_2 も低下する。さらに進行すると低換気の状態となり、PaO_2・SpO_2 の高度低下とともに $PaCO_2$ が増加する。その場合は喘鳴も聴取しにくくなり、意識が低下、呼吸停止切迫となる。したがって、急性増悪時のパルスオキシメータにおける SpO_2 のモニターは呼吸管理上有用であるが、SpO_2 が低値を示している場合には血液ガス測定は必須である。

4）喘息の呼吸生理（表 4-6）

喘息の急性増悪時は、可逆性気道狭窄による気流閉塞を来す。しかし、気道リモデリングが生じている場合は常に閉塞性換気障害が存在し、不十分な気道可逆性しか呈さないため、COPD との鑑別が重要となる。喘息では気道病変が主体のため、通常全肺気量、機能的残気量は正常であるが、気道閉塞が高度の場合は、全肺気量、機能的残気量が残気量とともに増加する（過膨張）。

表 4-6　喘息増悪（発作）強度と動脈血ガス所見，呼吸機能変化[52]

喘息増悪	%FEV₁	動脈血 PaO₂	動脈血 PaCO₂	動脈血 pH	換気血流不均等	肺胞低換気
軽度	80 以上	正常	45 Torr 未満	正常	−か+	−
中等度	60～80	60 Torr 超	45 Torr 未満	正常か↑	+	−
高度	60 未満	60 Torr 以下	45 Torr 以上	正常か↓	+	+
重篤	測定不能	60 Torr 以下	45 Torr 以上	↓	+	++

注：FEV_1 は予測値に対する%値を示す

5）その他の検査

(1) **胸部X線、HRCT（high resolution CT scan）**：胸部X線は安定している喘息患者では正常のことが多い。喘息の急性増悪では胸部X線は過膨張を示すことが多い。胸部X線は喘鳴を来す疾患、COPD、うっ血性心不全、肺癌の診断に有用である。HRCTでは、重症の喘息では中枢から末梢の気管支壁が肥厚していることが多い。air trappingや気腫性変化を伴う肺野の低吸収域（low attenuation area, LAA）はCOPDを示唆する。また、重度のCOPDでは肺高血圧症による肺動脈陰影の拡大が見られることがある。ただし、気管支壁の肥厚はCOPDでも認められ、中枢より末梢に多い傾向である。呼吸機能の評価だけでは喘息とCOPDの鑑別は難しい。喫煙歴、病歴、気道炎症、HRCTも考慮し、喘息とCOPD、COPDの合併（ACO）を鑑別する。

(2) **血液中のバイオマーカー**：ペリオスチン（periostin）は、気道の上皮細胞においてIL-4、IL-13の刺激にて発現亢進し血液に移行しやすく、血清中で検出される。血清ペリオスチンは、IgEやIL-4、IL-13を治療標的とする抗体製剤の効果予測に有用なバイオマーカーとして注目されている[53]。ペリオスチン測定は保険未収載で、血清ペリオスチン値はキットによって標準値にばらつきがあることを考慮する。キチンをオリゴマーに分解する酵素であるキチナーゼ（chitinase）は、脊椎動物を含むさまざまな生物に幅広く存在している。ヒトではキチナーゼ様タンパク質（chitinase-3-like protein 1）YKL-40がアレルギー、好酸球増多症を伴う寄生虫感染などで上昇することが知られており、喘息患者で血清YKL-40値が上昇する。YKL-40測定は保険未収載である。

4-3　病態評価のための検査法（小児）

1）アレルギー状態の評価
2型炎症のバイオマーカーといわれる指標を測定することで、アレルギー素因の有無を判定し、喘息診断の補助とすることができる。また、経時的にフォローすることで病勢や病態の評価が可能となる。

(1) **血清総IgE値**：アレルギー疾患で上昇するが、そのデータ分布は正常者との重複が大きいため、診断のためのカットオフ値は設定できない。アレルギー状態を大まかに反映する値と考える。

(2) **末梢血好酸球数**：血中好酸球増多と組織浸潤は、アレルギー疾患の病態の中心的な特徴である。反復喘鳴の乳幼児のうち、学童期以降に喘息と診断される例には好酸球増多が認められる。また、血中好酸球増多は、吸入ステロイド薬への反応性の予測や重症喘息のマーカーとして参考になる。

(3) **特異的IgE抗体とプリックテスト**：吸入アレルゲン、特にダニへの感作は喘息の診断の補助となるとともに、その同定は環境整備の指導に役立つ。わが国の喘息児の多くはダニに感作されており、プリックテストではダニ、特異的IgE抗体検査ではヤケヒョウヒダニ、コナヒョウヒダニなどを調べる。

(4) 呼気中一酸化窒素濃度（FeNO）と喀痰中好酸球数：一酸化窒素（NO）は、主に好酸球性炎症による誘導型NO合成酵素の発現を介して産生が亢進し、呼気中のNO濃度（FeNO）が上昇する。喀痰中好酸球数も気道炎症の存在を示し、FeNOと気道粘膜の好酸球浸潤、BALF中の好酸球比率は相関を示す。

2）呼吸機能の評価法

(1) スパイロメータによる評価：スパイロメトリーは換気をその時間経過とともに計測する検査で、努力換気で測定される1秒量（FEV_1）や、1秒率〔$FEV_1/FVC×100$（%）〕といった喘息に重要な指標が得られる。日本人小児の基準値として、日本小児呼吸器学会肺機能委員会が策定した予測式が頻用されている[54]。日本小児呼吸器学会では小児の1秒率の基準値は80%以上、米国のガイドラインでは85%以上が採用されている[55]。喘息では1秒量や1秒率の低下が認められるのが特徴である。スパイロメータにより測定されるフローボリューム曲線は、X軸に肺気量（volume）をY軸に気流速度（flow）をプロットした曲線であり、最大吸気位から最大努力呼気をさせて記録する。測定項目としては最大呼気流量（Vpeak, peak expiratory flow, PEF）、$\dot{V}_{50}$（MEF_{50}、50%肺気量位での呼出流量）、$\dot{V}_{25}$（MEF_{25}、25%肺気量位での呼出流量）などがある（図4-5）。フローボリューム曲線では、気管支に狭窄があると呼出曲線が凹になり、$\dot{V}_{50}$、$\dot{V}_{25}$は低下するため、急性増悪の評価や鑑別診断に用いられる（図4-6）。表4-7にFVC測定の手順を示す[56]。スパイロメトリーは正しく指導すれば5歳くらい以上で測定可能であるが、信頼できる検査データを得るためには適切な検査手技が必要である（図4-7）。気道可逆性試験は、喘息の診断や喘息のコントロール状態の把握に用いられる。SABA吸入前と吸入終了後15〜30分に1秒量を測定して変化を絶対量および改善率として計算し、気道の可逆性の程度を判定する（4-2参照）。成人では改善量200 mL以上、かつ改善率12%以上で気道可逆性ありと判定し小児も概ねこの基準に従っているものの、改善率10%をカットオフとするほうが、より臨床的な状態を反映するとの報告もある[56]。可逆性が大である症例は吸入前の呼吸機能は低いこと、急性増悪による予定外受診や夜間症状の頻度が多いことなどが報告されている。

(2) ピークフロー（PEF）による評価：簡易型PEFメーターは安価で、喘息児が自宅で経時的に測定すること（PEFモニタリング）で、気道狭窄の程度や変化を客観的に評価できる。PEFの正しい測定法について、実技を交えて指導を行う[56]。通常は3回吹いて最良値をとり、測定した値を毎日、「喘息・ピークフロー日誌」などに記録するように指導する。随時、医療者の前で実際に吹いてもらい手技をチェックする。日本小児アレルギー学会が採用している基準値では、性、年齢、身長から、次の予測式を使って求める[57]。ただし、PEFには個人差や使用する機器による差があるので、自己最良値を基準としてモニタリングを行うことも可能である。

男子（L/分）＝77.0＋64.53×身長(m)³＋0.4795×年齢²
女子（L/分）＝－209.0＋310.4×身長(m)＋6.463×年齢

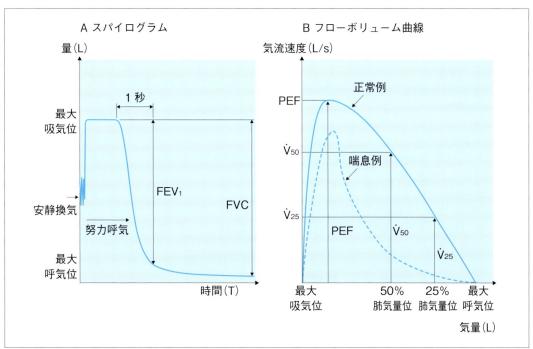

図 4-5 スパイロメトリー

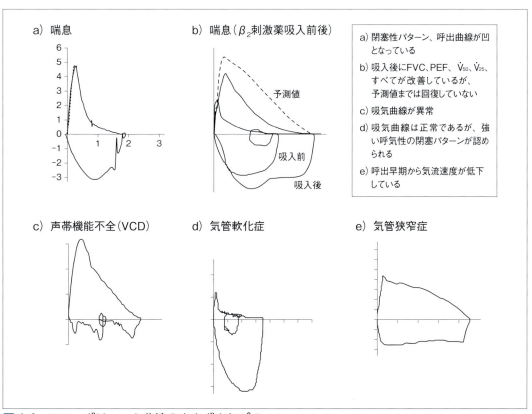

図 4-6 フローボリューム曲線のさまざまなパターン

表 4-7　努力肺活量（FVC）測定の手順[56]

1. スパイロメータの較正チェック
2. 検査について説明
3. 検査者の準備
   ・最近罹患した疾患、体調などを質問する。
4. 検査方法の具体的な指導
   ・顔を上げて正しい姿勢をとる。
   ・息を最大限に吸い込む。
   ・マウスピースの位置を確認する。
   ・最大の力で吐き出す。
5. 測定の実施
   ・被験者に正しい姿勢をとらせる。
   ・マウスピースをくわえた後に口唇を閉じる。
   ・息を最大限に吸い込む。
   ・マウスピースの周りで漏れがないことを確認した後、直ちに最大呼出する。
   ・必要に応じて説明を繰り返し、積極的に指導する。
   ・この測定を少なくとも 3 回行い、再現性があることを確認する。

	チェックするポイント	不良例
1	素早く、強く呼気を始めているか？	ピークが右にずれる（A）
2	呼出努力は十分か？	ピークがない、ピークが低い（B）
3	咳や声出しなどがないか？	曲線の乱れなどのアーチファクトが認められる（C）
4	最後まで呼出ができているか？	下行脚が急に終わっている（被験者がこれ以上呼出できなくなるまで呼気を持続していない）（D）
5	再現性があるか？	3 回の試行で大きく異なる
6	その他の手技不良がないか？ 例）マウスピースに舌を入れる	途中で途切れる（E）

A. 呼気開始の遅れ
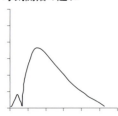

B. 呼出努力不十分

C. 咳
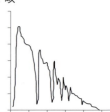

D. 呼出中断
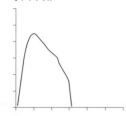

E. 舌を入れる
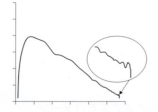

図 4-7　正しいフローボリューム曲線を得るために

PEFの日内変動は、喘息の重症度、気道過敏性などを反映するとされており、喘息管理上有用な指標である。日内変動が20％以内となるように目標を設定する。

(3) 広域周波オシレーション検査（FOT）：広域周波オシレーション検査（FOT）では、被験者の安静換気中に口側から機械的な空気振動を加え、生じる口腔内圧の変化と気流量からインピーダンスを求める。5〜35 Hz程度までの広域周波数スペクトラムを用いた広域周波オシレーション法が活用されている。非侵襲性、簡便性、被検査者の協力が最小限度で測定できることは小児に有利で、3〜4歳頃から測定可能である。MS-IOSによるFOT広域周波オシレーション検査のパラメーターは日本の小児標準値の報告がある。

3）気道過敏性試験

　気道過敏性は、喘息の最も基本的な病態で、その成立には気道炎症、気道リモデリング、気道を調節する神経バランスの異常など種々の要因が関与する。PEF値の日内変動や喘息の重症度と相関することが報告されており、喘息を診断・管理する上で測定は重要である。

　気道過敏性試験は平滑筋に直接作用するメタコリン、アセチルコリン、ヒスタミンの吸入や、運動、過換気による刺激によって引き起こされる気道狭窄の出現を、1秒量の変化として定量化するものである。低年齢児ではFOTによる呼吸抵抗の変化や経皮的酸素分圧値の変化による測定も行われている。標準法はネブライザーを用いて、メタコリンやアセチルコリン、ヒスタミンを低濃度から2分間ずつ吸入させ、倍々に濃度を上げて1秒量が初期値から20％低下したときの濃度を閾値（PC_{20}）とする[47]。アストグラフ法はメタコリンを低濃度から1分間ずつ吸入させ、呼吸抵抗をオシレーション法で連続測定し、呼吸抵抗の上昇開始点でのメタコリンの吸入累積濃度を閾値（Dmin）とする[48]。安静呼吸で測定できる点は、小児に有利である。運動負荷試験では、自転車エルゴメーター、またはトレッドミルを用いた定量負荷が行われるが、エルゴメーターは短時間で十分な負荷がかからないときがあるため注意が必要である。

4）気道炎症の評価

(1) FeNO：FeNOの測定は米国胸部疾患学会（ATS）と欧州呼吸器学会（ERS）による標準法に従って行う[58]。呼気流量を一定にすることと鼻腔からの混入を防ぐことが重要である。日本人小児を対象とした標準値の検討では、非喘息児の小児の中央値として小学生男児では12 ppb、女児で10 ppb、中学生男子で18 ppb、女子で11 ppbとされているが、アレルギー性鼻炎があると若干高値となる。ATSのガイドラインでは小児の気道炎症のカットオフ値は35 ppbである。FeNO測定は、喘息の診断、ICSへの治療反応性の予測に関する報告がある一方、FeNO値は喫煙や急性増悪により低下するため注意を要する。

(2) 喀痰細胞診：粘液中の好酸球浸潤はアレルギー性炎症の存在を示しており、喀痰中の細胞を直接鏡検することにより評価できる。喀痰中好酸球を指標としてICSなどの用量調節を行い、喘息増悪を防ぐことができたとの報告がある。

5）新しい検査法

(1) 肺音解析：低年齢児での信頼できる客観的な呼吸機能の評価法は確立されていないが、

呼吸に伴い発生する肺音〔＝呼吸音（広義）〕を解析し、小児の呼吸器疾患の病態を検索する試みがなされている。簡便で非侵襲性的な呼吸機能検査としての優れた側面を活用し、重症度との相関や治療反応性の評価だけでなく乳幼児喘息の診断への応用も検討される[59]。

(2) **好酸球顆粒タンパク**：好酸球顆粒タンパクであるECPやEDNは好酸球活性化を反映するマーカーとして注目され、血清EDN値は、血清ECP値より喘息やアトピー性皮膚炎の症状、重症度と相関することが報告されている[60]。

(3) **ペリオスチン**：IL-13などの刺激により上皮細胞や線維芽細胞から産生されるペリオスチンは、喘息における気道リモデリングに関与していると考えられる。

4-4 重症喘息の概念と病態（「ステロイド抵抗性喘息」を含む）

1）概念： 難治性（difficult-to-treat）喘息は、「コントロールに高用量吸入ステロイド薬および長時間作用性β_2刺激薬、加えてロイコトリエン受容体拮抗薬、テオフィリン徐放製剤、長時間作用性抗コリン薬、経口ステロイド薬、生物学的製剤の投与を要する喘息、またはこれらの治療でもコントロール不能な喘息」を指す[61]。難治性喘息は、一般的に「重症（severe）喘息」とも呼ばれる。

2）病態： 喘息の重症化のメカニズムは不明な点が多いが、肥満、非アトピー型喘息、長期罹病、気道リモデリング、喫煙、アスピリン感受性などの関与が指摘されている。なお、経口ステロイド薬の継続投与を必要とする喘息症例の中には、AERD（NSAIDs過敏喘息、N-ERD、アスピリン喘息）、好酸球性多発血管炎性肉芽腫症（EGPA、旧称：Churg-Strauss症候群）や他の全身性血管炎、アレルギー性気管支肺真菌症などが背景にある可能性があり注意を要する。重症喘息の病態は多様であり、患者ごとにフェノタイプやエンドタイプが異なると考えられる。フェノタイプは遺伝的素因と環境要因によって形成された臨床像に基づき分類されたサブタイプである。また、フェノタイプを進化させたエンドタイプは、臨床的特徴を形成する病態メカニズムを明らかにしたサブタイプである。フェノタイプ分類の手法として、多様性を有する臨床的特徴のいくつかを指標とし、これらの類似性に基づきサブタイプに分類するクラスター解析が用いられている。指標としては、臨床症状、発症年齢、経過、性別、重症度、呼吸機能、画像検査、血液検査、喀痰検査、治療反応性などが用いられる。喘息のフェノタイプ分類としては、英国のレスターコホート研究[62]と米国の重症喘息研究プログラム（Severe Asthma Research Program, SARP）[63]がよく知られており、両者に共通する重症喘息のフェノタイプも報告されている[64]。重症喘息に関するフェノタイプ解析はわが国および各国で試みられているが、治療や管理方針を提供できる段階にはまだ至っていない。

3）ステロイド抵抗性喘息： 喘息におけるステロイド抵抗性の定義は、「1秒率が70％未満で気管支拡張薬により15％以上の気道の可逆性はあるが、PSL（0.5 mg/kg：20～40 mg）

を10～14日間内服しても気管支拡張薬使用前の1秒量の改善が15％未満」とされている[65]。一方、実臨床においては中～高用量のICS（FP 500 μg/日以上あるいはBUD 800 μg/日以上）およびLABA/LTRA/テオフィリン徐放製剤を用いてもコントロールが不十分で、3日以上の全身性ステロイド薬投与が必要な重度の増悪を年2回以上、あるいは年1回以上の重篤な増悪で入院を要する症例もステロイド治療抵抗性の重症喘息と捉えられる。しかし、実臨床においてステロイド治療（吸入薬を含む）を行っても治療効果を示さない患者は、真のステロイド抵抗性か否かを見極めることが重要であり、次の点を留意しながら診療を進める。①吸入薬の使用量、デバイスの選択、②吸入法（デバイスの誤操作）、服薬アドヒアランス、③喘息に関連する環境因子の回避、除去、④併存症・合併症の管理、⑤喘息以外の疾患の存在。ステロイド抵抗性を示す病態としては、まず非好酸球性気道炎症（主に好中球性気道炎症）が挙げられる。SARPにおけるステロイド反応性の報告では、ステロイド反応性が最も低かったクラスターは2型炎症のバイオマーカー（FeNO、喀痰および末梢血好酸球数）が低値で、好酸球性炎症に乏しい特徴を有していた[66]。また好酸球性気道炎症と関連の深いILC2が、TSLPによるSTAT5活性化を介してステロイド抵抗性を獲得することから[13,67]、好酸球性気道炎症においてもステロイド抵抗性を示し得る。

[参考文献]

1) Global Report. Global strategy for asthma management and prevention. 2021. GINA-Main-Report-2021-V2-WMS.pdf (accessed July 25, 2021)
2) Bousquet J, Chanez P, Lacoste JY, et al. Eosinophilic inflammation in asthma. *N Engl J Med*. 1990; 323: 1033-9.
3) Brightling CE, Bradding P, Symon FA, et al. Mast-cell infiltration of airway smooth muscle in asthma. *N Engl J Med*. 2002; 346: 1699-705.
4) Tomioka M, Ida S, Shindoh Y, et al. Mast cells in bronchoalveolar lumen of patients with bronchial asthma. *Am Rev Respir Dis*. 1984; 129: 1000-5.
5) Akdis CA, Arkwright PD, Brüggen MC, et al. Type 2 immunity in the skin and lungs. *Allergy*. 2020; 75: 1582-605.
6) Peters MC, Wenzel SE. Intersection of biology and therapeutics: type 2 targeted therapeutics for adult asthma. *Lancet*. 2020; 395: 371-83.
7) Ohashi Y, Motojima S, Fukuda T, et al. Airway hyperresponsiveness, increased intracellular spaces of bronchial epithelium, and increased infiltration of eosinophils and lymphocytes in bronchial mucosa in asthma. *Am Rev Respir Dis*. 1992; 145: 1469-76.
8) Roche WR, Beasley R, Williams JH, et al. Subepithelial fibrosis in the bronchi of asthmatics. *Lancet*. 1989; 333: 520-4.
9) Mukai K, Tsai M, Saito H, et al. Mast cells as sources of cytokines, chemokines, and growth factors. *Immunol Rev*. 2018; 282: 121-50.
10) Doherty TA, Broide DH. Lipid regulation of group 2 innate lymphoid cell function: Moving beyond epithelial cytokines. *J Allergy Clin Immunol*. 2018; 141: 1587-9.
11) Nagata M, Nakagome K, Soma T. Mechanisms of eosinophilic inflammation. *Asia Pac Allergy*. 2020; 10: e14.
12) Noguchi T, Nakagome K, Kobayashi T, et al. Periostin up-regulates the effector functions of eosinophils. *J Allergy Clin Immunol*. 2016; 138: 1449-1452.e5.
13) Kabata H, Moro K, Koyasu S. The group 2 innate lymphoid cell (ILC2) regulatory network and its

underlying mechanisms. *Immunol Rev.* 2018; 286: 37-52.
14) Ziegler SF. Thymic stromal lymphopoietin and allergic disease. *J Allergy Clin Immunol.* 2012; 130: 845-52.
15) Préfontaine D, Nadigel J, Chouiali F, et al. Increased IL-33 expression by epithelial cells in bronchial asthma. *J Allergy Clin Immunol.* 2010; 125: 752-4.
16) Shikotra A, Choy DF, Ohri CM, et al. Increased expression of immunoreactive thymic stromal lymphopoietin in patients with severe asthma. *J Allergy Clin Immunol.* 2012; 129: 104-11.e1-9.
17) Smith SG, Chen R, Kjarsgaard M, et al. Increased numbers of activated group 2 innate lymphoid cells in the airways of patients with severe asthma and persistent airway eosinophilia. *J Allergy Clin Immunol.* 2016; 137: 75-86.e8.
18) The ENFUMOSA Study Group. The ENFUMOSA cross-sectional European multicentre study of the clinical phenotype of chronic severe asthma. *Eur Respir J.* 2003; 22: 470-7.
19) Goleva E, Hauk PJ, Hall CF, et al. Corticosteroid-resistant asthma is associated with classical antimicrobial activation of airway macrophages. *J Allergy Clin lmmunol.* 2008; 122: 550-9.e3.
20) Raundhal M, Morse C, Khare A, et al. High IFN-γ and low SLPI mark severe asthma in mice and humans. *J Clin Invest.* 2015; 125: 3037-50.
21) Fahy JV, Dickey BF. Airway mucus function and dysfunction. *N Engl J Med.* 2010; 363: 2233-47.
22) Grainge CL, Lau LC, Ward JA, et al. Effect of bronchoconstriction on airway remodeling in asthma. *N Engl J Med.* 2011; 364: 2006-15.
23) Davies ER, Kelly JF, Howarth PH, et al. Soluble ADAM33 initiates airway remodeling to promote susceptibility for allergic asthma in early life. *JCI Insight.* 2016; 1: e87632.
24) Bergeron C, Hauber HP, Gotfried M, et al. Evidence of remodeling in peripheral airways of patients with mild to moderate asthma: effect of hydrofluoroalkane-flunisolide. *J Allergy Clin Immunol.* 2005; 116: 983-9.
25) Niimi A, Matsumoto H, Takemura M, et al. Relationship of airway wall thickness to airway sensitivity and airway reactivity in asthma. *Am J Respir Crit Care Med.* 2003; 168: 983-8.
26) Rizzo CA, Yang R, Greenfeder S, et al. The IL-5 receptor on human bronchus selectively primes for hyperresponsiveness. *J Allergy Clin Immunol.* 2002; 109: 404-9.
27) Hogg JC. The pathology of asthma. In: Holgate ST, Austen KF, Lichtenstein LM, et al. eds. Asthma: Physiology, Immunopharmacology, and Treatment. London: Academic Press; 1993. p17-25.
28) Palmqvist M, Bruce C, Sjostrand M, et al. Differential effects of fluticasone and montelukast on allergen-induced asthma. *Allergy.* 2005; 60: 65-70.
29) Fahy JV, Fleming HE, Wong HH, et al. The effect of an anti-IgE monoclonal antibody on the early- and late-phase responses to allergen inhalation in asthmatic subjects. *Am J Respir Crit Care Med.* 1997; 155: 1828-34.
30) Korevaar DA, Westerhof GA, Wang J, et al. Diagnostic accuracy of minimally invasive markers for detection of airway eosinophilia in asthma: a systematic review and meta-analysis. *Lancet Respir Med.* 2015; 3: 290-300.
31) Price DB, Rigazio A, Campbell JD, et al. Blood eosinophil count and prospective annual asthma disease burden: a UK cohort study. *Lancet Respir Med.* 2015; 3: 849-58.
32) Yancey SW, Kneene ON, Albers FC, et al. Biomarkers for severe eosinophilic asthma. *J Allergy Clin Immunol.* 2017; 140: 1509-18.
33) Petsky HL, Cates CJ, Kew KM, et al. Tailoring asthma treatment on eosinophilic markers (exhaled nitric oxide or sputum eosinophils): a systematic review and meta-analysis. *Thorax.* 2018; 73: 1110-9.
34) Demarche SF, Schleich FN, Paulus VA, et al. Asthma control and sputum eosinophils: A longitudinal study in daily practice. *J Allergy Clin Immunol Pract.* 2017; 5: 1335-1343.e5.
35) Dweik RA, Boggs PB, Erzurum SC, et al. An official ATS clinical practice guideline: interpretation of exhaled nitric oxide levels (FeNO) for clinical application. *Am J Respir Crit Care Med.* 2011; 184: 602-15.
36) 呼気一酸化窒素（NO）測定ハンドブック作成委員会，日本呼吸器学会肺生理専門委員会編．呼気一酸

化窒素（NO）測定ハンドブック．メディカルレビュー社，東京，2018．

37) Saito J, Gibeon D, Macedo P, et al. Domiciliary diurnal variation of exhaled nitric oxide fraction for asthma control. *Eur Respir J*. 2014; 43: 474-84.
38) Matsunaga K, Hirano T, Oka A, et al. Persistently high exhaled nitric oxide and loss of lung function in controlled asthma. *Allergol Int*. 2016; 65: 266-71.
39) Essat M, Harnan S, Gomersall T, et al. Fractional exhaled nitric oxide for the management of asthma in adults: a systematic review. *Eur Respir J*. 2016; 47: 751-68.
40) Colak Y, Afzal S, Nordestgaard BG, et al. Combined value of exhaled nitric oxide and blood eosinophils in chronic airway disease: the Copenhagen General Population Study. *Eur Respir J*. 2018; 52: 1800616.
41) Saito J, Kikuchi M, Fukuhara A, et al. Comparison of fractional exhaled nitric oxide levels measured by different analyzers produced by different manufacturers. *J Asthma*. 2020; 57: 1216-26.
42) Jutel M, Agache I, Bonini S, et al. International consensus on allergy immunotherapy. *J Allergy Clin Immunol*. 2015; 136: 556-68.
43) Watai K, Fukutomi Y, Hayashi H, et al. De novo sensitization to *Aspergillus fumigatus* in adult asthma over a 10-year observation period. *Allergy*. 2018; 73: 2385-8.
44) 喘息とCOPDのオーバーラップ（Asthma and COPD Overlap：ACO）診断と治療の手引き2018．日本呼吸器学会．
45) 皮膚テストの手引き．日本アレルギー学会．2021
46) Baur X, Sigsgaard T, Aasen TB, et al. Guidelines for the management of work-related asthma. *Eur Respir J*. 2012; 39: 529-45.
47) 牧野荘平，小林節雄，宮本昭正．気管支喘息および過敏性肺臓炎における吸入試験の標準法．アレルギー．1982；31：1074-6．
48) Takishima T, Hida W, Sasaki H, et al. Direct-writing recorder of the dose-response curves of the airway to methacholine. Clinical application. *Chest*. 1981; 80: 600-6.
49) Crapo RO, Casaburi R, Coates AL, et al. Guidelines for methacholine and exercise challenge testing-1999. *Am J Respir Crit Care Med*. 2000; 161: 309-29.
50) 相良博典，田中明彦，大田　進，他．気管支喘息患者に対するSK-1211（メタコリン塩化物）を用いた気道過敏性検査の有効性および安全性．アレルギー．2016；65：32-40．
51) 柴崎　篤，黒澤　一，田村　弦．モストグラフとスパイロメトリーによる気道狭窄の評価：可逆性試験を用いた検討．アレルギー．2013；62：566-73．
52) Wagner PD. Gas exchange, in Asthma. In: Barnes PJ, Leff AR, Woolcock AJ, eds. Philadelphia: Lippincott-Raven; 1997. p1335-47.
53) Hanania NA, Wenzel S, Rosén K, et al. Exploring the effects of omalizumab in allergic asthma: an analysis of biomarkers in the EXTRA study. *Am J Respir Crit Care Med*. 2013; 187: 804-11.
54) 高瀬真人．小児の肺機能検査のスタンダード　日本人小児スパイログラム基準値とカットオフ値．日小呼誌．2010；21：17-22．
55) National Asthma Education and Prevention Program. Expert Panel Report 3 (EPR-3): Guidelines for the Diagnosis and Management of Asthma-Summary Report 2007. *J Allergy Clin Immunol*. 2007; 120 (5 Suppl): S94-138.
56) Standardization of Spirometry, 1994 Update. American Thoracic Society. *Am J Respir Crit Care Med*. 1995; 152: 1107-36.
57) 月岡一治，宮澤正治，田辺直仁，他．日本人健常者（6〜18歳）のピークフロー標準値．日小ア誌．2001；15：297-310．
58) American Thoracic Society; European Respiratory Society. ATS/ERS recommendations for standardized procedures for the online and offline measurement of exhaled lower respiratory nitric oxide and nasal nitric oxide, 2005. *Am J Respir Crit Care Med*. 2005; 171: 912-30.
59) Shioya H, Tadaki H, Yamazaki F, et al. Characteristics of breath sound in infants with risk factors for asthma development. *Allergol Int*. 2019; 68: 90-5.

60) Kim CK, Callaway Z, Fletcher R, et al. Eosinophil-derived neurotoxin in childhood asthma: correlation with disease severity. *J Asthma*. 2010; 47: 568-73.
61) Chung KF, Wenzel SE, Brozek JL, et al. International ERS/ATS guidelines on definition, evaluation and treatment of severe asthma. *Eur Respir J*. 2014; 43: 343-73.
62) Haldar P, Pavord ID, Shaw DE, et al. Cluster analysis and clinical asthma phenotypes. *Am J Respir Crit Care Med*. 2008; 178: 218-24.
63) Moore WC, Meyers DA, Wenzel SE, et al. Identification of asthma phenotypes using cluster analysis in the Severe Asthma Research Program. *Am J Respir Crit Care Med*. 2010; 181: 315-23.
64) Opina MT, Moore WC. Phenotype-Driven Therapeutics in Severe Asthma. *Curr Allergy Asthma Rep*. 2017; 17: 10.
65) Corrigan CJ, Brown PH, Barnes NC, et al. Glucocorticoid resistance in chronic asthma. Glucocorticoid pharmacokinetics, glucocorticoid receptor characteristics, and inhibition of peripheral blood T cell proliferation by glucocorticoids in vitro. *Am Rev Respir Dis*. 1991; 144: 1016-25.
66) Wu W, Bang S, Bleecker ER, et al. Multiview Cluster Analysis Identifies Variable Corticosteroid Response Phenotypes in Severe Asthma. *Am J Respir Crit Care Med*. 2019; 199: 1358-67.
67) Liu S, Verma M, Michalec L, et al. Steroid resistance of airway type 2 innate lymphoid cells from patients with severe asthma: The role of thymic stromal lymphopoietin. *J Allergy Clin Immunol*. 2018; 141: 257-268.e6.

5

患者教育・パートナーシップ

5-1 医師と患者のパートナーシップに基づいた喘息患者教育（成人）

1）教育の目的
　慢性疾患である喘息の良好なコントロールを目指すためには、医師-患者間のコミュニケーションとパートナーシップをもとに患者の治療への積極的な参加を促す必要がある[1]。そのために医師は患者中心の教育を行い、患者自身に医師の勧めに同意して一致した行動をとるように指導する[2]（エビデンスB）。患者教育の目的は、「喘息基本的病態の理解」、「長期管理薬必要性の理解と吸入手技取得」、「喘息増悪症状と早期対応法の理解」である。

2）高齢者では介護者への教育も重要
　患者教育の対象は患者本人のみならず、昨今の超高齢社会を踏まえると介護者にも十分な教育が必要である。

3）教育の内容
　患者教育の内容は、喘息の病態、診断、環境因子を始めとする増悪因子、治療法（長期管理と増悪時の対応）などである。患者に説明する主な内容を**表5-1**にまとめる（ピークフローメーターの概用は**表5-2**に示す）。

表5-1　患者に説明する主な内容

◎基本的病態
- 慢性気道炎症を"気道のボヤが続いている状態"と説明する。
- 病状の進行による気道リモデリングを"ボヤが続くと気道が硬く狭くなり元に戻らなくなる"と説明する。
- 種々の因子で増悪することを、"ボヤが大火事になり、発作をおこす"と説明する。

◎診断
- 喘息と診断したことを説明する。

◎治療法
- 長期管理薬連用について："常に起こっているボヤ（炎症）を消して、病状の進行を抑え、発作（増悪）を予防するために、吸入ステロイド薬（または気管支拡張薬との配合剤）を連用しなければならない"と説明する。
- 増悪に対する治療薬との相違："増悪に対する治療薬は即効性に気道を拡張させる作用があり、喘鳴、胸苦しさ、呼吸困難感などの症状が出現したときのみ、早めに使用する"、"ボヤを消す作用はないために、こればかりに頼ってはならない"と説明する。

◎吸入器の使用法
- 表5-4のDVDや動画が役に立つ。5-4「吸入指導」を参照。

◎増悪予防に関するアドバイス
- 環境アレルゲンやストレス回避、気道感染予防などをアドバイス。

◎悪化徴候とその対応
- 喘鳴、胸苦しさ、呼吸困難感、睡眠障害などの症状が出現したときに増悪に対する治療薬を使用する。改善しない場合は受診するように。

◎定期受診の必要性
- "気道では常にボヤが起こっているので（慢性の気道炎症）、長期的に消火を続けて悪化させないことが必要になる。吸入ステロイド薬を中心とした治療によって、健常な人と何ら変わりない生活を送ることができ、運動も行えて夜もぐっすり眠ることができる。そのためには定期受診が欠かせない"と定期受診の必要性を説明する。

◎ピークフロー（PEF）モニタリング
・治療の有効性や悪化の兆候を捉える。
・最近では、新規喘息診断患者において薬効・増悪因子・自己管理の基本値の評価として3か月程度の短期間のPEFモニタリングが行われる[1]。
・長期的モニタリングは重症喘息や気流制限を自覚しない患者などに限って推奨される[1]。

表5-2 主なピークフローメーターの概要

商品名	ミニ・ライト	パーソナルベスト	エアゾーン	アズマチェック
測定範囲 (L/分)	小児　30〜400 成人　60〜880	小児　50〜390 成人　60〜810	60〜720	60〜810
重量（g）	小児　54 成人　74	85	45	55
商品写真				
特徴	世界で最初に製品化されたPEFメーター。欧州をはじめ世界で最もよく使用されている。	収納ケース一体型で携帯性に優れる。収納時のデザインがシンプル。ゾーンポインターを装備している。	小児から成人まで使用可能。ゾーンマーカー付き。	小児から成人まで使用可能。ゾーンマーカー付き。
販売元	松吉医科器械	フィリップス・レスピロニクス チェスト 村中医療器	松吉医科器械	フィリップス・レスピロニクス チェスト 村中医療器

4）治療アドヒアランスを高める条件

単に喘息知識の供与だけではなく、教育の結果で治療態度や内容の改善が見られなければならない。そのためには納得のいくまで双方向の意思疎通を図り、良好なパートナーシップを確立することが必要である。患者教育を通じて、医師の勧める治療のアドヒアランスを高めるためには、表5-3の項目を念頭に置いた教育を行う。

表5-3 患者の治療アドヒアランスを高める条件

・喘息は常に治療を必要とする疾患であることを患者が認識すること。
・処方された治療薬が安全であることを患者が認識すること。
・自分の症状が治療により改善していることを患者が実感できること。
・医療関係者と患者が信頼関係を築くこと。
・身につけた対処法を患者自身が評価し、自己管理能力に自信をもつようになること。

5）チーム医療（病薬連携ツール・自己注射指導）、Web サイトの活用

患者教育を円滑に行うには、医師のみならず看護師、薬剤師など多職種で構成される医療チームで教育を担うのが良い。その際、職種間を介在するツールがあれば便利である。例として医師-薬剤師間の病薬連携ツール（吸入指導依頼書と吸入指導評価票）を図 5-1、5-2 に示す[3)]（エビデンス D）。重症喘息では生物学的製剤の注射薬が使用されるが、デュピルマブ、メポリズマブ、オマリズマブの 3 種類は、医師の管理指導のもとで自己注射が可能になっている。患者に正しい注射手技や危険性と対処法を取得してもらうためには、医師や看護師による十分な教育と訓練が必要になる。また、種々の喘息支援団体などが Web サイトで喘息に関する情報や吸入手技の動画などを公開、提供しているので、患者教育に活用できる（表 5-4）。

6）在宅自己注射指導

重症喘息において、4 種類の生物学的製剤（オマリズマブ、メポリズマブ、ベンラリズマブ、デュピルマブ）が適応になっている。これらのうち、抗 IL-4/IL-13 受容体抗体であるデュピルマブ（プレフィルドシリンジ製剤：シリンジ、オートインジェクター製剤：ペンの 2 種類、2 週間ごとに注射）と抗 IL-5 抗体であるメポリズマブ（シリンジとペンの 2 種類、4 週間ごとに注射）、抗 IgE 抗体であるオマリズマブ（シリンジ、2〜4 週間ごとに注射）は、在宅自己注射指導管理料の診療報酬算定が認められており、在宅自己注射が可能である。

在宅自己注射によって、近隣に重症喘息を診療する医療機関がなく、遠方から受診せざる

吸入指導依頼書（医師→薬剤師）

年　月　日

指導回数	□ 初回　□ 継続

医療機関名		科名		担当医師名	
TEL		FAX			

疾患名	□ 喘息 □ COPD □ 他（　　　）
処方薬剤名	①（　　　）②（　　　）③（　　　）④（　　　）

スペーサー（吸入補助器）の必要	□ 要 □ 必要時追加（吸入指導時に薬剤師が判断）	残薬確認	□ 要 □ 不要

以下の指導を重点的にお願いします。
□ 病態説明 □ 薬効説明 □ 吸入手技 □ 継続の必要性 □ その他（　　　）

薬剤アレルギー（アスピリン喘息など）の有無	□ 有（　　　）□ 無　□ 不明
アレルギー性鼻炎の有無	□ 有　□ 無　□ 不明
喫煙歴	□ 現在喫煙者　□ 前喫煙者　□ 非喫煙者

担当医師コメント（特記事項）

【患者さんへ】

正しい方法でお薬を吸入して頂くために、薬剤師の先生から吸入器の使い方や吸入の仕方を聞いていただくようお願い致します。この書面により、担当医師から薬局薬剤師へ、あなたの「治療に関する情報」をお伝えすることで、吸入方法や注意点についてより適切な説明が受けられ、有効で安全な吸入が可能になります。

【同意書】

□ 私は、上記の内容について担当医師から説明を受け、薬剤師から吸入指導を受ける事を同意する

□ 同意しない

平成　年　月　日　　※□ 2 回目以降（初回にて同意済み）

署名＿＿＿＿＿＿＿＿　（本人ではない場合の続柄：　　）

※個人情報の取り扱い：個人情報の保護に関する法律、個人情報に関する関連諸法令、関連省庁等のガイドラインを遵守し、適切に取り扱います。

図 5-1　医師から薬剤師宛ての吸入指導依頼書

DPI 用

吸入指導評価票（薬剤師→医師）

実施日:　　年　月　日

患者名	

宛先医療機関名		科名		担当医師名	
薬局名				担当薬剤師名	
TEL :		FAX :			

【指導回数】

□ 初回　□ 継続

【説明の内容】（複数選択可）

□ 吸入説明書の提供　□ 口頭にて説明　□ 吸入説明書にて説明　□ 動画
□ 薬剤師による実演　□ 患者さんによる吸入実施

【疾患・薬剤に関する認識度】　認識度　○：分かる　△：次回確認が必要　×：分からない

内容	評価
疾患（病態）についてわかる	
薬剤名・薬効がわかる	
用法・用量がわかる	
継続治療の必要性がわかる	

【手技に関する理解度】　評価方法　○：できる　△：次回確認が必要　×：できない

内容		薬剤名（　）	薬剤名（　）
器具の操作			
吸入前の息吐き			
吸入動作			
吸入速度（強く、深く、スーッと）			
息止め（3～4 秒程度）			
息吐き			
うがい	口の中（くちゅくちゅ）		
	のど（がらがら）		
その他			
継続指導の必要性		有・無	有・無

【医師への連絡事項】

□ 併用薬剤等（　）
□ 副作用等（　）
□ 残薬の　有・無
□ 吸入指導する上で問題があった
［　］
□ その他、特記事項
［　］

※個人情報の取り扱い：個人情報の保護に関する法律、個人情報に関する関連諸法令、関連省庁等のガイドラインを遵守し、適切に取り扱います。

pMDI 用

吸入指導評価票（薬剤師→医師）

実施日:　　年　月　日

患者名	

宛先医療機関名		科名		担当医師名	
薬局名				担当薬剤師名	
TEL :		FAX :			

【指導回数】

□ 初回　□ 継続

【説明の内容】（複数選択可）

□ 吸入説明書の提供　□ 口頭にて説明　□ 吸入説明書にて説明　□ 動画
□ 薬剤師による実演　□ 患者さんによる吸入実施

【疾患・薬剤に関する認識度】　認識度　○：分かる　△：次回確認が必要　×：分からない

内容	評価
疾患（病態）についてわかる	
薬剤名・薬効がわかる	
用法・用量がわかる	
継続治療の必要性がわかる	

【手技に関する理解度】　評価方法　○：できる　△：次回確認が必要　×：できない

内容		薬剤名（　）	薬剤名（　）
器具の操作			
振る			
吸入前の息吐き			
吸入動作			
吸入速度（深く、ゆっくり吸う）			
息止め（3～4 秒程度）			
息吐き			
うがい	口の中（くちゅくちゅ）		
	のど（がらがら）		
その他			
継続指導の必要性		有・無	有・無

【医師への連絡事項】

□ 併用薬剤等（　）
□ 副作用等（　）
□ 残薬の　有・無
□ 吸入指導する上で問題があった
［　］
□ その他、特記事項
［　］

※個人情報の取り扱い：個人情報の保護に関する法律、個人情報に関する関連諸法令、関連省庁等のガイドラインを遵守し、適切に取り扱います。

図 5-2　薬剤師から医師宛ての吸入指導評価票（上：DPI 用、下：pMDI 用）

表5-4 主な喘息支援団体とWebサイト

①一般社団法人日本アレルギー学会
　URL　https://www.jsaweb.jp
　アレルギー学に関する学術団体で、ホームページには市民向けバナーが設けられている。

②一般社団法人日本喘息学会
　URL　https://jasweb.or.jp/index.html
　2020年に発足した、喘息に特化した学術団体である。吸入療法のトピックスなどが閲覧できる。

③一般社団法人日本小児アレルギー学会
　URL　https://www.jspaci.jp
　小児アレルギー学に関する学術団体で、ホームページには市民向けバナーが設けられている。

④公益社団法人日本アレルギー協会
　URL　https://www.jaanet.org
　アレルギー疾患諸問題の研究・調査や国民への啓発、指導を行っている。毎年「アレルギー週間」（2月20日を中心）を定めて、全国各支部で患者向け研修会を開催したり、アレルギー専門医の紹介を行ったりしている。

⑤独立行政法人環境再生保全機構
　URL　https://www.erca.go.jp/asthma2/index.html
　喘息やCOPDの情報を提供しているほか、吸入手技解説のDVD作成や動画の提供を行っている。（総監修：東田有智、企画・編集：堀口高彦、近藤りえ子）
　https://www.youtube.com/watch?v=-AK5ASoCLrA、
　https://www.erca.go.jp/yobou/zensoku/basic/adult/10.html

⑥吸入レッスン
　URL　http://www.kyunyu.com/Public/menu
　日本大学医学部内科学系呼吸器内科学分野によって運営されており、吸入手技解説に特化した内容で構成されている。

⑦アレルギーポータル
　URL　https://allergyportal.jp/
　アレルギーに関するさまざまな情報を提供する日本アレルギー学会と厚生労働省によるサイト。アレルギー疾患ごとの特徴や治療方法、災害時の対応方法、医療機関情報などを知ることができる。

を得ない場合や、感染症のパンデミックで通院に影響が生じる場合、学生や就労者で定期的な通院が困難な場合など、通院に伴う患者の経済的、身体的、時間的な負担を軽減することのみならず、自己注射によって患者の喘息コントロール向上の意欲を醸成することも期待できる。

　在宅自己注射による治療を開始するためには、医療チームによる適切な患者指導が欠かせない（自力で注射できない場合は家族・介助者へ指導する）。在宅自己注射導入の進め方（図5-3）と自己注射手技の主なチェックポイント（表5-5）を示す。治療を開始する際は、まずは担当医から生物学的製剤の適応になった理由と、自己注射治療の進め方の説明（受診間隔、コントロール評価の検査、治療期間、副作用など）を行う。そして高額になる医療費と医療費助成制度について説明し同意を得る。医療スタッフ（看護師・薬剤師）は注射器の使用方法、保管・廃棄方法などの説明を行い、患者に自己注射手技を習得してもらう。自己

5 患者教育・パートナーシップ

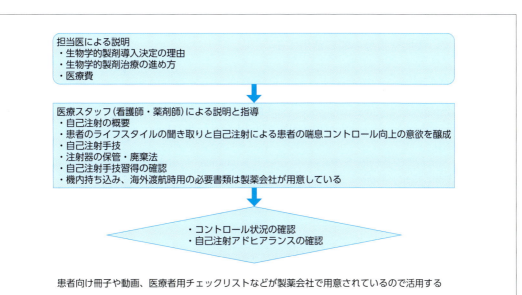

図 5-3 生物学的製剤の在宅自己注射導入の進め方

表 5-5 生物学的製剤自己注射手技の主なチェックポイント（ペン型の場合／医療者用）

内容	患者が理解すべきポイント
投与前の確認	・注射スケジュールの把握 ・体調の変化や気になる症状がある場合は主治医や看護師に連絡する ・自己判断で注射薬や併用薬を減量・中止しない
注射器の保管	・箱に入れたまま冷蔵庫で保管する
注射前の準備	・冷蔵庫から取り出し、デュピルマブは45分以上、メポリズマブは30分以上室温に戻すこと〔オマリズマブ（シリンジ製剤）は20分以上〕 ・薬液に濁りや粒子がないか確認する（ある場合は使用しない） ・石鹸で手をよく洗う
注射する部位	・注射部位〔へそ回り以外の腹部、太もも、上腕（家族・介助者が注射する場合に含める）のいずれか〕を選ぶ ・前回と違う部位に注射する
注射の方法	・注射する部位を消毒用アルコール綿で消毒する ・針キャップをまっすぐに引き抜く ・注射器の確認窓が見えるようにペンを持ち、注射部位に垂直に軽く押し当てる ・黄色の針カバーが見えなくなるまで皮膚にしっかり押し当て、注入が終わるまでそのままにする ・注入が始まると確認窓全体が黄色に変わり始め、15～20秒くらいで注入が終わる ・確認窓全体が黄色に変わったあと、5秒数えてから注射部位からペンを離す ・注射部位をアルコール綿で軽く押さえ、もんだりこすったりしない
注射器の廃棄	・針キャップは注射器に取り付けない ・使用済みの注射器と針キャップは専用の廃棄袋に入れて医療機関の指示に従って廃棄する ・専用の日記に注射の日時、注射部位、体調の変化などを記録する

注射導入に際しての患者向け冊子や動画、医療者用チェックリストなどが製薬会社で用意されているので、説明や指導の際に活用する。

[参考文献]
1) Global Strategy for Asthma management and Prevention (2020 Update). https://ginasthma.org/wp-content/uploads/2020/04/GINA-2020-full-report_-final_-wms.pdf (accessed Mar 4, 2021).
2) Smith S, Mitchell C, Bowler S. Patient-Centered Education: Applying Learner-Centered Concepts to Asthma Education. J Asthma. 2007; 44: 799-804.
3) 岩永賢司，東田有智．チーム医療を通したアドヒアランスの向上（内科）．喘息．2015；28：15-19.

5-2　医師と患者、保護者とのパートナーシップに基づいた喘息患者教育(小児)

1）小児喘息治療・管理における患者教育の位置づけ（意義）

　喘息治療は適切な処方や指示を患者が実行しなければ期待する効果は得られない。喘息の知識を与えるだけでは効果が低く[1]、患者や保護者が喘息治療を自己管理できるように導く[2]。そのためには患者・保護者とのパートナーシップを確立し、治療目標を共有してアドヒアランスの向上を図る患者教育が必要となる（図 5-4）。

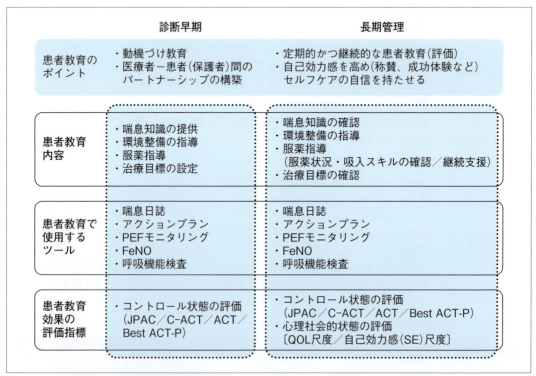

図 5-4　小児喘息における患者教育

2）患者・家族とのパートナーシップの確立

(1) 患者教育の対象：乳児は保護者を対象に、幼児や学童は患者と保護者、思春期以降は本人を主体的な対象とし保護者は補助的な対象とする。母親が孤立しないよう家族を含めた関係者全員が治療目標を共有できる環境形成をサポートし、学校関係者との連携も心掛ける。

(2) 信頼関係の構築と患者側のニーズの把握：喘息の診断、治療法の改善、セカンドオピニオンなど患者側の受診目的を正確に把握する。アドヒアランスにも影響を与える患者との信頼関係は、動機づけ面接技法[3]を用いた患者側のニーズ把握などを通じて確立する。

3）治療目標の設定と共有

(1) 増悪予防を基盤とした治療目標と治療姿勢：健常児と同じ水準の日常生活を送れるようにすることを治療目標とする。一般に患者は症状があるときだけ治療を受ける気持ちになるため、無症状時の薬剤治療の必要性を理解されるようにする。

(2) 病態生理の説明：一度に与えた情報すべてが理解されるとは限らない。最初は予防的な治療の必要性が理解できる最低限の説明にとどめる。

(3) 治療目標の共有：目標の実現に向けて、どのようなステップを踏めばよいのかを患者や保護者と話し合って治療内容を決める。

4）アドヒアランスの向上

(1) 理解と納得の上に成り立つアドヒアランス

喘息の慢性疾患としての病態を理解して治療目標を共有できているか、吸入手技などに困難を感じていないかなどを繰り返し確認して共通した認識と手技が定着するように導く[4]。

(2) 行動医学モデルが指摘するアドヒアランスを高める条件

Rosenstockの健康信念モデル[5]、Rogersの防護動機理論[6]などでは、目的とする治療行動のアドヒアランスを向上させる因子が指摘されている。

①疾患の重大性の認識：長期管理薬を用いずにSABAを頻用することによる喘息死の危険性、成人期への移行など、喘息の重大な問題を患者・保護者に認識させる。

②将来の見通し：計画的な治療によりどのくらいの期間で症状が改善するか、最終的にどのような状態が期待できるのかを伝えて治療目標を共有する。

③自己効力感：自己効力感（self-efficacy）は目標とする行動を達成できるかについての見込み感（できるという自信）を指し、行動変容・継続にはこれを高めることが有効である。喘息日誌やPEFモニタリング、服薬状況などを確認して、患児の努力を称賛して治療意欲を持続させる。保護者にも患児が指示を守らないことを責めるのではなく、実行したことを認める大切さを伝える。保護者自身の喘息管理に対する自己効力感を高めることはQOL改善や治療行動の強化につながる[7]。自己効力感の評価にはCASES[8]、P-CASES[9]などの尺度を用いる（JPGL2020 web表6-1、2）[注]。

注：小児喘息については重要な図表は書籍版に収載し、補足的な図表やダウンロードして臨床に活用で

きる図表は（web ◎）と記載し、日本小児アレルギー学会ホームページに『小児気管支喘息治療・管理ガイドライン2020 web版』として掲載している。

（3）喘息日誌（セルフモニタリング）と個別対応プラン（アクションプラン）の活用

5歳前後になったらPEF測定が可能かどうかを確認し、喘息日誌の記録を指導する。治療薬と症状出現時の対応が書かれた個別対応プラン[10]は、時間外受診や学校欠席の減少が期待できるだけでなく[11]、保護者は症状出現時の対応がわかり安心感が増す（JPGL2020 web図6-1）。

（4）発達段階に応じた教育

小児の患者教育は保護者向けに行われることが多いが、患児に対しても年齢と理解力に合わせて教育する（表5-6）。

①乳幼児期（0～5歳）：治療が不快にならないように道具などに興味を持たせて治療意欲を引き出す。称賛しながら吸入手順を習得させ、習慣化するように援助する。

②学童期（6歳～小学校低学年）：平易な言葉で喘息の病態を説明し、治療の必要性の理解を促す。腹式呼吸、PEF測定、吸入補助具の使い方などをゲーム感覚で楽しむように指導する。FeNO、呼吸機能検査のデータを共有して治療継続のモチベーションとする。

③前思春期（小学校高学年）：理解力に合わせた病態生理と治療の必要性を直接教育する機会を設ける。保護者が手伝っていた服薬やセルフモニタリングは、患児ができそうなことから始めて、称賛し、自己効力感を高めてセルフケアができるように導く。

④思春期（中学生以降）：受診時を生かして直接指導する。夏休みなどに教育入院で保護者から離して指導すると効果的な場合がある。

（5）患者教育における種々の側面

①障がいを持つ患者教育の問題点：発達障がいなどを合併する患者は、喘息コントロール不良や難治化につながる場合があるため、障がいの程度や個別性に合わせて対応する。

②伝える工夫：1回の説明で記憶、理解する者は稀であり、重要な情報は繰り返し伝える。年少でも患児本人と保護者の両方に語りかけることが大切である。

③医療スタッフによる指導：医療スタッフとの間でも治療目標を共有して情報提供や治療手技の指導をするのが効果的である。多職種が協働して治療を推進するために、アレルギーの知識と指導技術を持つ「小児アレルギーエデュケーター」（PAE）を、日本小児臨床アレルギー学会が認定している。

④教材や喘息治療情報の提供：患者・保護者へのパンフレットの提供やWebサイトの紹介は、患児や保護者の治療意欲の維持に役立つ（JPGL2020 web表6-3）。

表 5-6　子ども・保護者への発達段階別指導内容

教育する対象年齢	乳幼児期	学童期（6歳～小学校低学年）	前思春期（小学校高学年）	思春期（中学生）
保護者への教育・指導内容	コントロール状態把握の質問紙の活用について説明する 吸入・環境整備について指導する 病態説明をする	自己管理の移行に向けた説明をする 親子-きょうだい関係の助言をする		自己管理の自立後の保護者によるサポートの説明をする
患者（子ども）への教育・指導内容	道具などに興味を持たせて、治療意欲を引き出す 吸入は称賛しながら手順を習得させ、習慣化する	子どもの言葉で喘息の病態・吸入・環境整備の説明をする 治療の必要性について理解を促す PEFモニタリング、アクションプランなどをゲーム感覚で取り入れて指導する	喘息児の理解力に合わせた病態生理と吸入・環境整備などの治療の必要性について説明する PEFモニタリング、アクションプラン、喘息日誌を本人で管理できるよう指導する 自己効力感を高め、セルフケア行動ができるように導く（QOL尺度、セルフエフィカシー尺度などの活用）	病態生理と治療の必要性をどこまで理解しているか、確認する 自分の喘息の状態を医師に説明できるように導く 成人期医療への移行の概念、自立性を獲得する必要性を理解させる
患者教育の到達目標	嫌がらずに吸入できる	治療の必要性が理解できる 自分一人で吸入できる	使用している薬剤の名前を言える 喘息日誌を自らつけられる PEFモニタリングができる	喘息日誌を活用できる 増悪症状出現時にアクションプランを使える

5-3　QOL（生活/生命の質）

1）成人における QOL

(1) QOL 評価の意義：QOL は健康の心理的指標であり、生活の中で個人の機能的能力も考慮に入れた心理社会的なモデルから発した概念である。慢性疾患である喘息のコントロール不足は日常生活における身体的、精神的および社会的活動を障害し、すべての生活に影響を与える。このような観点から喘息治療は症状のコントロールのみではなく、QOL 改善を目指すことも求められ、その評価は意義がある。患者の生理学的諸指標と患者本人の健康状態

を表す健康関連 QOL は必ずしも一致せず、独立した喘息病状の指標である。

(2) **QOL の評価法と尺度**：QOL 尺度とは、心身の健康度、良好な人間関係、仕事や家庭生活の充実感、レクリエーションやレジャー活動などの観点から、どのくらい生活に満足しているかを捉える指標であり、健常者も対象とする全般的な尺度や、特定の疾患に偏らず疾患と健康について評価する健康関連 QOL 尺度がある。喘息専用に作られた QOL 評価スケールである Asthma Quality of Life Questionnaire（AQLQ）[12] は、臨床疫学調査や薬剤治験の効果の指標として世界的に広く使用されている。日本の成人喘息患者 QOL 調査票として、Asthma Health Questionnaire-33, Japan（AHQ-33, Japan）が日本アレルギー学会により作成され使用されている[13,14]。これは、①喘息症状、②感情面、③活動の制限や困難、④喘息症状の増悪因子、⑤社会活動の制限、⑥経済的側面、⑦Face スケールの尺度からなる（図 5-5）。

(3) **QOL の向上**：喘息患者の QOL 向上のためには、適切な薬物療法を患者ごとに設定し、十分な患者教育のもと、医師および医療スタッフと患者のパートナーシップが良好に保たれ、定期受診により十分に情報が患者に提供されることが大切である。また、症状の変化に正しく対応し、急性増悪（発作）時の対応プランを確立することも重要である。

2）小児における QOL

小児の喘息のトータルケアの実現のためには、身体的側面に加えて患児や保護者の心理社会的側面を捉える必要があり、QOL の評価が欠かせない。

①**喘息患児と保護者の QOL**：喘息患児と親または保護者の QOL 調査票簡易改訂版 2008（Gifu）（JPGL2020 web 表 6-4）[15] は喘息患児の QOL 尺度[16] を改訂して臨床現場で使いやすいように作成された。

②**喘息患児の QOL**：喘息を持つ児の QOL 調査票（Version3）（JPGL2020 web 表 6-5）[17,18] は学童期以降の QOL を評価でき、臨床研究やより詳細な評価が必要な患者に有用である。

③**保護者の QOL**：アレルギー専門医の施設に通院する喘息患者の保護者を対象に基礎的な質的データから作成した QOL 尺度〔QOLCA-24（JPGL2020 web 表 6-6）[19]〕は、薬物療法で改善する項目と薬物療法だけでは改善しない項目が含まれる。保護者の QOL 改善には薬の副作用の懸念、環境整備や薬の負担など包括的なアプローチが必要であることがわかる。

5-4　吸入指導

1）成人における吸入指導

吸入治療は、吸入操作が間違っていると薬剤が病変部に送達されず、喘息コントロール状態の不良、増悪リスクや副作用の増加につながる[20]。良好な喘息コントロールが得られない

図 5-5　Asthma Health Questionnaire-33, Japan（AHQ-33, Japan）

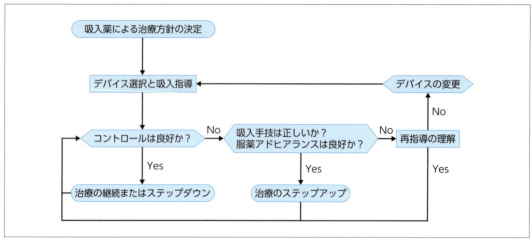

図 5-6 吸入指導の進め方

場合は、薬剤をステップアップする前に吸入操作の再確認をする（図 5-6）。吸入指導は、(1) 目で確認できる吸入デバイスの操作、(2) 目で確認できない口腔内に関する指導、の2つに大別できる。

(1) 目で確認できる吸入デバイスの操作：各デバイスの吸入手順については、吸入指導DVD[21, 22]や吸入操作ビデオ、各企業の解説書に譲る。以下にすべての吸入デバイスに共通したポイントを記載する。

・吸入指導の手順

①吸入デバイスの操作説明（エアロゾル製剤は吸入補助具の使用を推奨[23]）

②吸入回数の把握

③吸入前の息はき

④吸入時に舌を下げる理解

⑤吸入速度（エアロゾル製剤：ゆっくり大きく吸う、ドライパウダー：勢いよく大きく吸う）

⑥息止め

⑦うがい（口の中：3回、喉の奥：3回）

⑧残りの吸入回数の理解

⑨吸入口を拭いて清潔に保つ

⑩スペーサー（洗浄方法など）の説明

(2) 目で確認できない口腔内の指導：吸入口から気管までの口腔内の状態については、視覚で確認できないため見逃されることが多かった。吸入口から気管まで「薬剤の通り道」を作る必要がある[24〜26]（図 5-7）。吸入デバイスを選択するに当たって迷われることも多いため、デバイスの選択フローチャートを簡潔にまとめた（図 5-8）。吸入指導は、初回の指導だけでは不十分であり、特に高齢者[27, 28]では再診時に何回も繰り返すことが重要である。2020年4月より調剤報酬改定で「吸入薬指導加算」が算定できるようになった。これを契機に、全国で医師と薬剤師間で吸入指導内容を共有するシステム構築をさらに普及させるべきである。

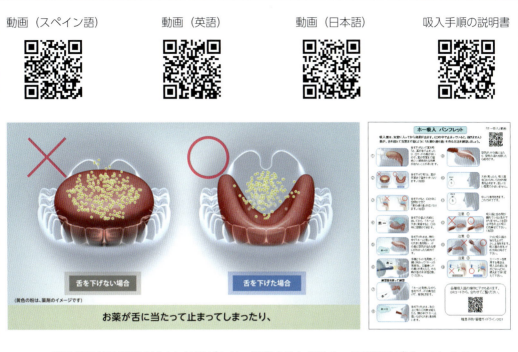

図 5-7　吸入時の舌下げ方法（ホー吸入）

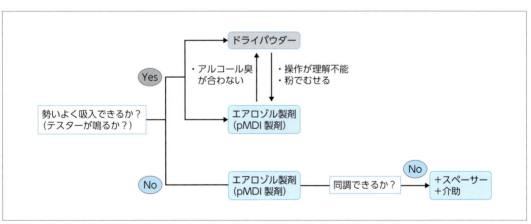

図 5-8　デバイス選択のフローチャート

表 5-7 わが国で小児喘息に保険適用のある吸入ステロイド薬

種類	商品名	剤形	小児用量	備考
フルチカゾンプロピオン酸エステル (FP)	フルタイドエアゾール	pMDI	通常1回50 μg、1日2回、最大200 μg/日	
	フルタイドロタディスク	DPI	通常1回50 μg、1日2回、最大200 μg/日	乳糖含有
	フルタイドディスカス	DPI	通常1回50 μg、1日2回、最大200 μg/日	乳糖含有
ベクロメタゾンプロピオン酸エステル (BDP)	キュバール	pMDI	通常1回50 μg、1日2回、最大200 μg/日	アルコール含有
ブデソニド (BUD)	パルミコート吸入液	懸濁液	通常0.25 mgを1日2回または0.5 mgを1日1回、最大1.0 mg/日	
	パルミコートタービュヘイラー	DPI	通常1回100または200 μgを1日2回、最大800 μg/日	添加剤なし
シクレソニド (CIC)	オルベスコ	pMDI	通常100〜200 μgを1日1回、最少50 μg/日	アルコール含有 プロドラッグ
サルメテロールキシナホ酸塩・フルチカゾンプロピオン酸エステル配合剤 (SFC)	アドエアエアゾール	pMDI	1噴霧 FP 50 μg/SLM 25 μg 製剤のみ適用（最大2噴霧を1日2回）	FPとサルメテロールキシナホ酸塩 (SLM) の配合剤
	アドエアディスカス	DPI	FP 100 μg/SLM 50 μg 製剤のみ適用（1回FP 100 μg/SLM 50 μgを1日2回）	乳糖含有 FPとサルメテロールキシナホ酸塩 (SLM) の配合剤
ホルモテロールフマル酸塩水和物・フルチカゾンプロピオン酸エステル配合剤 (FFC)	フルティフォーム	pMDI	FP 50 μg/FM 5 μg 製剤のみ適用（1回FP 100 μg/FM 10 μgを1日2回）	FPとホルモテロールフマル酸塩水和物 (FM) の配合剤

2）小児における吸入指導

(1) 吸入機器の種類と年齢に応じた選択：現在、日本で小児に保険適用のある ICS を表5-7に示す。小児では、年齢や発達段階に応じて、吸入機器と吸入補助具（スペーサーとマスク）の組み合わせを検討する[29]（図5-9、表5-8）。スペーサーは pMDI に装着して薬剤を噴霧してから吸入する。薬剤粒子をスペーサーが捕捉して ICS の副作用を軽減する。年長児ではマウスピース、吸入口をくわえて安静呼吸を行うが、乳幼児では吸入補助具としてマスクを用いる。

(2) 吸入指導の重要性

①吸入療法導入時における指導（図5-10）：吸入療法には、患者への指導が不可欠である

5 患者教育・パートナーシップ

年齢層	薬剤	吸入機器・補助具
乳児 (2歳以下)	吸入液	マスクタイプネブライザー 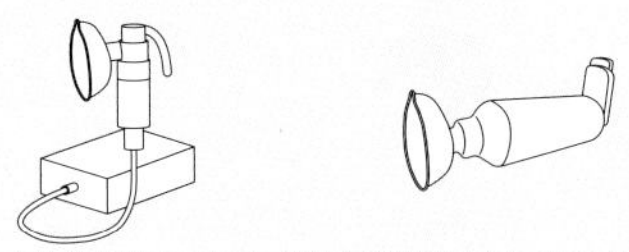
	pMDI	マスク付きスペーサー
幼児 (3〜5歳)	pMDI	マスク付きスペーサーまたはマウスピース付きスペーサー 
	吸入液	マスクタイプネブライザーまたはマウスピースタイプネブライザー
	pMDI	直接吸入
学童 (6〜15歳)	DPI	直接吸入 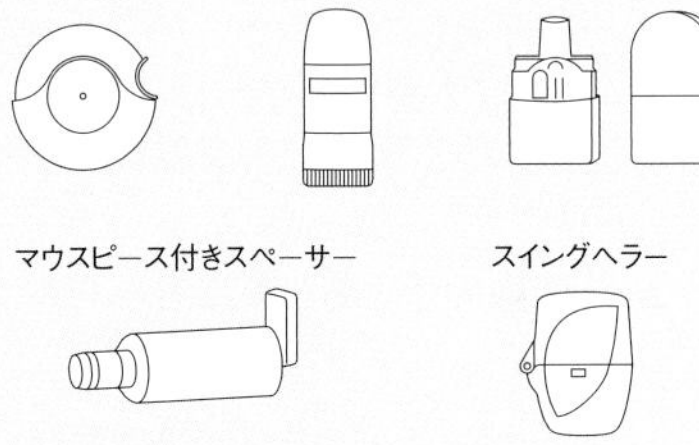
	pMDI	マウスピース付きスペーサー
	pMDI	直接吸入
	吸入液	マウスピースタイプネブライザー

図 5-9　年齢層別吸入機器と補助具の組み合わせ

表 5-8　吸入機器の種類と特徴

分類	長所	短所	方式	長所	短所
ネブライザー	普通の呼吸で吸入可、乳幼児に使用可、薬液量調整が容易	吸入装置が大型、高価、使用に時間がかかる、薬物の種類が限定される、電源が必要、騒音が生じる	ジェット式	耐久性に優れる	騒音、比較的大型、交流電源が必要なものが多い、時間がかかる
			超音波式	大量噴霧が可能、静か	薬物の変性、過量の水分吸収、少量の噴霧には不適、装置が大型、ステロイド懸濁液の吸入不可
			メッシュ式	静か、軽量小型、電池で駆動可	耐久性未確認、機器の種類が少ない
定量吸入器	軽量・小型、携行性に優れる、特別な装置不要、騒音がない、電源不要、吸入に時間がかからない	吸入手技の習得が必要、吸入が不確実な場合がある、年少者では使用が難、量の微調整が不可能、安易に反復使用しやすい、過量投与の危険性	加圧噴霧式 (pMDI)	スペーサーを使用すると同調不要、携行に便利	吸気と噴霧の同調が必要、使用前によく振って混合する必要あり、噴射用溶媒が必要
			ドライパウダー (DPI)	吸気との同期が不要、操作・管理が容易、噴射用溶媒不要	吸入力が必要、年少児では使用不可、薬剤の種類が限定される

87

1. 乳児・幼児前期の子どもと保護者への吸入指導

① 初めて吸入を行うときは、無理やり行うことはせず、子どもが「吸入は痛くない」、「安全である」、「自分もやりたい」と興味を持つように演出する。
② 保護者が楽しそうに吸入している姿を見せたり、子どもに人気のキャラクターのマスクを口に当てる姿を見せる。興味を示してもすぐに与えずにじらすことも有効な場合がある。
③ 子どもが吸入を始めたら、「もくもくさん気持ちいいね」、「上手にできているよ」などの声かけをする。
④ 吸入終了時には、笑顔で頑張ったことを褒め、自信が持てるように関わる。

2. 幼児後期の子どもと保護者への吸入指導

① 「吸う・吐く」という理解が難しい場合があるため、ストローなど子どもに身近な物品を使って理解させる。
② 保護者には、吸入の目的・効果などについて、模型などを用いてわかりやすく説明する。
③ 自我が確立し、導入がスムーズにいかない場合には、子どものきょうだい（兄姉）に手本を見せてもらうことや、患児と同年齢ですでに吸入を実施している他児に手本を見せてもらう。
④ 保護者が子どもの吸入を補助する役割を担えるようにサポートする。

3. 学童期の子どもと保護者への吸入指導

① 吸入手技を個別に評価する。
② 薬剤がどの部分に効果があるのか、吸入時にゆっくり深く呼吸する必要性などを、模型などを用いて説明する。
③ 保護者には、子どもの吸入の様子を見守るように伝え、適宜、子どもに声かけをするように促す。

図 5-10 吸入療法導入時における指導

（表 5-9）。最初の処方時に実物で具体的に手技を教えることは喘息マネジメント実現のために必須である[30]。吸入指導はパンフレットやビデオのほか、吸入手技を観察しながら指導する。乳児期・幼児前期は、吸入（マスク）に対する恐怖や不安を軽減させ、自らしてみたいという気持ちを高めてから導入する。保護者が手本を見せて、吸入できたら頑張ったことを褒める。幼児後期は模型やイラストを用いて吸入の目的・効果などを説明する。学童期は3回の指導で手技が習得できるとされるが[31]、個別に評価して導入する。

表5-9 吸入指導の際に注意するポイント

全体の注意点
　□鼻呼吸をせずに口呼吸をしている
　□泣かずに吸入できる、嫌がらずに吸入できる
　□吸入後にうがい/飲水をしている（ICSの場合）

①マスクやマウスピースを使用する場合
　・マスク
　□吸入の間ずっとマスクが顔に密着している
　□吸入後に口の周りを拭いている（マスクをつけてICSを吸入する場合）
　・マウスピース
　□マウスピースをしっかり口にくわえている
　□マウスピースから唾液がネブライザー内に逆流しないようにしている

②スペーサーを使用する場合
　□1押しするごとに吸入している

③pMDIを使用する場合
　□押すタイミングと吸気のタイミングが一致している
　□ゆっくりと深く吸える
　□息どめができる（特にキュバール®、オルベスコ®では）

④DPIを使用する場合
　□薬剤がこぼれないように、容器を正しく持つことができる
　□吸入前に息を吹きかけて薬剤を吹き飛ばすようなことはしていない
　□力強く深く吸える
　□息どめができる

①服薬状況を確認し、実施できている場合は、子どもと保護者を称賛する。
②服薬状況が芳しくない場合は、その理由や生活実態などを子どもと保護者に確認し、実施可能な対処法・対応策を提案する。

③吸入デバイスの変更時（例えばマスクからマウスピースに変更）においては、変更後のものがお兄（姉）さん用であることを強調する。上手にできたら、「さすがお兄（姉）さん」、「かっこいい」などと称賛する。

図5-11 吸入療法継続時における指導

②吸入療法継続時における指導（図5-11）：吸入療法開始後も定期的に指導する。導入当初は吸入できてもその後に不適切な方法になってしまう場合があるため、コントロールレベルが低下したらステップアップの前に吸入手技を再確認する。服薬が実施できていたら患児と保護者を称賛し、服薬アドヒアランスの継続を支援する。服薬状況が芳しくない場合は理由や生活実態などを確認し、患児と保護者が実施可能な対応策を提案する。

(3) **吸入補助具スペーサー**：吸入補助具スペーサーはpMDI使用の際に吸入効率を保つことができ、ICSの口腔内沈着量を減らし得る。スペーサーを要する6歳未満の初回服薬指導

pMDI＋スペーサーを使用した吸入方法
- 薬剤の容器（カニスター）をよく振る（キュバール®、オルベスコ®では不要）
- カニスターのキャップを外してスペーサーに装着し、一押しする
- マウスピース付きスペーサーを使用する場合
  - 息を吐いた状態でマウスピースをくわえて口を閉じ、ゆっくりと大きく吸入する。数秒間息こらえをして、ゆっくり吐き出す。
  - 1回では吸入しきれない場合には、再度吸入する。
- マスク付きスペーサーを使用する場合
  - マスクを顔に密着し、安静呼吸を数回行う。
  - エアロチャンバーの場合は、フローインジケーターの動きで呼吸しているかを確認できる。
- 注意点
  - 噴霧後は速やかに吸入する。
  - 医師から複数回の吸入指示がある場合にはスペーサーに複数回分をまとめて噴霧せずに1押しごとに吸入を繰り返す。
  - 吸入ステロイド薬の吸入終了後は、うがい（あるいは飲水）を行う。
  - 静電気を生じないように取り扱う（スペーサーをこすらないなど）。

ネブライザーを使用した吸入方法
- マウスピースを使用する場合
  - 口呼吸で安静呼吸をする。
  - ネブライザーへの唾液の逆流に注意し、時々器械を止めてティッシュなどに吐き出す。
  - 鼻呼吸をしないように注意を促す。
- マスクを使用する場合
  - マスクを顔にできる限り密着させる。
  - 泣かせないように心掛ける。
  - 吸入後には、顔についた薬液を拭き取る。

マスクを使用する場合は顔に密着させる。

マウスピースを使用する場合は口の左右に隙間ができないようにくわえ口呼吸を行う。

吸入ステロイド薬の吸入後は口に残った薬を洗い流すためうがい（あるいは飲水）をする。

図5-12　pMDI＋スペーサー，ネブライザーを使用した吸入方法

図 5-13 代表的なスペーサー

では、スペーサー提供時に限り喘息治療管理料 2 が算定できる。

①**吸入方法**：吸入方法を図 5-12 に示す。スペーサーの中に複数回の噴霧をしない、②噴霧後速やかに吸入する、③マスク付きスペーサーはマスクを顔に密着させる[32]、④静電気を生じさせないように取り扱う。

②**推奨されるスペーサー**：日本小児アレルギー学会と日本アレルギー学会は連名で、汎用性があり空気力学的・臨床的検討がなされている製品が望ましいと提言した[33,34]（図 5-13）。3 製品はいずれも静電気が発生しにくい。

③**静電気の問題**：スペーサー内に生じる静電気で肺内到達可能な粒子径の薬剤も沈着するため、①使用前にスペーサーを擦らない、②食器用洗剤で洗浄して自然乾燥させるなどを行う。静電気が生じにくい上記 3 製品などが有用である。

[参考文献]

1) Wolf F, Guevara JP, Grum CM, et al. Educational interventions for asthma in children. *Cochrane Database Syst Rev.* 2003; (1): CD00326.
2) Guevara JP, Wolf FM, Grum CM, et al. Effects of educational interventions for self-management of asthma in children and adolescents: systematic review and meta-analysis. *BMJ.* 2003; 326: 1308-9.
3) Borrelli B, Riekert KA, Weinstein A, et al. Brief motivational interviewing as a clinical strategy to promote asthma medication adherence. *J Allergy Clin Immunol.* 2007; 120: 1023-30.
4) Fiks AG, Mayne SL, Karavite DJ, et al. Parent-reported outcomes of shared dicision-making portal in asthma: a practice-based RCT. *Pediatrics.* 2015; 35: e965-73.
5) Rosenstock IM. Why people use health services. *Milbank Mem Fund Q.* 1966; 44: 94-127.
6) Rogers RW. Cognitive and physiological processes in fear appeals and attitude change: A revised theory of protection motivation. In JR Cacioppo and RE Pety (Eds), Social Psychology: A Source Book. New York. Guilford Press: 153-76, 1983.
7) Iio M, Hamaguchi M, Narita M, et al. Tailored education to increase self-efficacy for caregivers of children with asthma: A randomized controlled trial. *Comput Inform Nurs.* 2017; 35: 36-44.
8) 飯尾美沙，大矢幸弘，濱口真奈，他．気管支喘息の長期管理における患児用セルフ・エフィカシー尺度の開発．日小ア誌．2012；26：266-76.
9) 飯尾美沙，前場康介，島崎崇史，他．気管支喘息患児の長期管理に対する保護者用セルフ・エフィカシー尺度の開発．健康心理学研究．2012；25：64-73.
10) Gibson PG, Powell H. Written action plans for asthma: an evidence-based review of the key

components. *Thorax.* 2004; 59: 94-9.
11) Zemek RL, Bhogal SK, Ducharme FM. Systematic review of randomized controlled trials examining written action plans in children: what is the plan? *Arch Pediatr Adolesc Med.* 2008; 162: 157-63.
12) Juniper EF, Guyatt GH, Epstein RS, et al. Evaluation of impairment of health related quality of life in asthma: development of a questionnaire for use in clinical trials. *Thorax.* 1992; 47: 76-83.
13) Arioka H, Kobayashi K, Kudo K. Validation Study of a disease-specific module, the Asthma Health Questionnaire (AHQ) using Japanese adult asthmatic patients. *Allergol Int.* 2005; 54: 473-82.
14) 有岡宏子．喘息死とアレルギー疾患のQOL．日本人成人気管支喘息QOL調査票（AHQ-JAPAN）．アレルギー・免疫．2003；11：67-77．
15) 近藤直実，平山耕一郎，松井永子，他．小児気管支喘息児と親又は保護者のQOL調査票簡易改定版2008（Gifu）．アレルギー．2008；57：1022-33．
16) 近藤直実，深尾敏幸，平山耕一郎，他．小児気管支喘息患児と親又は保護者のQOL調査票の評価―徐放性テオフィリンドライシロップ投与前後における評価―．アレルギー．1999；48：533-45．
17) Sugiura T, Asano M, Miura K, et al. Development of the revised final version of the quality of life of Japanese school aged children with asthma questionnaire: The characteristics of the low QOL scoring group and development of an evaluation form. *Allergol Int.* 2005; 54: 589-99.
18) Asano M, Sugiura T, Miura K, et al. Reliability and validity of the self-report Quality of Life Questionnaire for Japanese School-aged Children with Asthma (JSCA-QOL v.3). *Allergol Int.* 2006; 55: 59-65.
19) 渡辺博子，勝沼俊雄，近藤直実，他．小児気管支喘息養育者QOL（QOLCA-24）の開発．アレルギー．2008；57：1302-16．
20) Melani AS, Bonavia M, Cilenti V, et. al. Inhaler mishandling remains common in real life and is associated with reduced disease control. *Respia Med.* 2011; 105: 930-8.
21) 東田有智，堀口高彦，近藤りえ子，正しい吸入療法を身につけよう，独立行政法人環境再生保全機構，2015．
22) Takita K, Kondo R, Horiguchi T. Effectiveness of training patients using DVD in the accurate use of inhalers for the treatment of bronchial asthma. *Allergol Int.* 2017; 66: 545-9.
23) Hirose M, Kondo R, Horiguchi T. Use of assist devices to actuate pressurized metered-dose inhalers in elderly patients with asthma. *Pulm Ther.* 2021; 7: 145-50.
24) Horiguchi T, Kondo R. Determination of the preferred tongue position for optimal inhaler use. *J Allergy Clin Immunol Pract.* 2018; 6: 1039-1041.e3.
25) Yoshida T, Kondo R, Horiguchi T. A comparison of posterior pharyngeal wall areas between different tongue positions during inhalation. *J Allergy Clin Immunol Pract.* 2019; 7: 743-745.e1.
26) Yokoi T, Kondo R. Horiguchi T. Residual fluticasone in the oral cavity after inhalation with different tongue positions. *J Allergy Clin Immunol Pract.* 2019; 7: 1668-70.
27) Matsunaga K, Yanagisawa S, Ichikawa T, et al. Two cases of asthma in handicapped elderly persons in which assisted inhalation therapy was effective. *Allergol Int.* 2006; 55: 347-51.
28) Hira D, Komase Y, Koshiyama S, et al. Problems of elderly patients on inhalation therapy: difference in problem recognition between patients and medical professionals. *Allergol Int.* 2016; 65:444-9.
29) Pedersen S, Dubus JC, Crompton GK, et al. The ADMIT series-issues in inhalation therapy. 5) Inhaler selection in children with asthma. *Prim Care Respir J.* 2010; 19: 209-16.
30) Gibson PG, Powell H, Coughlan J, et al. Self-management education and regular practitioner review for adults with asthma. *Cochrane Database Syst Rev.* 2003; (1): CD001117.
31) Brand PL. Key issues in inhalation therapy in children. *Curr Med Res Opin.* 2005; 21 Suppl 4: S27-32.
32) Smaldone GC, Berg E, Nikander K. Variation in pediatric aerosol delivery: importance of facemask. *J Aerosol Med.* 2005; 18: 354-63.
33) 西間三馨，森川昭廣．吸入補助器具（スペーサー）に関する諸問題．アレルギー．2008；57：1-4．
34) 西間三馨，森川昭廣．吸入補助器具（スペーサー）に関する諸問題　続報．アレルギー．2008；57：1079-82．

6 治療

6-1　薬剤

　本ガイドラインでは、成人喘息の治療に必要な薬剤を、すべて抗喘息薬と呼ぶこととする。そのために、抗喘息薬を「長期管理薬」と「増悪治療薬」の2種類に大別し、長期管理薬は「長期管理のために継続的に使用しコントロール良好を目指す薬剤」、増悪治療薬は「喘息増悪治療のために短期的に使用する薬剤」と定義する。喘息患者に対しては、それぞれの役割を理解して治療にあたることが重要である（表6-1）。

1）副腎皮質ステロイド

　副腎皮質ステロイド（以下、ステロイド薬）は現在の喘息治療における最も効果的な抗炎症薬である。

　喘息治療におけるステロイド薬の効果発現機序として重要なものは、①炎症細胞の肺・気道内への浸潤抑制（炎症細胞自体の遊走および活性化抑制を含む）、②血管の透過性抑制、③気道分泌の抑制、④気道過敏性の抑制、⑤サイトカイン産生の抑制、⑥β_2刺激薬の作用増強、⑦アラキドン酸の代謝阻害によるロイコトリエンおよびプロスタグランジンの産生抑制などである。

　ステロイド薬には、静注薬、筋注薬、経口薬、吸入薬の4種類の剤形があるが、副作用は他剤形に比べて吸入薬が圧倒的に少ない。したがって、喘息の長期管理薬としては吸入ステロイド薬（ICS）が基本であり、経口薬はICSを最大限に使用しても管理ができない場合や他の合併症を有する場合などに選択される。筋注用トリアムシノロンアセトニド水性懸濁注射液の使用は、副作用の点から使用を控えることが望ましい。

　ICSは、①喘息症状を軽減する、②生活の質（QOL）および呼吸機能を改善する[1]、③気道過敏性を軽減する[2]、④気道の炎症を制御する[3]、⑤急性増悪（発作）の回数と強度を改善する[4]、⑥治療後長期のICSの維持量を減少させる[5]、⑦喘息にかかる医療費を節減する[6]、⑧気道壁のリモデリングを抑制する[7]、⑨喘息死を減少させる[8]などの効果が知られている（エビデンスA）。

　また、喘息が発症した後、早期にICSを開始すること（early intervention）は喘息の急性増悪回数を減少させる[9]（エビデンスA）が、治癒させることは困難である。そのため、治療を中止すれば、週あるいは月単位で喘息のコントロールが失われてくる。また、ICSのアドヒアランスが悪いと、喘息増悪による救急受診や入院回数も増加する。

　喘息の長期管理における治療ステップ4（p.110）では、経口ステロイド薬（OCS）がICSを補完する目的、副腎皮質機能を補充する目的、さらに全身性の炎症細胞や炎症物質の増多を抑制する目的で、長期管理薬として使用される。しかし、OCSは増悪に伴う短期使用が年4回以上繰り返されるだけでも骨粗鬆症、骨折、高血圧、肥満、2型糖尿病、胃腸潰瘍/出血、白内障発症のリスクが高まり[10,11]、定期処方にOCSが追加された場合、5mg/日未満の投与量で同様の副作用の発現リスクがあることがわが国においても報告されている[12]。さらに、OCSの定期使用はOCS関連疾患の罹患率の増加だけでなく、死亡率の増加にも関連

表6-1 喘息長期管理薬の種類と薬剤

1. 副腎皮質ステロイド
1）吸入ステロイド薬（ICS）
（1）ベクロメタゾンプロピオン酸エステル
（2）フルチカゾンプロピオン酸エステル
（3）ブデソニド
（4）シクレソニド
（5）モメタゾンフランカルボン酸エステル
（6）フルチカゾンフランカルボン酸エステル
2）経口ステロイド薬（OCS）
2. 長時間作用性β_2刺激薬（LABA）
1）吸入薬：サルメテロールキシナホ酸塩
2）貼付薬：ツロブテロール
3）経口薬：プロカテロール塩酸塩　など
3. 長時間作用性抗コリン薬（LAMA）
チオトロピウム臭化物水和物
4. 吸入ステロイド薬/長時間作用性吸入β_2刺激薬配合剤
（1）フルチカゾンプロピオン酸エステル/サルメテロールキシナホ酸塩配合剤
（2）ブデソニド/ホルモテロールフマル酸塩配合剤
（3）フルチカゾンプロピオン酸エステル/ホルモテロールフマル酸塩配合剤
（4）フルチカゾンフランカルボン酸エステル/ビランテロールトリフェニル酢酸塩
（5）モメタゾンフランカルボン酸エステル/インダカテロール酢酸塩
5. 吸入ステロイド薬/長時間作用性抗コリン薬/長時間作用性吸入β_2刺激薬配合剤
（1）モメタゾンフランカルボン酸エステル/グリコピロニウム臭化物/インダカテロール酢酸塩
（2）フルチカゾンフランカルボン酸エステル/ウメクリジニウム臭化物/ビランテロールトリフェニル酢酸塩
6. ロイコトリエン受容体拮抗薬
（1）プランルカスト水和物
（2）モンテルカストナトリウム
7. テオフィリン徐放製剤
8. 抗IgE抗体製剤オマリズマブ
9. 抗IL-5抗体製剤メポリズマブ 　　抗IL-5受容体α鎖抗体製剤ベンラリズマブ
10. 抗IL-4受容体α鎖抗体製剤デュピルマブ
11. ロイコトリエン受容体拮抗薬以外の抗アレルギー薬
1）メディエーター遊離抑制薬：クロモグリク酸ナトリウムなど
2）ヒスタミンH_1受容体拮抗薬
3）トロンボキサン阻害薬
4）Th2サイトカイン阻害薬
12. アレルゲン免疫療法（allergen immunotherapy, AIT）
13. その他の薬剤・療法

することから[13]、OCSを繰り返し必要な場合や、定期使用となる場合は、早期に生物学的製剤などの治療の導入を検討すべきである。

　現在わが国で臨床使用できるICSは、フルチカゾンプロピオン酸エステル（フルチカゾン、FP）、ブデソニド（BUD）、ベクロメタゾンプロピオン酸エステル（ベクロメタゾン、BDP）、シクレソニド（CIC）、モメタゾンフランカルボン酸エステル（モメタゾン、MF）、フルチカゾンフランカルボン酸エステル（FF）である。FP、BUD、MF、FFはDPIであり、FP、BDP、CICはpMDIである（表6-2）。

　BUDには吸入液（BIS）があり、成人高齢者にも用いられ、有効性を示している。増悪時のBIS使用による入院期間の短縮などの有用性が認められている[14]。通常、成人にはBUDとして0.5mgを1日2回または1mgを1日1回、ネブライザーを用いて吸入投与する。なお、症状により適宜増減するが、1日の最高量は2mgまでとする。

　ICSは、重症度に応じて用量を増加させるが、原則として保険適用上の最高用量を高用量とし、その半分量を中用量、さらにその半分を低用量という基準で設定した（表6-3）。ICS

表6-2　吸入ステロイド薬の種類（含む配合剤）と製品名

	pMDI （加圧式定量吸入器）	DPI （ドライパウダー定量吸入器）
BDP（ベクロメタゾンプロピオン酸エステル）	BDP-HFA （キュバール　エアゾール）	なし
FP（フルチカゾンプロピオン酸エステル）	FP-HFA （フルタイド　エアゾール）	FP-DPI（フルタイド　ディスカス）
FPとSM（サルメテロールキシナホ酸塩）との配合剤	FP/SM-HFA （アドエア　エアゾール）	FP/SM　DPI （アドエア　ディスカス）
FPとFM（ホルモテロールフマル酸塩水和物）との配合剤	FP/FM-HFA （フルティフォーム　エアゾール）	なし
BUD（ブデソニド）＊	なし	BUD-DPI （パルミコート　タービュヘイラー）
BUDとFM（ホルモテロールフマル酸塩水和物）との配合剤	なし	BUD/FM （シムビコート　タービュヘイラー）
CIC（シクレソニド）	CIC-HFA （オルベスコ　インヘラー）	なし
MF（モメタゾンフランカルボン酸エステル）	なし	MF-DPI （アズマネックス　ツイストヘラー）
FF（フルチカゾンフランカルボン酸エステル）	なし	FF-DPI （アニュイティ　エリプタ）
FFとVI（ビランテロールトリフェニル酢酸塩）との配合剤	なし	FF/VI （レルベア　エリプタ）
MFとIND（インダカテロール酢酸塩）との配合剤	なし	MF/IND （アテキュラ　ブリーズヘラー）
MFとIND、GLY（グリコピロニウム臭化物）との配合剤	なし	MF/GLY/IND （エナジア　ブリーズヘラー）
FFとVI、UMEC（ウメクリジウム臭化物）との配合剤	なし	FF/UMEC/VI （テリルジー　エリプタ）

＊：BUDには吸入懸濁液（BIS）がある。

表6-3 吸入ステロイド薬の投与用量の目安

薬剤名	低用量	中用量	高用量
BDP-HFA	100〜200 μg/日	400 μg/日	800 μg/日
FP-HFA	100〜200 μg/日	400 μg/日	800 μg/日
CIC-HFA	100〜200 μg/日	400 μg/日	800 μg/日
FP-DPI	100〜200 μg/日	400 μg/日	800 μg/日
MF-DPI	100〜200 μg/日	400 μg/日	800 μg/日
BUD-DPI	200〜400 μg/日	800 μg/日	1,600 μg/日
FF-DPI	100 μg/日	100 μg/日または200 μg/日	200 μg/日
BIS	0.5 mg/日	1.0 mg/日	2.0 mg/日

は吸入量が多いほど重篤な急性増悪は少なくなるが、吸入量を増量しても量に比例したさらなる効果が得られるとは限らず、副作用のリスクが高くなる[15]（エビデンスB）。したがって、喘息のコントロールを得るにはICSを増量するよりも他の長期管理薬を追加投与するほうが治療成績はよい（エビデンスA）。喫煙は、喘息患者の呼吸機能を低下させるばかりでなく、ICSの効果を減弱させる[16]（エビデンスB）。

ICSの全身性の副作用は、他剤形のステロイド薬とは比較にならないほど少ない。口腔・咽頭カンジダ症、嗄声などの局所の副作用が問題になることもあり、吸入後は必ずうがい（あるいは飲水）を励行するべきである。

副腎皮質への影響についてはこれまでの臨床研究から通常量は概ね許容範囲にあると考えられる[17,18]（エビデンスA）が、高用量に対する注意は必要である。妊婦に対する使用も懸念されていたが、BUD-DPIは妊娠初期に投与しても先天奇形の発現のみならず妊娠自体に影響しないことが報告され[19]、米国FDAは唯一、BUD-DPIの妊婦への安全性をカテゴリーBと認定している。また、喘息患者においてICSが結核、肺炎、非結核抗酸菌症（non-tuberculous mycobacterial infection, NTM症）などの呼吸器感染症のリスクを用量依存性に上げるという報告があるため、特に高用量使用時には注意を要する。ただし、活動性結核にも禁忌ではない。

2）長時間作用性β_2刺激薬（LABA）

β_2刺激薬は強力な気管支拡張薬で、気道平滑筋のアドレナリンβ_2受容体に結合し、細胞内cAMP濃度を上昇させて弛緩させる[20]。気道上皮細胞に作用し、線毛運動による気道分泌液の排泄を促す。LABAは疎水性が高いため細胞膜に取り込まれ、β_2受容体への作用が長時間持続する[20]。長期管理薬としてはLABAのみが適応であり、ICSと併用することが必須である。長期管理薬としてのICSとLABAの併用療法は、安全性が高く[21]、ICSの減量が可能になるとともに、喘息のコントロールが良好になる症例が増加する[22,23]（エビデンスA）。ICSとLABAの組み合わせはICSとテオフィリン徐放製剤の組み合わせよりも優

れている[24]（エビデンスA）。わが国では単剤で使用可能なLABAとして吸入薬にサルメテロールキシナホ酸塩が、経口薬にホルモテロールフマル酸塩水和物がある。薬効がSABAに分類される薬も、経口薬（プロカテロール塩酸塩、クレンブテロール塩酸塩、マブテロール塩酸塩など）や貼付薬として用いられる場合はLABAに分類される。わが国で開発されたツロブテロール貼付薬は、吸入や内服が困難な症例に有用であり、24時間継続的に気管支拡張作用を有し、ICSに併用する有用性が報告されている[25]（エビデンスB）。

　いずれの剤形も安全性は高いが、副作用として振戦、動悸、頻脈、筋攣縮などが認められ、「経口薬＞貼付薬＞吸入薬」の順で出現し、訴えに応じて減量、中止が必要である。重大な副作用としては血清カリウム値の低下がある。虚血性心疾患や甲状腺機能亢進症、糖尿病のある患者への投与に際しては慎重に行う。なお、貼付薬の副作用として貼付部位の皮膚の瘙痒感とかぶれがある。貼付薬は後発品が使用可能であるが、薬物貯留システムの違いから皮膚の状況によっては先発品とは経皮吸収速度が異なるため、注意が必要である。

3）長時間作用性抗コリン薬（LAMA）

　アセチルコリンは気道平滑筋のムスカリンM3受容体に作用し、気道平滑筋を収縮させる。LAMAはM3受容体に拮抗して気道平滑筋を弛緩させる[20]。喘息における長期管理薬として使用可能なLAMAには、単剤ではチオトロピウム臭化物水和物（TIO）のソフトミストインヘラーが、ICS/LAMA/LABA配合剤に含まれるグリコピロニウム臭化物（GLY）とウメクリジニウム臭化物（UMEC）がある。長期管理薬として用いる際は、ICS併用が必須である。低〜中用量のICSで喘息症状が残る患者へのチオトロピウムの上乗せ効果に関しては、LABAと同等の効果が報告されている[26,27]（エビデンスA）。LABAが使用しづらい症例に対する長時間作用性気管支拡張薬として有用である。高用量のICSおよびLABAの治療で喘息症状が残る（重症持続型）喘息患者に対しても呼吸機能を改善し、増悪予防の効果がある[28,29]（エビデンスA）。また、咳症状、咳受容体感受性改善効果が報告されている[30]。副作用としては口渇が最も多い。また、重篤な心疾患のある患者への投与に際しては慎重に行う。緑内障には閉塞隅角と開放隅角があり、閉塞隅角緑内障の患者には禁忌である。排尿障害のある前立腺肥大症の患者にも禁忌である。

4）吸入ステロイド薬（ICS）/長時間作用性吸入β_2刺激薬（LABA）配合剤

　ICS/LABA配合剤は、ICSとLABAを個々に吸入するより有効性が高い[31]。わが国では、FP/SM、BUD/FM、FP/FM、FF/VI、およびMF/INDの5種類の配合剤が使用できる（表6-4）。デバイスはFP/SMがDPIとpMDI、BUD/FMがDPI、FP/FMがpMDI、FF/VIがDPI、MF/INDがDPIである。配合剤の利点は、吸入操作回数が減少してアドヒアランスがよくなる点、LABAの単独使用を防ぐことができる点である。また、β_2刺激薬の連用はβ_2受容体のdown regulationを引き起こすとされていたが、ICSと併用することでグルココイド受容体の活性化を引き起こすことによってICSの抗炎症作用の増強と、一方ではβ_2遺伝子の転写を活性化させることによってβ_2受容体のdown regulationを防ぐ効果があるという合剤の利点がある[32]。

表6-4 吸入ステロイド薬/長時間作用性β_2刺激薬配合剤の投与量の目安

	低用量	中用量	高用量
FP/SM (DPI)	100 μg 製剤 1 吸入 1 日 2 回 200 μg/100 μg	250 μg 製剤 1 吸入 1 日 2 回 500 μg/100 μg	500 μg 製剤 1 吸入 1 日 2 回 1,000 μg/100 μg
BUD/FM* (DPI)	1 吸入 1 日 2 回 320 μg/9 μg	2 吸入 1 日 2 回 640 μg/18 μg	4 吸入 1 日 2 回 1,280 μg/36 μg
FP/SM (pMDI)	50 μg 製剤 2 吸入 1 日 2 回 200 μg/100 μg	125 μg 製剤 2 吸入 1 日 2 回 500 μg/100 μg	250 μg 製剤 2 吸入 1 日 2 回 1,000 μg/100 μg
FP/FM (pMDI)	50 μg 製剤 2 吸入 1 日 2 回 200 μg/20 μg	125 μg 製剤 2 吸入 1 日 2 回 500 μg/20 μg	125 μg 製剤 4 吸入 1 日 2 回 1,000 μg/40 μg
FF/VI (DPI)	100 μg 製剤 1 吸入 1 日 1 回 100 μg/25 μg	100 μg 製剤 1 吸入 1 日 1 回 100 μg/25 μg または 200 μg 製剤 1 吸入 1 日 1 回 200 μg/25 μg	200 μg 製剤 1 吸入 1 日 1 回 200 μg/25 μg
MF/IND (DPI)	吸入用カプセル低用量 1 日 1 回 1 カプセル 80 μg/150 μg	吸入用カプセル中用量 1 日 1 回 1 カプセル 160 μg/150 μg	吸入用カプセル高用量 1 日 1 回 1 カプセル 320 μg/150 μg

FP：フルチカゾンプロピオン酸エステル、SM：サルメテロールキシナホ酸塩、BUD：ブデソニド、
FM：ホルモテロールフマル酸塩水和物、FF：フルチカゾンフランカルボン酸エステル、
VI：ビランテロールトリフェニル酢酸塩、MF：モメタゾンフランカルボン酸エステル、IND：インダカテロール酢酸塩
＊：delivered dose で表記

　ホルモテロールの気管支拡張効果は即効性であるため、増悪時にSABAの代わりにBUD/FM配合剤を追加吸入することにより、症状が安定し、増悪頻度が減少する（SMART療法：single inhaler maintenance and reliever therapy）[33]（エビデンスA）。ただし、このような治療を行う場合は患者主導の治療となる傾向があるため、アドヒアランスの低下や薬剤の過量使用に注意しなければならない。SMART療法が有効な患者の選択と患者教育が重要である。FF/VI配合剤は、1日1回吸入のため、高いアドヒアランスが期待でき、臨床試験において他のICSおよびICS/LABAを含む通常の喘息治療に比べて優れた症状改善効果が認められた[34]。米国FDAから2010年に小児および成人喘息に対するLABAおよびICSとの合剤の使用について、LABAの使用に関する勧告に基づく警告が記載されていたが[35]、LABAとICSを併用した際の安全性が確認され、警告が外された。一方、LABA単独使用には引き続き警告が記載されている。増悪の原因として最も多いウイルス感染症による増悪に関しては、配合剤を使用したほうがICS単剤よりも増悪が減少する[36]。また、喘息患者のフェノタイプにかかわらず、軽症ではBUD/FM配合剤をas-neededとして使用するだけでも、症状改善や増悪リスクを回避する点で有用である[37,38]。

5）ICS/LAMA/LABA 配合剤

　ICS/LAMA/LABA配合剤（トリプル製剤）が、喘息治療薬として新たに加わった。わが国では、MF/GLY/IND（MF中用量もしくは高用量）とFF/UMEC/VI（FF低用量もし

表6-5　吸入ステロイド薬/長時間作用性抗コリン薬/長時間作用性β_2刺激薬配合剤の投与量の目安

	低用量	中用量	高用量
MF/GLY/IND (DPI)		吸入用カプセル中用量 80 μg 製剤1カプセルを1日1回 80 μg/50 μg/150 μg	吸入用カプセル高用量 160 μg 製剤1カプセルを1日1回 160 μg/50 μg/150 μg
FF/UMEC/VI (DPI)	100 μg 製剤1回1吸入を1日1回 100 μg/62.5 μg/25 μg	100 μg 製剤1回1吸入を1日1回 100 μg/62.5 μg/25 μg または 200 μg 製剤1回1吸入を1日1回 200 μg/62.5 μg/25 μg	200 μg 製剤1回1吸入を1日1回 200 μg/62.5 μg/25 μg

FF：フルチカゾンフランカルボン酸エステル、UMEC：ウメクリジニウム臭化物、VI：ビランテロールトリフェニル酢酸塩
MF：モメタゾンフランカルボン酸エステル、GLY：グリコピロニウム臭化物、IND：インダカテロール酢酸塩

くは高用量）の2種類4剤形がある（表6-5）。デバイスはいずれもDPIで、1日1回吸入である。中等症もしくは重症喘息症例を対象とし、MF/GLY/INDとICS/LABA（MF/INDおよびFP/SM）とを比較した試験では、MF/GLY/IND群において呼吸機能が有意に改善した[39]（エビデンスA）。同様に、FF/UMEC/VIはFF/VIと比較して呼吸機能を改善した[40]（エビデンスA）。LAMA併用の優越性が示された一方で、有害事象は増加しなかった[39,40]。MF/GLY/INDと高用量FP/SMとTIOソフトミスト製剤との併用とを比較した海外臨床試験では、MF/GLY/IND群において、MF高用量のみならず中用量でも喘息コントロールの非劣性が証明された[41]。配合剤の利点として、吸入操作回数が減少しアドヒアランスが良くなることが期待される。わが国未承認の配合剤を含むメタ解析では、高用量ICSを含むトリプル製剤が重症増悪を抑制する傾向が強いことを示している[42]（エビデンスB）。

6）ロイコトリエン受容体拮抗薬（LTRA）

ロイコトリエン（LT）C_4、D_4、E_4はシステイニルLT（CysLTs）と称され、その受容体にはCysLT$_1$、CysLT$_2$、CysLT$_3$の各受容体が存在する。現在あるLTRAはCysLT$_1$受容体拮抗薬であり、プランルカスト水和物、モンテルカストナトリウムの2種類がある。

LTRAは気管支拡張作用と気道炎症抑制作用を有し、喘息症状、呼吸機能、喘息増悪回数および患者のQOLを有意に改善させる[43,44]（エビデンスA）。単剤での効果は低用量ICSに劣るため、主にICSに併用する薬剤として用いられるが、抗炎症作用を有するため単剤でも使用できる。ICSへの上乗せ効果はLABAと比較してやや劣る[45]（エビデンスA）。アレルギー性鼻炎合併喘息、運動誘発喘息、AERD（NSAIDs過敏喘息、N-ERD、アスピリン喘息）患者の長期管理において有用性が高い[46]（エビデンスB）。LTRAは一般に安全な薬剤だが、CYP2C9で代謝されるために、ワルファリンカリウムなどの薬剤と相互作用が生じる可能性があることに注意する。妊婦には比較的安全性が高いと考えられている。LTRAのうち、モンテルカストナトリウムについては、直接的な因果関係は明確ではなく、プラセボやICSと比較して有意差はないが、精神医学的事象があり得るとして2020年にFDAからblack box warnigが出ている。使用に際しては自殺念慮や精神行動異常に注意が必要である。

7）テオフィリン徐放製剤（SRT）

　SRT は気管支拡張作用、粘液線毛輸送能の促進作用、抗炎症作用などを有している[47]。現在はほとんどが徐放製剤として使用されており、その他の治療によって効果不十分な場合の追加使用が推奨されている。気管支拡張作用は β_2 刺激薬のほうが強力であり、単剤で使用するよりも LABA に上乗せしたほうが有効性の期待できる。抗炎症作用は、低～中用量の ICS に SRT を併用した場合に、ICS 使用量を増加させるのとほぼ同等の効果が得られる（エビデンス B）。ただし、ICS の併用薬としての効果は LABA と比較してやや劣り、LTRA と同等かやや劣る（エビデンス B）。テオフィリン薬の副作用には悪心、嘔吐などの消化器症状や動悸、頻脈などがあり、さらに血中濃度が上昇すると痙攣が出現するため、副作用の回避には血中濃度モニタリングが重要で、5～15μg/mL を目標とする。ヒスタミン H_2 受容体拮抗薬、マクロライド系抗菌薬、ニューキノロン系抗菌薬などと併用すると血中濃度が上昇するため注意を要する。

8）抗 IgE 抗体製剤オマリズマブ

　IgE に対するモノクローナル抗体製剤であるオマリズマブは、IgE の Fc 領域に存在する Cε3 ドメインに結合することで、遊離型 IgE がマスト細胞や好塩基球などの細胞表面へ結合するのを抑制し効果を発現する。

　喘息患者では次の 3 項目すべてを満たす患者が対象となる。
①高用量の ICS および複数の喘息治療薬を併用しても症状が安定していない。②通年性吸入抗原に対して陽性を示す。③体重と血清総 IgE 値から使用量が換算できる。

　小児（6 歳以上）の喘息患者にも使用できる。喘息以外では特発性慢性蕁麻疹と季節性アレルギー性鼻炎に適応がある。

　オマリズマブは、重症喘息患者の喘息増悪回数、増悪による入院および救急外来受診回数、呼吸機能、喘息症状点数などを改善させる[48]（エビデンス A）。喘息患者で低下している抗ウイルス免疫を改善し、特に気道のウイルス感染を契機とする喘息増悪を予防する効果がある[49]（エビデンス A）。増悪抑制効果を指標とする調査では、FeNO 高値、末梢血好酸球数高値、血清ペリオスチン高値を示す患者に有効性が高い[50,51]（エビデンス A）。投与開始後、有効性の判定は 16 週間時点で行うことが推奨される[52]（エビデンス B）。呼吸機能検査に変化がない場合でも、喘息症状や増悪頻度が改善することがあり、効果判定は一つの指標でなく複数の指標で行うことが重要である。使用期間には一定の結論はない。催奇形性は報告されていないが、妊婦への投与の安全性は確立されていない。オマリズマブは在宅自己注射が認められている（第 5 章 5-1 参照）。

9）抗 IL-5 抗体製剤メポリズマブ、抗 IL-5 受容体α鎖抗体製剤ベンラリズマブ

　IL-5 に対するモノクローナル抗体がメポリズマブ、IL-5 受容体α鎖（IL-5Rα）に対するモノクローナル抗体がベンラリズマブである。いずれの製剤も好酸球の活性化に重要な役割を果たす IL-5 と IL-5Rα の結合を阻害することによって効果を発揮する。末梢血好酸球の除去率に関してはメポリズマブよりもベンラリズマブのほうが高く、その理由としては、ベ

ンラリズマブが好酸球上の IL-5Rα に結合すると、ADCC（antibody-dependent cell mediated cytotoxicity, 抗体依存性細胞傷害）活性が発現し、主にナチュラルキラー細胞（NK 細胞）により好酸球が除去されるためと考えられている。メポリズマブは 6 歳以上の重症喘息、ベンラリズマブは成人の重症喘息が対象となる。投与間隔はメポリズマブが 4 週間に 1 回 100 mg（6～12 歳未満は 1 回 40 mg）、ベンラリズマブは 8 週間に 1 回 30 mg（初回から 3 回目までは 4 週間隔）、ともに皮下注射で投与される。喘息以外では、既存治療で効果不十分な好酸球性多発血管炎性肉芽腫症（eosinophilic granulomatosis with polyangiitis, EGPA）がメポリズマブの適応疾患となっている。両薬剤ともに、高用量 ICS を含む抗喘息薬でもコントロール不十分な好酸球性喘息患者において、増悪抑制、症状スコア軽減、QOL 改善、呼吸機能改善、入院および救急受診回数の減少効果があり[53~56]、全身性ステロイド薬の減量が可能となる[57,58]（エビデンス A）。メポリズマブに関しては長期間使用における持続効果と安全性が証明されている[59]（エビデンス A）。メポリズマブおよびベンラリズマブともに投与前の血中好酸球数が多いほど喘息増悪の抑制効果が大きい（エビデンス A）。また、鼻ポリープのある患者と呼吸機能が悪い患者に有効性が高いことが示されている[60]（エビデンス B）。一方、末梢血好酸球数が 150/μL 未満の場合、効果が証明されていない。ただし、末梢血好酸球を評価する際には全身性ステロイド薬の使用歴を考慮しなければならない。使用期間と最適評価時期には一定の結論はない。主な副作用は、注射部位反応、頭痛、過敏症などである。催奇形性は報告されていないが、妊婦への投与の安全性は確立されていない。メポリズマブは在宅自己注射が認められている（第 5 章 5-1 参照）。

10）抗 IL-4 受容体α鎖抗体製剤デュピルマブ

IL-4 受容体α鎖（IL-4Rα）に対するモノクローナル抗体がデュピルマブである。IL-4Rα は IL-4 だけでなく IL-13 の受容体の一部も形成するため、デュピルマブは IL-4 と IL-13 の両方のシグナルを抑制する。好酸球の末梢血から肺組織への移行抑制、IgE の減少、杯細胞の過形成の抑制、気管支平滑筋収縮抑制などが抗喘息効果の機序と考えられる[61,62]。中用量または高用量 ICS とその他の長期管理薬を併用しても、喘息症状をコントロールできない 12 歳以上の患者が適応となる。投与は初回に 600 mg を皮下投与し、その後は 1 回 300 mg を 2 週間隔で皮下投与する。デュピルマブは在宅自己注射が認められている（第 5 章 5-1 参照）。喘息以外ではアトピー性皮膚炎と鼻茸を伴う慢性副鼻腔炎に適応がある。

既存の治療でコントロール不十分な重症喘息患者において、増悪抑制、症状スコア軽減、QOL 改善、呼吸機能改善、入院および救急受診回数の減少効果があり[63]、全身性ステロイド薬の減量が可能となる[64]（エビデンス A）。末梢血好酸球高値と FeNO 高値が有効性予測因子となる[64]（エビデンス B）。一方、末梢血好酸球数が 150/μL 未満かつ FeNO が 22 ppb 未満の場合は効果が証明されていない[64]（エビデンス B）。デュピルマブを開始直後 1～2 か月は末梢血好酸球が上昇するが、その後低下する。使用期間と最適評価時期には一定の結論はない。催奇形性は報告されていないが、妊婦への投与の安全性は確立されていない。

11) その他の薬剤、療法

　漢方薬の投与は証を基にした患者の体質・体力と、その時点での闘病反応の強弱によって方剤を選ぶという隨証が重要である。柴朴湯や麦門冬湯など多くの有効症例の報告はあるが、適切な偽薬が得難く、喘息治療における有効性を実証できるプラセボ対照試験ができていないのが現状である。排痰促進にカルボシステインやアンブロキソール塩酸塩やフドステインなどの去痰薬が有効なことがあるが、推奨に足るエビデンスは集積されていない。マクロライド系抗菌薬は喘息患者の気道への好中球浸潤を抑制するため好中球性炎症の改善が期待されている[65]。加えて、気道過敏性、喘息症状・増悪などを改善させることも報告されている[66]（エビデンスB）。喘息はマクロライド系抗菌薬の適応疾患ではないが、好中球性炎症性気道疾患に対するクラリスロマイシンは投与できる。アレルゲン免疫療法については、本章6-4「アレルゲン免疫療法」を参照されたい。

12) 今後期待される製剤

　現在、臨床応用が期待されるバイオ製剤の標的因子は主に気道上皮から産生されるサイトカインのTSLPやIL-33である。抗TSLP抗体製剤に関しては第Ⅱ相臨床試験において、末梢血好酸球レベルによらず、中用量から高用量のICSとLABAを使用しても十分なコントロールが得られていない患者に対して増悪抑制効果が証明されていたが[67]、先ごろ、第Ⅲ相臨床試験の結果が報告された[68]。IL-33はTSLP同様、喘息に対する従来のバイオ製剤の標的となっているサイトカインとは異なる作用を持つサイトカインである。PGD_2を標的とした製剤も今後期待される薬剤の一つである。PGD_2の受容体であるCRTH2の抗体製剤のフェビピプラント（Fevipiprant）は重症喘息患者を対象とした臨床試験で一定の増悪抑制効果を示したが、まだ十分な検証は得られていない[69]。

[参考文献]

1) Juniper EF, Kline PA, Vanzieleghem MA, et al. Effect of long-term treatment with an inhaled corticosteroid (budesonide) on airway hyperresponsiveness and clinical asthma in nonsteroid-dependent asthmatics. *Am Rev Respir Dis*. 1990; 142: 832-6.
2) Haahtela T, Järvinen M, Kava T, et al. Effects of reducing or discontinuing inhaled budesonide in patients with mild asthma. *N Engl J Med*. 1994; 331: 700-5.
3) Jeffery PK, Godfrey RW, Adelroth E, et al. Effects of treatment on airway inflammation and thickening of basement membrane reticular collagen in asthma. A quantitative light and electron microscopic study. *Am Rev Respir Dis*. 1992; 145: 890-9.
4) Pauwels RA, Löfdahl CG, Postma DS, et al. Effect of inhaled formoterol and budesonide on exacerbations of asthma. Formoterol and Corticosteroids Establishing Therapy (FACET) International Study Group. *N Engl J Med*. 1997; 337: 1405-11.
5) Selroos O, Löfroos AB, Pietinalho A, et al. Asthma control and steroid doses 5 years after early or delayed introduction of inhaled corticosteroids in asthma: a real-life study. *Respir Med*. 2004; 98: 254-62.
6) Sullivan SD, Buxton M, Andersson LF, et al. Cost-effectiveness analysis of early intervention with budesonide in mild persistent asthma. *J Allergy Clin Immunol*. 2003; 112: 1229-36.
7) Olivieri D, Chetta A, Del Donno M, et al. Effect of short-term treatment with low-dose inhaled fluticasone propionate on airway inflammation and remodeling in mild asthma: a placebo-controlled

study. *Am J Respir Crit Care Med.* 1997; 155: 1864-71.
8) Suissa S, Ernst P, Benayoun S, et al. Low-dose inhaled corticosteroids and the prevention of death from asthma. *N Engl J Med.* 2000; 343: 332-6.
9) Pauwels RA, Pedersen S, Busse WW, et al. Early intervention with budesonide in mild persistent asthma: a randomised, double-blind trial. *Lancet.* 2003; 361: 1071-6.
10) Sullivan PW, Ghushchyan VH, Globe G, et al. Oral corticosteroid exposure and adverse effects in asthmatic patients. *J Allergy Clin Immunol.* 2018; 141: 110-6.
11) Price DB, Trudo F, Voorham J, et al. Adverse outcomes from initiation of systemic corticosteroids for asthma: long-term observational study. *J Asthma Allergy.* 2018; 11: 193-204.
12) Matsunaga K, Adachi M, Nagase H, et al. Association of low-dosage systemic corticosteroid use with disease burden in asthma. *NPJ Prim Care Respir Med.* 2020; 30: 35.
13) Ekström M, Nwaru BI, Hasvold P, et al. Oral corticosteroid use, morbidity and mortality in asthma: A nationwide prospective cohort study in Sweden. *Allergy.* 2019; 74: 2181-90.
14) Ito K, Kanemitsu Y, Fukumitsu K, et al. The impact of budesonide inhalation suspension for asthma hospitalization: In terms of length of stay, recovery time from symptoms, and hospitalization costs. *Allergol Int.* 2020; 69: 571-7.
15) Szefler SJ, Martin RJ, King TS, et al. Significant variability in response to inhaled corticosteroids for persistent asthma. *J Allergy Clin Immunol.* 2002; 109: 410-8.
16) Chalmers GW, Macleod KJ, Little SA, et al. Influence of cigarette smoking on inhaled corticosteroid treatment in mild asthma. *Thorax.* 2002; 57: 226-30.
17) Aaronson D, Kaiser H, Dockhorn R, et al. Effects of budesonide by means of the Turbuhaler on the hypothalmic-pituitary-adrenal axis in asthmatic subjects: a doseresponse study. *J Allergy Clin Immunol.* 1998; 101: 312-9.
18) Hughes JA, Conry BG, Male SM, et al. One year prospective open study of the effect of high dose inhaled steroids, fluticasone propionate, and budesonide on bone markers and bone mineral density. *Thorax.* 1999; 54: 223-9.
19) Norjavaara E, de Verdier MG. Normal pregnancy outcomes in a population-based study including 2,968 pregnant women exposed to budesonide. *J Allergy Clin Immunol.* 2003; 111: 736-42.
20) Cazzola M, Page CP, Calzetta L, et al. Pharmacology and therapeutics of bronchodilators. *Pharmacol Rev.* 2012; 64: 450-504.
21) Busse WW, Bateman ED, Caplan AL, et al. Combined analysis of asthma safety trials of long-acting beta2-agonists. *N Engl J Med.* 2018; 378: 2497-505.
22) Greening AP, Ind PW, Northfield M, et al. Added salmeterol versus higher-dose corticosteroid in asthma patients with symptoms on existing inhaled corticosteroid. Allen & Hanburys Limited UK Study Group. *Lancet.* 1994; 344: 219-24.
23) Pauwels RA, Löfdahl CG, Postma DS, et al. Effect of inhaled formoterol and budesonide on exacerbations of asthma. Formoterol and Corticosteroids Establishing Therapy (FACET) International Study Group. *N Engl J Med.* 1997; 337: 1405-11.
24) Adachi M, Aizawa H, Ishihara K, et al. Comparison of salmeterol/fluticasone propionate (FP) combination with FP+sustained release theophylline in moderate asthma patients. *Respir Med.* 2008; 102: 1055-64.
25) Tamura G, Sano Y, Hirata K, et al. Effect of transdermal tulobuterol added to inhaled corticosteroids in asthma patients. *Allergol Int.* 2005; 54: 615-20.
26) Peters SP, Kunselman SJ, Icitovic N, et al. Tiotropium bromide step-up therapy for adults with uncontrolled asthma. *N Engl J Med.* 2010; 363: 1715-26.
27) Kerstjens HAM, Casale TB, Bleecker ER, et al. Tiotropium or salmeterol as add-on therapy to inhaled corticosteroids for patients with moderate symptomatic asthma: two replicate, double-blind, placebo-controlled, parallel-group, active-comparator, randomised trials. *Lancet Respir Med.* 2015; 3: 367-76.

28) Kerstjens HAM, Disse B, Schröder-Babo W, et al. Tiotropium improves lung function in patients with severe uncontrolled asthma: a randomized controlled trial. *J Allergy Clin Immunol*. 2011; 128: 308-14.
29) Kerstjens HA, Engel M, Dahl R, et al. Tiotropium in asthma poorly controlled with standard combination therapy. *N Engl J Med*. 2012; 367: 1198-207.
30) Fukumitsu K, Kanemitsu Y, Asano T, et al. Tiotropium attenuates refractory cough and capsaicin cough reflex sensitivity in patients with asthma. *J Allergy Clin Immunol Pract*. 2018; 6: 1613-1620.e2.
31) Nelson HS, Chapman KR, Pyke SD, et al. Enhanced synergy between fluticasone propionate and salmeterol inhaled from a single inhaler versus separate inhalers. *J Allergy Clin Immunol*. 2003; 112: 29-36.
32) Barnes PJ. Scientific rationale for inhaled combination therapy with long-acting beta2-agonists and corticosteroids. *Eur Respir J*. 2002; 19: 182-91.
33) Patel M, Pilcher J, Pritchard A, et al. Efficacy and safety of maintenance and reliever combination budesonide-formoterol inhaler in patients with asthma at risk of severe exacerbations: a randomised controlled trial. *Lancet Respir*. 2013; 1: 32-42.
34) Woodcock A, Vestbo J, Bakerly ND, et al. Effectiveness of fluticasone furoate plus vilanterol on asthma control in clinical practice: an open-label, parallel group, randomized controlled trial. *Lancet*. 2017; 390: 2247-55.
35) Simpson JL, Powell H, Boyle MJ, et al. Clarithromycin targets neutrophilic airway inflammation in refractory asthma. *Am J Respir Crit Care Med*. 2008; 177: 148-55.
36) Reddel HK, Jenkins C, Quirce S, et al. Effect of different asthma treatments on risk of cold-related exacerbations. *Eur Respir J*. 2011; 38: 584-93.
37) Hardy J, Baggott C, Fingleton J, et al. Budesonide-formoterol reliever therapy versus maintenance budesonide plus terbutaline reliever therapy in adults with mild to moderate asthma (PRACTICAL): a 52-week, open-label, multicentre, superiority, randomised controlled trial. *Lancet*. 2019; 394: 919-28.
38) Beasley R, Holliday M, Reddel HK, et al. Controlled Trial of Budesonide-Formoterol as Needed for Mild Asthma. *N Engl J Med*. 2019; 380: 2020-30.
39) Kerstjens HAM, Maspero J, Chapman KR, et al. Once-daily, single-inhaler mometasone-indacaterol-glycopyrronium versus mometasone-indacaterol or twice-daily fluticasone-salmeterol in patients with inadequately controlled asthma (IRIDIUM): a randomised, double-blind, controlled phase 3 study. *Lancet Respir Med*. 2020; 8: 1000-12.
40) Lee LA, Bailes Z, Barnes N, et al. Efficacy and safety of once-daily single-inhaler triple therapy (FF/UMEC/VI) versus FF/VI in patients with inadequately controlled asthma (CAPTAIN): a double-blind, randomised, phase 3A trial. *Lancet Respir Med*. 2021; 9: 69-84.
41) Gessner C, Kornmann O, Maspero J, et al. Fixed-dose combination of indacaterol/glycopyrronium/mometasone furoate once-daily versus salmeterol/fluticasone twice-daily plus tiotropium once-daily in patients with uncontrolled asthma: A randomised, Phase IIIb, non-inferiority study (ARGON). *Respir Med*. 2020; 170: 106021.
42) Rogliani P, Ritondo BL, Calzetta L. Triple therapy in uncontrolled asthma: a network meta-analysis of Phase III studies. *Eur Respir J*. 2021; 2004233. Online ahead of print.
43) Tamaoki J, Kondo M, Sakai N, et al. Leukotriene antagonist prevents exacerbation of asthma during reduction of high-dose inhaled corticosteroid. The Tokyo Joshi Idai Asthma Research Group. *Am J Respir Crit Care Med*. 1997; 155: 1235-40.
44) Tohda Y, Fujimura M, Taniguchi H, et al. Leukotriene receptor antagonist, montelukast, can reduce the need for inhaled steroid while maintaining the clinical stability of asthmatic patients. *Clin Exp Allergy*. 2002; 32: 1180-6.
45) Chauhan BF, Ducharme FM. Addition to inhaled corticosteroids of long-acting β_2-agonists versus anti-leukotrienes for chronic asthma. *Cochrane Database Syst Rev*. 2014; 24: CD003137.
46) Price D, Musgrave SD, Shepstone L, et al. Leukotriene antagonists as first-line or add-on asthma-controller therapy. *N Engl J Med*. 2011; 364: 1695-707.

47) Barnes PJ. Theophylline. *Am J Respir Crit Care Med*. 2013; 188: 901-6.
48) Humbert M, Beasley R, Ayres J, et al. Benefits of omalizumab as add-on therapy in patients with severe persistent asthma who are inadequately controlled despite best available therapy (GINA 2002 step 4 treatment): INNOVATE. *Allergy*. 2005; 60: 309-16.
49) Busse WW, Morgan WJ, Gergen PJ, et al. Randomized trial of omalizumab (anti-IgE) for asthma in inner-city children. *N Engl J Med*. 2011; 364: 1005-15.
50) Hanania NA, Wenzel S, Rosén K, et al. Exploring the effects of omalizumab in allergic asthma: an analysis of biomarkers in the EXTRA study. *Am J Respir Crit Care Med*. 2013; 187: 804-11.
51) Tajili T, Matsumoto H, Gon Y, et al. Utility of serum periostin and free IgE levels in evaluating responsiveness to omalizumab in patients with severe asthma. *Allergy*. 2016; 71: 1472-9.
52) Bousquet J, Siergiejko Z, Swiebocka E, et al. Persistency of response to omalizumab therapy in severe allergic (IgE-mediated) asthma. *Allergy*. 2011; 66: 671-8.
53) Kavanagh JE, Hearn AP, Dhariwal J, et al. Real-World Effectiveness of Benralizumab in Severe Eosinophilic asthma. *Chest*. 2021; 159: 496-506.
54) Harrison T, Canonica GW, Chupp G, et al. Real-world mepolizumab in the prospective severe asthma REALITI-A study: initial analysis. *Eur Respir J*. 2020; 56: 2000151.
55) Bleecker ER, FitzGerald JM, Chanez P, et al. Efficacy and safety of benralizumab for patients with severe asthma uncontrolled with high-dosage inhaled corticosteroids and long-acting β2-agonists (SIROCCO): a randomised, multicentre, placebo-controlled phase 3 trial. *Lancet*. 2016; 388: 2115-27.
56) Ortega HG, Liu MC, Pavord ID, et al. Investigators. Mepolizumab treatment in patients with severe eosinophilic asthma. *N Engl J Med*. 2014; 371: 1198-207.
57) Bel EH, Wenzel SE, Thompson PJ, et al. Oral glucocorticoid-sparing effect of mepolizumab in eosinophilic asthma. *N Engl J Med*. 2014; 371: 1189-97.
58) Nair P, Wenzel S, Rabe KF, et al. Oral Glucocorticoid-Sparing Effect of Benralizumab in Severe Asthma. *N Engl J Med*. 2017; 376: 2448-58.
59) Khurana S, Brusselle GG, Bel EH, et al. Long-term Safety and Clinical Benefit of Mepolizumab in Patients With the Most Severe Eosinophilic Asthma: The COSMEX Study. *Clin Ther*. 2019; 41: 2041-56.
60) Bleecker ER, Wechsler ME, FitzGerald JM, et al. Baseline patient factors impact on the clinical efficacy of benralizumab for severe asthma. *Eur Respir J*. 2018; 52: 1800936.
61) Harb H, Chatila TA. Mechanisms of Dupilumab. *Clin Exp Allergy*. 2020; 50: 5-14.
62) Matsunaga K, Katoh N, Fujieda S, et al. Dupilumab: Basic aspects and applications to allergic diseases. *Allergol Int*. 2020; 69: 187-96.
63) Castro M, Corren J, Pavord ID, et al. Dupilumab Efficacy and Safety in Moderate-to-Severe Uncontrolled Asthma. *N Engl J Med*. 2018; 378: 2486-96.
64) Rabe KF, Nair P, Brusselle G, et al. Efficacy and Safety of Dupilumab in Glucocorticoid-Dependent Severe Asthma. *N Engl J Med*. 2018; 378: 2475-85.
65) Simpson JL, Powell H, Boyle MJ, et al. Clarithromycin targets neutrophilic airway inflammation in refractory asthma. *Am J Respir Crit Care Med*. 2008; 177: 148-55.
66) Gibson PG, Yang IA, Upham JW, et al. Effect of azithromycin on asthma exacerbations and quality of life in adults with persistent uncontrolled asthma (AMAZES): a randomised, double-blind, placebo-controlled trial. *Lancet*. 2017; 390: 659-68.
67) Corren J, Parnes JR, Wang L, et al. Tezepelumab in Adults with Uncontrolled Asthma. *N Engl J Med*. 2017; 377: 936-46.
68) Menzies-Gow A, Corren J, Bourdin A, et al. Tezepelumab in Adults Adolescents with Severe, Uncontrolled Asthma. *N Engl J Med*. 2021; 384: 1800-9.
69) Brightling CE, Gaga M, Inoue H, et al. Effectiveness of fevipiprant in reducing exacerbations in patients with severe asthma (LUSTER-1 and LUSTER-2): two phase 3 randomised controlled trials. *Lancet Respir Med*. 2021; 9: 43-56.

6-2　段階的薬物投与プラン

1）喘息の治療目標

　喘息の治療目標は、第1章の管理目標（表1-1）と同様に、症状コントロールのために気道炎症を制御して正常な呼吸機能を保つこと、また、将来のリスク回避のために呼吸機能の経年低下を抑制して喘息死や治療薬の副作用発現を回避することである。

　気道炎症の制御には、原因となる危険因子の回避・除去を踏まえて薬物治療を行う。また、成人期の呼吸機能には小児期の肺の低発育とリモデリングによる機能低下の加速の2つの因子が関与すると考えられる。したがって、呼吸機能が正常値まで改善しない場合には患者の自己最良値に基づいて判断する。

　喘息コントロールの状態は表6-6に基づき判定してコントロール良好を目指す。

2）治療の原則

　現在の喘息治療は薬剤の貢献が大であり、喘息コントロールの中心的な役割を担っている。しかし、原因となっている感作アレルゲン（家塵ダニ、真菌類、昆虫類、動物、花粉など）の回避指導は重要であり、アトピー型喘息症例では十分に行う必要がある。また、喫煙や受動喫煙、過労などをも含めた増悪因子の回避、除去に努める。さらに、吸入手技の指導やアドヒアランスの管理、アレルギー性鼻炎、肥満、胃食道逆流症（GERD）、COPDなどの合併疾患の管理も積極的に行う。

　喘息治療をその強度から次項の4つの治療ステップに分ける。4段階の治療ステップに含まれる主な薬剤は図6-1に示すように、その作用機序のエビデンスからそれぞれの守備範囲（治療スペクトラム）がイメージできる。各薬剤を併用する際は、このような薬剤ごとの特徴を考慮して選択することが有用と考えられる。

表6-6　喘息コントロール状態の評価

	コントロール良好 （すべての項目が該当）	コントロール不十分 （いずれかの項目が該当）	コントロール不良
喘息症状 （日中および夜間）	なし	週1回以上	コントロール不十分の項目が3つ以上当てはまる
増悪治療薬の使用	なし	週1回以上	
運動を含む活動制限	なし	あり	
呼吸機能 （FEV$_1$およびPEF）	予測値あるいは 自己最良値の80％以上	予測値あるいは 自己最良値の80％未満	
PEFの日（週）内変動	20％未満[*1]	20％以上	
増悪（予定外受診、救急受診、入院）	なし	年に1回以上	月に1回以上[*2]

[*1]：1日2回測定による日内変動の正常上限は8％である[1]。
[*2]：増悪が月に1回以上あれば他の項目が該当しなくてもコントロール不良と評価する。

	気管支拡張	抗炎症	リモデリング抑制	気道分泌抑制
吸入ステロイド薬（ICS）				
長時間作用性β₂刺激薬（LABA）				主として基礎データに基づく[*1]
長時間作用性抗コリン薬（LAMA）			主として基礎データに基づく	
ロイコトリエン受容体拮抗薬（LTRA）			主として基礎データに基づく	
テオフィリン徐放製剤				
抗IgE抗体製剤				
抗IL-5抗体製剤			不明	
抗IL-5Rα抗体製剤			不明	
抗IL-4Rα抗体製剤			不明	
マクロライド系抗菌薬[*2]		（好中球性）	不明	

・ここでは便宜的に各薬剤の治療スペクトラムの強度を「色分け（白・水色・濃青色）」で示す。
・臨床的なエビデンスおよび直接的な薬理作用を考慮して総合的に判断した。
・（ ）括弧内の記載は基礎研究データに基づく。

*1：気道分泌に対する影響は一概には言えないが、ムチン/水分バランス調整のほかに、β₂受容体刺激により粘液線毛輸送能が亢進させることから、総じて気道クリアランスは改善すると考えられている[2]。気道分泌は気道粘膜下腺と気道上皮から生じ、分泌物は大きくムチンと水分・電解質に分類される。基礎研究においてβ₂受容体活性化は気道上皮のムチン産生を亢進させる[3,4]。一方で、β₂刺激薬の水分・電解質分泌に対する効果としては、気道粘膜下腺に対して反応なし[5,6]、一過性の分泌亢進[7]、分泌抑制[8,9]など種々の報告がある。また、気道上皮に対しても分泌亢進[2,10]、上皮からの再吸収を抑制[11,12]、分泌亢進/抑制両者の可能性[13,14]などが指摘されている。

*2：喘息はマクロライド系抗菌薬の適応疾患ではないが、好中球性炎症性気道疾患に対するクラリスロマイシンは投与できる。

図 6-1　主な喘息治療薬の薬理作用

3）喘息治療の 4 つのステップ（表 6-7、表 6-8）

すべての喘息治療のステップにおいて長期管理中に急性増悪（発作）が生じた場合には、原則として SABA の頓用で対処する。なお、治療ステップ2 および 3 で、ブデソニド（BUD）/ホルモテロール（FM）配合剤を長期管理と増悪治療の両方に用いて薬物療法を行っている場合（SMART 療法）は、1 回および 1 日の最大吸入可能回数を規定した上で、同剤を増悪治療にも用いることができる[15]。BUD/FM 配合剤は、長期管理と増悪治療を合計した 1 日の最高量は通常 8 吸入までとするが、一時的に（3 日間が目安）、1 日合計 12 吸入（BUD として 1,920 μg、FM として 54 μg）まで増量可能である。ただし、1 日 8 吸入を超える場合は速やかに医療機関を受診するよう患者に説明する。

（1）治療ステップ 1（長期管理薬 0〜1 剤＋増悪治療薬）：軽い喘息症状がごく稀（月 1 回未満を目安）にしか生じない患者に限り、喘息症状があるときに SABA を頓用し、原則として長期管理薬は必要としない。症状が月 1 回以上の患者に対する長期管理薬としては低用量 ICS[16,17]（エビデンス A）が推奨される。吸入が不可能な場合や吸入による副作用が現れる場

表6-7 喘息治療ステップ

		治療ステップ1	治療ステップ2	治療ステップ3	治療ステップ4
長期管理薬	基本治療	ICS（低用量）	ICS（低～中用量）	ICS（中～高用量）	ICS（高用量）
		上記が使用できない場合、以下のいずれかを用いる	上記で不十分な場合に以下のいずれか1剤を併用	上記に下記のいずれか1剤、あるいは複数を併用	上記に下記の複数を併用
		LTRA テオフィリン徐放製剤 ※症状が稀なら必要なし	LABA （配合剤使用可[5]） LAMA LTRA テオフィリン徐放製剤	LABA （配合剤使用可[5]） LAMA （配合剤使用可[6]） LTRA テオフィリン徐放製剤 抗IL-4Rα抗体[7,8,10]	LABA （配合剤使用可） LAMA （配合剤使用可[6]） LTRA テオフィリン徐放製剤 抗IgE抗体[2,7] 抗IL-5抗体[7,8] 抗IL-5Rα抗体[7] 抗IL-4Rα抗体[7,8] 経口ステロイド薬[3,7] 気管支熱形成術[7,9]
	追加治療	アレルゲン免疫療法[1] （LTRA以外の抗アレルギー薬）			
増悪治療[4]		SABA	SABA[5]	SABA[5]	SABA

ICS：吸入ステロイド薬、LABA：長時間作用性β₂刺激薬、LAMA：長時間作用性抗コリン薬、LTRA：ロイコトリエン受容体拮抗薬、SABA：短時間作用性吸入β₂刺激薬、抗IL-5Rα抗体：抗IL-5受容体α鎖抗体、抗IL-4Rα抗体：抗IL-4受容体α鎖抗体

*1：ダニアレルギーで特にアレルギー性鼻炎合併例で、安定期%FEV₁≧70%の場合にはアレルゲン免疫療法を考慮する。
*2：通年性吸入アレルゲンに対して陽性かつ血清総IgE値が30～1,500 IU/mLの場合に適用となる。
*3：経口ステロイド薬は短期間の間欠的投与を原則とする。短期間の間欠投与でもコントロールが得られない場合は必要最小量を維持量として生物学的製剤の使用を考慮する。
*4：軽度増悪までの対応を示し、それ以上の増悪については「急性増悪（発作）への対応（成人）」の項を参照。
*5：ブデソニド/ホルモテロール配合剤で長期管理を行っている場合は同剤を増悪治療にも用いることができる（本文参照）。
*6：ICS/LABA/LAMAの配合剤（トリプル製剤）
*7：LABA、LTRAなどをICSに加えてもコントロール不良の場合に用いる。
*8：成人および12歳以上の小児に適応がある。
*9：対象は18歳以上の重症喘息患者であり、適応患者の選定の詳細は本文参照。
*10：中用量ICSとの併用は医師によりICSを高用量に増量することが副作用などにより困難であると判断された場合に限る。

表6-8 未治療患者の症状と目安となる治療ステップ

	治療ステップ1	治療ステップ2	治療ステップ3	治療ステップ4
対象症状	(軽症間欠型相当) ・症状が週1回未満 ・症状は軽度で短い ・夜間症状は月2回未満 ・日常生活は可能	(軽症持続型相当) ・症状が週1回以上、しかし毎日ではない ・症状が月1回以上、日常生活や睡眠が妨げられる ・夜間症状は月2回以上 ・日常生活は可能だが一部制限される	(中等症持続型相当) ・症状が毎日ある ・SABAがほぼ毎日必要 ・週1回以上、日常生活や睡眠が妨げられる ・夜間症状が週1回以上 ・日常生活は可能だが多くが制限される	(重症持続型相当) ・治療下でも増悪症状が毎日ある ・夜間症状がしばしばで睡眠が妨げられる ・日常生活が困難である

SABA：短時間作用性吸入β₂刺激薬

合はLTRA[18,19]（エビデンスA）やテオフィリン徐放製剤[20,21]（エビデンスB）の投与で代替してもよい。

(2) 治療ステップ2（長期管理薬1〜2剤＋増悪治療薬）：ICS低用量（表6-3）とLABA併用が推奨され[22,23]（エビデンスA）、ICS/LABA配合剤はICS単剤に比べて症状や呼吸機能をより速やかに改善する[24〜26]（エビデンスB）。低用量ICS/LABA配合剤の代わりにICS中用量単剤、またはLABAの代わりにLAMA[27,28]あるいはLTRA[29,30]（エビデンスA）、テオフィリン徐放製剤[31]（エビデンスB）、のいずれかを用いてもよい。LTRAはアレルギー性鼻炎合併例や、運動誘発喘息、AERD（NSAIDs過敏喘息、N-ERD、アスピリン喘息）の長期管理に有用である。テオフィリンの気管支拡張作用は濃度依存性で、血中濃度10μg/mL以上で得られるが、抗炎症効果は5μg/mL程度で十分と報告されている。副作用発現を避けるために15μg/mL以下に保つことが推奨される。

(3) 治療ステップ3（長期管理薬2〜3剤＋増悪治療薬）：ICS中〜高用量とLABAの併用が推奨される。これで不十分であればLAMA[32〜34]（エビデンスA）、LTRA[35]（エビデンスB）、テオフィリン徐放製剤[36]（エビデンスB）のいずれかを併用する。ICS、LABA、LAMAの3剤を使用する場合には、3薬剤の合剤であるトリプル製剤も使用可能であり、ICS量も必要量に応じて調整可能である。抗IL-4受容体α鎖抗体（デュピルマブ）は、医師の判断でICSを高用量に増量することが副作用などにより困難であるときに投与は可能である。

(4) 治療ステップ4（長期管理薬＋追加療法＋増悪治療薬）：ICS高用量とLABAに加えて、LAMA、LTRA、テオフィリン徐放製剤の複数を併用する。これらの薬剤を可能な限り投与した上でも、なお喘息コントロールが困難な難治症例では、抗IgE抗体製剤、抗IL-5抗体製剤、抗IL-5受容体α鎖抗体製剤、抗IL-4受容体α鎖抗体製剤の使用、あるいは気管支熱形成術（BT）の施行を検討する。

通年性アレルゲンに感作されていて、かつ血清総IgE値が治療標的範囲内（30〜1,500IU/mL）にある場合には、抗IgE抗体（オマリズマブ）の有用性が示されている[37〜39]（エビデ

ンス A）。投与後は 16 週時点で継続すべきか否かが判断できる。

　抗 IL-5 抗体薬には、中和抗体として作用する抗 IL-5 抗体（メポリズマブ）と ADCC 活性を有する受容体阻害薬である抗 IL-5 受容体 α 鎖抗体（ベンラリズマブ）があり、コントロール不良の重症好酸球性喘息に有効性が示されている。いずれの生物学的製剤も投与前の末梢血好酸球数が高いほど増悪抑制効果や FEV_1 改善効果が高く、特に末梢血好酸球数が高値の症例での有用性が高い[40〜45]（エビデンス A）。

　抗 IL-4 受容体 α 鎖抗体（デュピルマブ）は、呼吸機能（FEV_1）改善効果も示されており、特に末梢血好酸球数や呼気中一酸化窒素濃度（FeNO）の高い症例での有用性が高い[46〜48]（エビデンス B）。なお、上記の生物学的製剤は、他臓器疾患の適応が異なるため併存症を考慮した選択も重要である（第 7 章「種々の側面」参照）。

　BT は従来の薬物療法とは異なる呼吸器インターベンション治療法である。対象は 18 歳以上の重症喘息患者で、適応患者の選定は日本呼吸器学会専門医あるいは日本アレルギー学会専門医が行い、手技は日本呼吸器内視鏡学会気管支鏡専門医の指導の下で行う。BT の施行は 3 回の入院を要するが、重症増悪抑制効果と QOL 改善効果が認められ、有効例ではその効果は 10 年間持続する[49〜52]（エビデンス B）。

　経口ステロイド薬はさまざまな全身性の副作用を伴うため、短期間の間欠的な投与を原則として、可能な限り連用を回避する。具体的には、プレドニゾロン 0.5mg/kg 前後または同等量を短期間（通常 1 週間以内）投与するが、コントロール不十分で連用が必要な場合は、経口ステロイド薬（プレドニゾロン）を用いて維持量が最少量（5mg 程度）になるように 1 日 1 回ないし隔日に投与して生物学的製剤の使用を考慮する。

4）未治療患者における治療ステップの選択（表 6-7、表 6-8）

(1) 治療導入期（治療開始から 1〜4 週間まで）：症状が頻回ではない軽症例では ICS 単剤で治療してもよい。一方で、軽症〜中等症喘息に対して ICS 単剤で治療開始した場合に、速やかに十分な症状の改善が得られないことで通院治療を中断する症例もある。治療導入早期には抗炎症治療とともに気管支拡張薬で症状を改善させることが重要である。中用量 ICS/LABA は ICS 単剤と比べて、朝の PEF 値を早期に有意に改善し[53,54]、気道過敏性も有意に改善し[55,56]、安全性も同等である[57]。外来で管理可能な未治療の中等症〜重症喘息に対して ICS/LABA で治療導入した場合に、多くの症例で良好なコントロールを得ることができ、かつ短期間の OCS 併用群と比較して同等の臨床的ベネフィットが得られている[58]。中用量 ICS/LABA は全身性副作用の懸念も少なく、抗炎症効果と気管支拡張効果を併せ持つことで早期に症状の消失が期待できることから、未治療患者の治療導入に適していると言える。中用量 ICS/LABA による治療導入例と再評価の実際を図 6-2 に示す。未治療患者には、①初めて喘息と診断された患者と、②過去に喘息の診断があり治療を中断していた患者、の大きく 2 パターンがあり、いずれの場合でも表 6-7、表 6-8 に基づいて治療を決定するが、②の場合には以前の治療内容を参考に治療導入を開始してもよい。重症持続型相当で入院を考慮するような状態であれば短期間の OCS を併用した上で「高用量 ICS/LABA ±

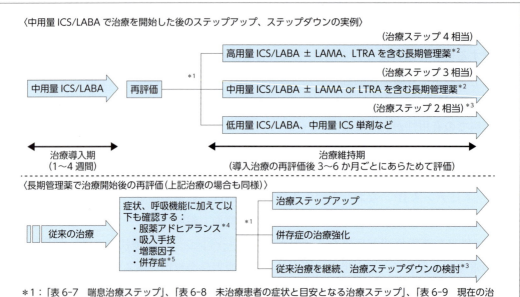

図6-2 中用量ICS/LABAによる治療導入例と再評価の実際

LAMA＋複数の長期管理薬の併用」から開始する選択もあり得る。アレルギー性鼻炎を合併する症例では、LTRAやヒスタミンH_1受容体拮抗薬や点鼻ステロイド薬などで鼻症状を改善することで喘息症状の改善が期待できる症例もある[59]。

(2) 治療導入後の再評価（治療開始から1〜4週以降）：表6-9に示したように症状を目安にして重症度を判定し、表6-7に準じた治療ステップでのコントロールを目指す。喘息症状を重症度判定の基本とするが、PEF値、FEV_1などの呼吸機能測定は重症度や治療効果判定の客観的把握に重要であり、5歳以上であれば多くは施行可能であるので積極的に行うべきである。

〈すでに長期管理薬で治療中の場合〉

吸入手技と服薬アドヒアランスについて再度確認する。その上で現在の治療ステップ下で症状が認められる場合には表6-9を参考に現時点での重症度を再評価し、適正な治療ステップを選択する。治療ステップ3以上の治療を数週間行ってもコントロールできない場合には専門医への紹介が推奨される。

喘息治療で重要なことは、コントロール良好状態を維持することである。一般的には、治療開始後1か月以内に症状、増悪治療薬の使用、活動制限、呼吸機能、増悪頻度などを評価し、コントロール状態を判定する（表6-6）。同時に吸入手技、服薬アドヒアランス、治療

表 6-9 現在の治療を考慮した喘息重症度の分類（成人）

現在の治療における患者の症状	現在の治療ステップ			
	治療ステップ1	治療ステップ2	治療ステップ3	治療ステップ4
コントロールされた状態[*1] ●症状を認めない ●夜間症状を認めない	軽症間欠型	軽症持続型	中等症持続型	重症持続型
軽症間欠型相当[*2] ●症状が週1回未満である ●症状は軽度で短い ●夜間症状は月に2回未満である ●日常生活は可能	軽症間欠型	軽症持続型	中等症持続型	重症持続型
軽症持続型相当[*3] ●症状が週1回以上、しかし毎日ではない ●症状が月1回以上で日常生活や睡眠が妨げられる ●夜間症状が月2回以上ある ●日常生活は可能だが一部制限される	軽症持続型	中等症持続型	重症持続型	重症持続型
中等症持続型相当[*3] ●症状が毎日ある ●SABAがほぼ毎日必要である ●週1回以上、日常生活や睡眠が妨げられる ●夜間症状が週1回以上ある ●日常生活は可能だが多くが制限される	中等症持続型	重症持続型	重症持続型	最重症持続型
重症持続型相当[*3] ●治療下でも増悪症状が毎日ある ●夜間症状がしばしばで睡眠が妨げられる ●日常生活が困難である	重症持続型	重症持続型	重症持続型	最重症持続型

＊1：コントロールされた状態が3～6か月以上維持されていれば、治療のステップダウンを考慮する。
＊2：各治療ステップにおける治療内容を強化する。
＊3：治療のアドヒアランスを確認し、必要に応じ是正して治療をステップアップする（詳細は本文参照）。

薬による副作用、患者の治療に対する理解と満足度を評価する。現在の治療ステップ下でのコントロール状態が良好でなければ、喘息症状が毎週ではない場合は同一治療ステップでの治療強化、症状が毎週あるいは毎日の場合（コントロール不十分またはコントロール不良）は、治療ステップの1段階あるいは2段階のステップアップという内容で治療方針を決定する（表6-7）。内服薬による長期管理薬の追加よりも、ICS/LABAにLAMAの追加による3剤吸入治療へのステップアップが有効な症例も存在する。

5）治療ステップダウンの考え方

〈治療ステップダウンの考え方〉（GINA2021[60]より引用、一部改変）

　喘息コントロール良好状態が3〜6か月間持続され、かつ、原則として呼吸機能（スパイロメトリー、PEFなど）が安定している場合には、コントロール状態が低下しない範囲内で治療のステップダウンを試みることができる。治療ステップダウンの目的は、最小限の薬剤で有効な治療法を患者ごとに見出すことであり、これにより症状や増悪を良好にコントロールするとともに治療費や副作用の可能性を最小化することが可能となり、さらに治療を自己中断することなくICSを含む長期管理薬を継続する動機付けにもつながることが期待できる。

　治療ステップダウンの具体的な方法や時期は患者ごとの治療内容、増悪因子の種類、薬剤に対する満足度などで異なり、最適な方法を推奨するにはエビデンスが乏しい[60]。現実的な方法としては、症状や増悪（軽度のものも含めて）を注意深く観察しながら、それらに影響がない範囲内で段階的に治療薬を減量していくことを試すことになる。

　以下の報告が参考になる。

- 過去12か月の喘息増悪歴や救急受診歴、FEV_1低値などは治療ステップダウン後の増悪リスクと関連している[61,62]。
- ステップダウン後の気道過敏性悪化や喀痰中好酸球比率の上昇もコントロール悪化と関連している[63]が、これらの専門的検査は日常臨床では困難である[60]。
- FeNO値だけでステップダウンの可否を決めることについてのエビデンスは現時点で不十分である[60]。
- ステップダウンの時期としては、ウイルス感染後、アレルギー性鼻炎の悪化時、旅行前、妊娠期などを避けるほうがよい[60]。
- LABAの中止は症状の悪化を招く可能性がある[64]。
- 3か月の間隔でICS量を25〜50％程度減量することは多くの患者で比較的安全に実施可能である[65]。
- ICSの完全な中止は増悪リスクの上昇と関連している[66]。

6）難治例への対応

　治療によっても良好なコントロールが得られない患者では、喘息の診断が正確であるか、喘息治療が適切に行われているか（薬剤選択、吸入手技、アドヒアランスなど）、合併症の診断と治療が適切に行われているか、増悪因子（喫煙、NSAIDsなど）が回避されているかなどを評価する[1]（表6-10、図6-3）。治療ステップ3以上の治療にもかかわらずコントロール不良である場合は専門医への紹介が推奨される。専門施設において、治療ステップ4の治療を行ってもコントロール不良の難治性喘息であることが確認されれば、生物学的製剤による治療の追加、あるいは気管支熱形成術（BT）の施行を検討する。各治療方法の選択は、個々の患者の病態を考慮して導入すべきであり、フローチャート（図6-4）に示すように、末梢血好酸球、FeNO、血清総IgE値などから2型炎症優位な病態と考えられれば生物学的

表6-10 難治例への対応—治療によっても良好なコントロールが得られない場合の評価項目

鑑別診断 (喘息の診断は正しいか)	・喘息と間違えやすい疾患が鑑別されているか？ 声帯機能不全（VCD）、気管支結核や肺癌による気道狭窄、気管軟化症、気管支拡張症、COPD、心不全、反復性誤嚥、アンジオテンシン変換酵素阻害薬など薬物による咳嗽など
薬物療法の確認 (服薬アドヒアランスや吸入手技)	・吸入手技や服薬回数などの用法に誤りがないか？ ・長期管理の必要性が理解され、服薬アドヒアランスが良好か？ ・重症度やコントロール状態に応じた用量で薬剤が選択されているか？
合併症の管理	・喘息の重症化と関連する合併症の診断と治療が適切に行われているか？ 鼻炎、慢性副鼻腔炎、COPD、胃食道逆流症、好酸球性多発血管炎性肉芽腫症、アレルギー性気管支肺真菌症、睡眠時無呼吸症候群、肥満、うつ病、不安症など
増悪因子の確認と排除	・増悪させ得る薬剤が服薬されていないか？ NSAIDs、β遮断薬など ・職場、学校および家庭における増悪因子は適切に回避・除去されているか？ 喫煙、ダニ・真菌・ペットなどの感作アレルゲンなど

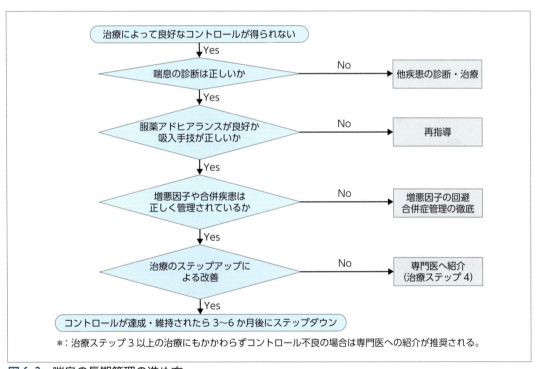

＊：治療ステップ3以上の治療にもかかわらずコントロール不良の場合は専門医への紹介が推奨される。

図6-3 喘息の長期管理の進め方

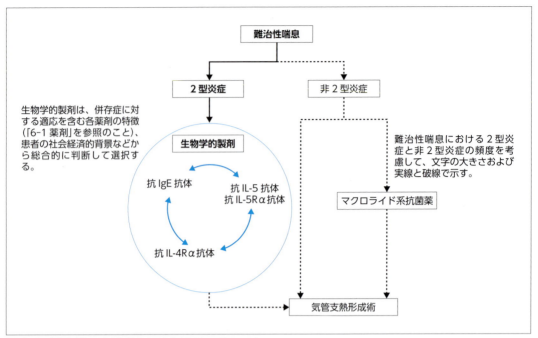

図 6-4 難治例への対応のためのフローチャート

製剤を選択する。生物学的製剤の選択法にあたっては、併存症への適応を含む各薬剤の特徴（表 6-2 参照）や患者の社会経済的背景から総合的に判断する。また、専門施設では BT を行うことが可能であり、BT による重症増悪の抑制や QOL の改善が示されている[67,68]（エビデンス B）。しかし、現時点では BT が有効な病態を示すバイオマーカーが明らかではないことから、生物学的製剤やマクロライド系抗菌薬の使用が優先される。

さらに、急性増悪時の対応も詳細に指導する必要がある。そのためには喘息日誌を用いて吸入手技と服薬量・時期を指導し、増悪時には速やかに救急時のマニュアルに従うように指示する。また、急性増悪時の連絡簿、訪れる救急病院診療部の所在を指示し、主治医でなくとも直ちに救急処置を行うことができるような「患者カード」などを持たせておくとよい。

AERD（NSAIDs 過敏喘息、N-ERD、アスピリン喘息）、好酸球性多発血管炎性肉芽腫症（eosinophilic granulomatosis with polyangiitis, EGPA）や他の全身性血管炎、アレルギー性気管支肺アスペルギルス症（allergic bronchopulmonary aspergillosis, ABPA）などの基礎疾患を有する場合には、継続的な全身性ステロイド薬や免疫抑制薬の投与を必要とする場合があるので、専門医への早めの紹介が推奨される。

[参考文献]

1) Reddel HK, Taylor DR, Bateman ED, et al. An official American Thoracic Society/European Respiratory Society Statement: asthma control and exacerbations. *Am J Respir Crit Care Med*. 2009; 180: 59-99.
2) Mukae H, Kaneko T, Obase Y, et al. JRS guidelines committee for the management of cough and sputum. *Respir Investig*. 2021; 25: S2212-5345(21)00032-0.

3) Al-Sawalha N, Pokkunuri I, Omoluabi O, et al. Epinephrine activation of the β_2-adrenoceptor is required for IL-13-induced mucin production in human bronchial epithelial cells. *PLoS One*. 2015; 10: e0132559.
4) Nguyen LP, Al-Sawalha NA, Parra S, et al. β_2-Adrenoceptor signaling in airway epithelial cells promotes eosinophilic inflammation, mucous metaplasia, and airway contractility. *Proc Natl Acad Sci U S A*. 2017; 114: E9163-E9171.
5) Quinton PM. Composition and control of secretions from tracheal bronchial submucosal glands. *Nature*. 1979; 279: 551-2.
6) Trout L, Townsley MI, Bowden AL, et al. Disruptive effects of anion secretion inhibitors on airway mucus morphology in isolated perfused pig lung. *J Physiol*. 2003; 549: 845-53.
7) Joo NS, Wu JV, Krouse ME, et al. Optical method for quantifying rates of mucus secretion from single submucosal glands. *Am J Physiol Lung Cell Mol Physiol*. 2001; 281: L458-68.
8) Tamada T, Sasaki T, Saitoh H, et al. A novel function of thyrotropin as a potentiator of electrolyte secretion from the tracheal gland. *Am J Respir Cell Mol Biol*. 2000; 22: 566-73.
9) Aritake H, Tamada T, Murakami K, et al. Effects of indacaterol on the LPS-evoked changes in fluid secretion rate and pH in swine tracheal membrane. *Pflugers Arch*. 2021; 473: 883-96.
10) Takemura H, Tamaoki J, Tagaya E, et al. Isoproterenol increases Cl diffusion potential difference of rabbit trachea through nitric oxide generation. *J Pharmacol Exp Ther*. 1995; 274: 584-8.
11) Stutts MJ, Canessa CM, Olsen JC, et al. CFTR as a cAMP-dependent regulator of sodium channels. *Science*. 1995; 269: 847-50.
12) McMahon DB, Carey RM, Kohanski MA, et al. Neuropeptide regulation of secretion and inflammation in human airway gland serous cells. *Eur Respir J*. 2020; 55: 1901386.
13) Pilewski JM, Frizzell RA. Role of CFTR in airway disease. *Physiol Rev*. 1999; 79: S215-55.
14) 玉田　勉, 佐々木司. 気道粘膜防御機構における気道粘膜下腺の役割. 日呼吸誌. 2001；39：157-65.
15) O'Byrne PM, Bisgaard H, Godard PP, et al. Budesonide/formoterol combination therapy as both maintenance and reliever medication in asthma. *Am J Respir Crit Care Med*. 2005; 171: 129-36.
16) Pauwels RA, Pedersen S, Busse WW, et al. Early intervention with budesonide in mild persistent asthma: a randomised, double-blind trial. *Lancet*. 2003; 361: 1071-6.
17) Adams NP, Bestall JB, Malouf R, et al. Inhaled beclomethasone versus placebo for chronic asthma. *Cochrane Database Syst Rev*. 2005; (1): CD002738.
18) Drazen JM, Israel E, O'Byrne PM. Treatment of asthma with drugs modifying the leukotriene pathway. *N Engl J Med*. 1999; 340: 197-206.
19) Bleecker ER, Welch MJ, Weinstein SF, et al. Low-dose inhaled fluticasone propionate versus oral zafirlukast in the treatment of persistent asthma. *J Allergy Clin Immunol*. 2000; 105(6 Pt 1): 1123-9.
20) Dahl R, Larsen BB, Venge P. Effect of long-term treatment with inhaled budesonide or theophylline on lung function, airway reactivity and asthma symptoms. *Respir Med*. 2002; 96: 432-8.
21) Sullivan P, Bekir S, Jaffar Z, et al. Anti-inflammatory effects of low-dose oral theophylline in atopic asthma. *Lancet*. 1994; 343: 1006-8.
22) Greening AP, Ind PW, Northfield M, et al. Added salmeterol versus higher-dose corticosteroid in asthma patients with symptoms on existing inhaled corticosteroid. Allen & Hanburys Limited UK Study Group. *Lancet*. 1994; 344: 219-24.
23) Lemanske RF Jr, Sorkness CA, Mauger EA, et al. Inhaled corticosteroid reduction and elimination in patients with persistent asthma receiving salmeterol: a randomized controlled trial. *JAMA*. 2001; 285: 2594-603.
24) Bateman ED, Boushey HA, Bousquet J, et al. Can guideline-defined asthma control be achieved? The Gaining Optimal Asthma ControL study. *Am J Respir Crit Care Med*. 2004; 170: 836-44.
25) Matsunaga K, Kawabata H, Hirano T, et al. Difference in time-course of improvement in asthma control measures between budesonide and budesonide/formoterol. *Pulm Pharamcol Ther*. 2013; 26: 189-94.

26) Barnes NC, Jacques L, Goldfrad C, et al. Initiation of maintenance treatment with salmeterol/fluticasone propionate 50/100μg bd versus fluticasone propionate 100μg bd alone in patients with persistent asthma: integrated analysis of four randomised trials. *Respir Med.* 2007; 101: 2358-65.

27) Paggiaro P, Halpin DM, Buhl R, et al. The Effect of Tiotropium in Symptomatic Asthma Despite Low- to Medium-Dose Inhaled Corticosteroids: A Randomized Controlled Trial. *J Allergy Clin Immunol Pract.* 2016; 4: 104-13.e2.

28) Vogelberg C, Engel M, Moroni-Zentgraf P, et al. Tiotropium in asthmatic adolescents symptomatic despite inhaled corticosteroids: a randomised dose-ranging study. *Respir Med.* 2014; 108: 1268-76.

29) Nelson HS, Busse WW, Kerwin E, et al. Fluticasone propionate/salmeterol combination provides more effective asthma control than low-dose inhaled corticosteroid plus montelukast. *J Allergy Clin Immunol.* 2000; 106: 1088-95.

30) Bjermer L, Bisgaard H, Bousquet J, et al. Montelukast and fluticasone compared with salmeterol and fluticasone in protecting against asthma exacerbation in adults: one year, double blind, randomised, comparative trial. *BMJ.* 2003; 327: 891.

31) Evans DJ, Taylor DA, Zetterstrom O, et al. A comparison of low-dose inhaled budesonide plus theophylline and high-dose inhaled budesonide for moderate asthma. *N Engl J Med.* 1997; 337: 1412-8.

32) Kerstjens HA, Engel M, Dahl R, et al. Tiotropium in asthma poorly controlled with standard combination therapy. *N Engl J Med.* 2012; 367: 1198-207.

33) Ohta K, Ichinose M, Tohda, Y, et al. Long-term once-daily tiotropium respimat® is well tolerated and maitains efficacy over 52 weeks in patients with symptomatic asthma in Japan: a randomised, placebo-controlled study. *PLoS One.* 2015; 10: e0124109.

34) Kerstjens HA, Casale TB, Bleeker ER, et al. Tiotropium or salmeterol as abb-on therapy to inhaled corticosteroids for patients with moderate symptomatic asthma: two replicate, double-blind, placebo-controlled, parallel-group, active-comparator, randomised trials. *Lancet Respir Med.* 2015; 3: 367-76.

35) Dal Negro RW, Borderias L, Zhang Q, et al. Rates of asthma attacks in patients with previously inadequately controlled mild asthma treated in clinical practice with combination drug therapy: an exploratory post-hoc analysis. *BMC Pulm Med.* 2009; 9: 10.

36) Vatrella A, Ponticiello A, Pelaia G, et al. Bronchodilating effects of salmeterol, theophylline and their combination in patients with moderate to severe asthma. *Pulm Pharmacol Ther.* 2005; 18: 89-92.

37) Humbert M, Beasley R, Ayres J, et al. Benefits of omalizumab as add-on therapy in patients with severe persistent asthma who are inadequately controlled despite best available therapy (GINA 2002 step 4 treatment): INNOVATE. *Allergy.* 2005; 60: 309-16.

38) Hanania NA, Wenzel S, Rosén K, et al. Exploring the effects of omalizumab in allergic asthma: an analysis of biomarkers in the EXTRA study. *Am J Respir Crit Care Med.* 2013; 187 804-11.

39) Adachi M, Kozawa M, Yoshisue H, et al. Real-world safety and efficacy of omalizumab in patients with severe allergic asthma: A long-term post-marketing study in Japan. *Respir Med.* 2018; 141: 56-63.

40) Ortega HG, Liu MC, Pavord ID, et al. Mepolizumab treatment in patients with severe eosinophilic asthma. *N Engl J Med.* 2014; 371: 1198-207.

41) Harrison T, Canonica GW, Chupp G, et al. Real-world mepolizumab in the prospective severe asthma REALITI-A study: initial analysis. *Eur Respir J.* 2020; 56: 2000151.

42) Ortega HG, Yancey SW, Mayer B, et al. Severe eosinophilic asthma treated with mepolizumab stratified by baseline eosinophil thresholds: a secondary analysis of the DREAM and MENSA studies. *Lancet Respir Med.* 2016; 4: 549-56.

43) FitzGerald JM, Bleecker ER, Nair P, et al. Benralizumab, an anti-interleukin-5 receptor alpha monoclonal antibody, as add-on treatment for patients with severe, uncontrolled, eosinophilic asthma (CALIMA): a randomised, double-blind, placebo-controlled phase 3 trial. *Lancet.* 2016; 388: 2128-41.

44) Nair P, Wenzel S, Rabe KF, et al. Oral Glucocorticoid-Sparing Effect of Benralizumab in Severe Asthma. *N Engl J Med.* 2017 376 2448-58.

45) Ohta K, Adachi M, Tohda Y, et al. Efficacy and safety of benralizumab in Japanese patients with severe, uncontrolled eosinophilic asthma. *Allergol Int.* 2018; 67: 266-72.
46) Rabe KF, Nair P, Brusselle G, et al. Efficacy and Safety of Dupilumab in Glucocorticoid-Dependent Severe Asthma. *N Engl J Med.* 2018; 378: 2475-85.
47) Castro M, Corren J, Pavord ID, et al. Dupilumab Efficacy and Safety in Moderate-to-Severe Uncontrolled Asthma. *N Engl J Med.* 2018; 78: 2486-96.
48) Dupin C, Belhadi D, Guilleminault L, et al. Effectiveness and safety of dupilumab for the treatment of severe asthma in a real-life French multi-centre adult cohort. *Clun Exp Allergy.* 2020; 50: 789-98.
49) Castro M, Corren J, Pavord ID, et al. Dupilumab Efficacy and Safety in Moderate-to-Severe Uncontrolled Asthma. *N Engl J Med.* 2018; 378: 2486-96.
50) Gibson PG, Yang IA, Upham JW, et al. Effect of azithromycin on asthma exacerbations and quality of life in adults with persistent uncontrolled asthma (AMAZES): a randomised, double-blind, placebo-controlled trial. *Lancet.* 2017; 390: 659-68.
51) Wechsler ME, Laviolette M, Rubin AS, et al.; AIR2 Trial Study Group. Bronchial thermoplasty: Long-term safety and effectiveness in patients with severe persistent asthma. *J Allergy Clin Immunol.* 2013; 132: 1295-302.
52) Chaudhuri R, Rubin A, Sumino K, et al. Safety and effectiveness of bronchial thermoplasty after 10 years in patients with persistent asthma (BT10+): a follow-up of three randomised controlled trials. *Lancet Respir Med.* 2021; 9: 457-66.
53) Zetterström O, Buhl R, Mellem H, et al. Improved asthma control with budesonide/formoterol in a single inhaler, compared with budesonide alone. *Eur Respir J.* 2001; 18: 262-8.
54) Kavuru M, Melamed J, Gross G, et al. Salmeterol and fluticasone propionate combined in a new powder inhalation device for the treatment of asthma: a randomized, double-blind, placebo-controlled trial. *J Allergy Clin Immunol.* 2000; 105 (6 Pt 1): 1108-16.
55) Lundbäck B, Rönmark E, Lindberg A, et al. Control of mild to moderate asthma over 1-year with the combination of salmeterol and fluticasone propionate. *Respir Med.* 2006; 100: 2-10.
56) Kelly MM, O'Connor TM, Leigh R, et al. Effects of budesonide and formoterol on allergen-induced airway responses, inflammation, and airway remodeling in asthma. *J Allergy Clin Immunol.* 2010; 125: 349-356.e13.
57) Janjua S, Schmidt S, Ferrer M, et al. Inhaled steroids with and without regular formoterol for asthma: serious adverse events. *Cochrane Database Syst Rev.* 2019; 9: CD006924.
58) Liang Y, Wang D, Hua D, et al. Short-term oral corticosteroids for initial treatment of moderate-to-severe persistent asthma: A double-blind, randomized, placebo-controlled trial. *Respir Med.* 2020; 172: 106126.
59) Yasuo M, Kitaguchi Y, Komatsu Y, et al. Self-assessment of Allergic Rhinitis and Asthma (SACRA) Questionnaire-based Allergic Rhinitis Treatment Improves Asthma Control in Asthmatic Patients with Allergic Rhinitis. *Intern Med.* 2017; 56: 31-9.
60) https://ginasthma.org/wp-content/uploads/2021/05/GINA-Main-Report-2021-V2-WMS.pdf
61) Usmani OS, Kemppinen A, Gardener E, et al. A randomized pragmatic trial of changing to and stepping down fluticasone/formoterol in asthma. *J Allergy Clin Immunol Pract.* 2017; 5: 1378-1387.e5.
62) DiMango E, Rogers L, Reibman J, et al. Risk factors for asthma exacerbation and treatment failure in adults and adolescents with well-controlled asthma during continuation and step-down therapy. *Ann Am Thorac Soc.* 2018; 15: 955-61.
63) Leuppi JD, Salome CM, Jenkins CR, et al. Predictive markers of asthma exacerbation during stepwise dose reduction of inhaled corticosteroids. *Am J Respir Crit Care Med.* 2001; 163: 406-12.
64) Ahmad S, Kew KM, Normansell R. Stopping long-acting beta2-agonists (LABA) for adults with asthma well controlled by LABA and inhaled corticosteroids. *Cochrane Database Syst Rev.* 2015; (6): CD011306.
65) Hagan JB, Samant SA, Volcheck GW, et al. The risk of asthma exacerbation after reducing inhaled

corticosteroids: a systematic review and meta-analysis of randomized controlled trials. *Allergy*. 2014; 69: 510-6.
66) Rank MA, Hagan JB, Park MA, et al. The risk of asthma exacerbation after stopping low-dose inhaled corticosteroids: a systematic review and meta-analysis of randomized controlled trials. *J Allergy Clin Immunol*. 2013; 131: 724-9.
67) Bleecker ER, FitzGerald JM, Chanez P, et al. Efficacy and safety of benralizumab for patients with severe asthma uncontrolled with high-dosage inhaled corticosteroids and long-acting $β_2$-agonists (SIROCCO): a randomised, multicentre, placebo-controlled phase 3 trial. *Lancet*. 2016; 388: 2115-27.
68) FitzGerald JM, Bleecker ER, Nair P, et al. Benralizumab, an anti-interleukin-5 receptor αmonoclonal antibody, as add-on treatment for patients with severe, uncontrolled, eosinophilic asthma (CALIMA): a randomised, double-blind, placebo-controlled phase 3 trial. *Lancet*. 2016; 388: 2128-41.

6-3　気管支熱形成術（bronchial thermoplasty, BT）

「気管支サーモプラスティ（気管支熱形成術，BT）」は、成人重症喘息患者を対象とする気管支内視鏡的治療法であり、米国 FDA が 2010 年に承認、わが国では 2015 年 4 月の保険収載以降、2021 年の段階で約 800 人に対して施行されている。

現在使用可能な治療モダリティでは喘息難治化の最大要因とされる気道リモデリングに対する効果は限定的であり、BT はその肥大した気道平滑筋を減量させる効果からリモデリングの改善・進行予防が期待される治療であり、有用性・安全性は 10 年間の長期に及ぶ[1]（エビデンス B）。臨床効果として既に確立されている増悪抑制、長期管理薬の減量や QOL の改善[2,3]（エビデンス B）以外にも、重症例での呼吸機能の改善、難治性咳嗽の改善も期待される[4]。近年、直接的な平滑筋に対する物理的作用以外の機序として、喀痰分泌の抑制[5]や denervation（除神経）よる神経軸索の減少[6]などに関する知見も集積されつつある。

GINA[7] など多くのガイドラインで BT は、生物学的製剤が適応とならない Th2 low の症例や、生物学的製剤で効果不十分な症例に対する治療オプションとされているが、BT による QOL などの改善効果は、末梢血好酸球や血清総 IgE 値が高値な群で有意に高いとする報告もある[8]。わが国では「適応の確認者は日本アレルギー学会または日本呼吸器学会の専門医で喘息の治療に関連する十分な知識と経験を有していること」、施術は「日本呼吸器内視鏡学会専門医の指導の下に手技に伴う合併症に対応できる施設において実施すること」とされ、正しい適応の判断と正確な技術による安全な施術が求められている。症例選択と適切な術前術後管理のために、さらなる症例の蓄積による有効性の評価が求められる。

[参考文献]

1) Chaudhuri R, Rubin A, Sumino K, et al. Safety and effectiveness of bronchial thermoplasty after 10 years in patients with persistent asthma (BT10+): a follow-up of three randomised controlled trials. *Lancet Respir Med*. 2021; 9: 457-66.
2) Castro M, Rubin AS, Laviolette M, et al. Effectiveness and safety of bronchial thermoplasty in the treatment of severe asthma: a multicenter, randomized, double-blind, sham-controlled clinical trial.

3) Wechsler ME, Laviolette M, Rubin AS, et al. Bronchial thermoplasty: Long-term safety and effectiveness in patients with severe persistent asthma. *J Allergy Clin Immunol*. 2013; 132: 1295-302.
4) Sugiyama H, Iikura M, Hojo M, et al. Treatment for intractable asthma; bronchial thermoplasty. *Glob Health Med*. 2019; 1: 95-100.
5) Haj Salem I, Gras D, Joubert P, et al. Persistent Reduction of Mucin Production after Bronchial Thermoplasty in Severe Asthma. *Am J Respir Crit Care Med*. 2019; 199: 536-8.
6) Pretolani M, Bergqvist A, Thabut G, et al. Effectiveness of bronchial thermoplasty in patients with severe refractory asthma: clinical and histopathologic correlations. *J Allergy Clin Immunol*. 2017; 139: 1176-85.
7) Global Initiative for Asthma (GINA). Global strategy for asthma management and prevention: NHLBI/WHO Workshop report: National Heart, Lung and Blood Institute. National Institutes of Health, updated 20 Dec 2020. Available from http://www.ginasthma.com/
8) Goorsenberg AWM, d'Hooghe JNS, Srikanthan K, et al. Bronchial Thermoplasty Induced Airway Smooth Muscle Reduction and Clinical Response in Severe Asthma. The TASMA Randomized Trial. *Am J Respir Crit Care Med*. 2021; 203: 175-84.

6-4 アレルゲン免疫療法

　アレルゲン免疫療法は、病因アレルゲンを投与していくことにより、アレルゲンに曝露された際に引き起こされる症状を緩和する治療法である。薬物療法と異なり、アレルギー病態の自然経過に対する修飾効果を期待して行う。すなわち、即効性を期待して行うものでないことを、治療者も患者も理解する必要がある。なお、減感作療法という表現が一部で残存しているが、国際的には使用されず、「allergen immunotherapy」の呼称が用いられている。

　本療法についての国際コンセンサス報告[1]では、軽症から中等症のアレルギー性喘息で、アレルギー性鼻炎合併例では効果的とされる。米国の喘息管理ガイドライン（2020 Focused Updates to the Asthma Management Guidelines）では、6段階の治療ステップ中のステップ2〜4（軽症〜中等症持続型相当）において、アレルギー性喘息では皮下注射法（subcutaneous immunotherapy, SCIT）で本療法を考慮するとされている[2]。一方、GINAにおいては、家塵ダニアレルギーが関与する鼻炎合併のある喘息で、ICSで十分なコントロールが得られないが%FEV_1が70％以上を示す症例で、ダニによる舌下免疫療法（sublingual immunotherapy, SLIT）を考慮するとされている[3]。治療期間はWHO見解書では3〜5年間を目安とされており[4]、最短でも3年間以上行う。

　本療法は、アレルギー疾患における唯一の原因特異的治療である。喘息におけるSCITは、臨床症状の改善、気道過敏性の改善、薬物減量などの効果を示す[5]。日本人でもダニSCITが治療ステップ改善効果をもたらすことが確認されている[6]。また、SCITはその後の新規アレルゲン感作の拡大を抑制すること、長期予後を改善させることなどが確認されている。ダニによる鼻・結膜炎合併例では鼻症状、眼症状も改善し、包括的な効果が期待できる。すなわち、患者のアレルギー病態の自然史を修飾する効果を示すことが、薬物とは大き

く異なる本療法の利点である。

　ダニでのSLITは、SCITと比較して臨床効果またはダニ特異的IgG$_4$産生が劣ると報告されている。一方で、SLITはアナフィラキシーなどの全身的副作用のリスクが少ない。ALK社製品を用いたダニSLITは、大規模臨床研究において、ICSでコントロール不十分な喘息患者でのQOLの改善、ICSの減量、さらにICS減量に伴う喘息増悪頻度の抑制などの効果が証明されている[7]。かかる抗喘息作用が証明されたこのSLIT製剤（商品名：ミティキュア）は、日本では本稿執筆時点でアレルギー性鼻炎のみに保険適用があり、鼻炎合併の喘息症例にのみ使用が考慮される。なお、ダニSLITではSCITと同様に新規のアレルゲン感作の拡大を阻止する作用を示すことなど、対症薬物療法とは異なる効果が確認されている。

　わが国の喘息でのアレルゲン免疫療法の主たる治療標的は家塵ダニである。

　ダニ感作がある軽症～中等症の持続型喘息で安定期の%FEV$_1$が70%以上である症例には純化ダニアレルゲンを用いたSCITを、また上記喘息に通年性アレルギー性鼻炎を合併する症例では、SCITもしくはALK社製剤によるSLITを考慮することを推奨する。

　本療法開始時には必ずダニ回避指導も十分に行う。治療開始は安定期とする。長期予後の改善を期待するものであり、成人では20～30歳代の場合に考慮される例が多い。心、肝、腎、甲状腺、自己免疫疾患などの合併例や、妊娠中での治療開始は除外される。感作動物を飼育中の患者では慎重に適応を判断し、喫煙者では禁煙後に考慮する。スギ感作例ではスギ花粉に対しても同時にSCITまたはSLITを行うことがある。スギSLITはスギ飛散時期における喘息増悪を抑制することが確認されている[8]。

　日本アレルギー学会からダニアレルギーならびにスギ花粉症におけるアレルゲン免疫療法の公式手引書[9,10]が発行されている。施行の実際についてはこれらを参照されたい。

[参考文献]

1) Jutel M, Agache I, Bonini S, et al. International consensus on allergy immunotherapy. *J Allergy Clin Immunol*. 2015; 136: 556-68.
2) Expert Panel Working Group of the National Heart, Lung, and Blood Institute (NHLBI) administered and coordinated National Asthma Education and Prevention Program Coordinating Committee (NAEPPCC), Cloutier MM, Baptist AP, Blake KV, et al. 2020 Focused Updates to the Asthma Management Guidelines: A Report from the National Asthma Education and Prevention Program Coordinating Committee Expert Panel Working Group. *J Allergy Clin Immunol*. 2020; 146: 1217-70.
3) GINA Executive Committee. Global Initiative for Asthma; Global Strategy for Asthma Management and Prevention. 2020. Available from: www.ginasthma.org
4) Bousquet J, Lockey RF, Malling HJ. WHO position paper. Allergen Immunotherapy: therapeutic vaccines for allergic disease. *Allergy*. 1998; 53(s44): 1-42.
5) Dhami S, Kakourou A, Asamoah F, et al. Allergen immunotherapy for allergic asthma: A systematic review and meta-analysis. *Allergy*. 2017; 72: 1825-48.
6) Uchida T, Nakagome K, Iemura H, et al. Clinical evaluation of rush immunotherapy using house dust mite allergen in Japanese asthmatics. *Asia Pac Allergy*. 2021; 11: e32.
7) Virchow JC, Backer V, Kuna P, et al. Efficacy of a House Dust Mite Sublingual Allergen Immunotherapy Tablet in Adults With Allergic Asthma: A Randomized Clinical Trial. *JAMA*. 2016; 315: 1715-25.

8) Kikkawa S, Nakagome K, Kobayashi T, et al. Sublingual Immunotherapy for Japanese Cedar Pollinosis Attenuates Asthma Exacerbation. *Allergy Asthma Immunol Res*. 2019; 11: 438-40.
9) 日本アレルギー学会「ダニアレルギーにおけるアレルゲン免疫療法の手引き」作成委員会：ダニアレルギーにおけるアレルゲン免疫療法の手引き（改訂版）．メディカルレビュー．東京．2018.
10) 日本アレルギー学会「スギ花粉症におけるアレルゲン免疫療法の手引き」作成委員会：スギ花粉症におけるアレルゲン免疫療法の手引き（改訂版）．メディカルレビュー．東京．2018.

6-5 急性増悪への対応（成人）

　喘息の「急性増悪」とは、「呼気流量の低下に起因する急性ないしは亜急性の喘息症状の増加」である。平常時に比べて明らかに息切れ、咳嗽、喘鳴、胸痛などの呼吸器症状が増強するとともに呼吸機能が低下し、治療の強化・変更をせざるを得ない状況を指し、重症やコントロール不良患者のみならず、軽症やコントロール良好の患者にも生じる。全身性ステロイド薬を要する状況はもちろん、SABA頓用吸入の回数が増加した場合も、軽度から中等度の急性増悪の状態と考えるべきである。

1）一般的な急性増悪の治療（救急外来患者の治療手順を含む）

　喘息患者において、アレルゲン曝露、気候変動、ウイルス感染により症状の発現、増悪がしばしば認められる。症状としては、喘鳴、咳嗽の発現、息苦しさ、喀痰の増加、労作時呼吸困難の悪化、胸苦しさなどの発現、増悪が認められるが、その症状の程度はさまざまである。喘息症状の悪化を自覚した場合に、家庭において何を行うか（次項「家庭での対応」）を患者に指導しておく必要があり、これをアクションプランと呼ぶ（図6-5）。アクションプランでは、考えられる症状とその対処法を指導するもので、個々の患者に記載して渡しておくことが望ましい。

　喘鳴、胸部絞扼感が発現した場合、家庭においては、早期にSABAの吸入を指示する。気道収縮はその機械的刺激のみでも気道リモデリングが進行することが報告されており[1]、早期に気道収縮を長時間解除することが望ましい。SABA吸入を1～2日行う場合あるいはSABAを吸入後1時間程度で効果が減弱する場合は予定外外来受診が必要であり、アクションプランに記載しておく必要がある。致死的な喘息増悪で入院した症例では、平均で1週間前から自覚症状が悪化するが、徐々に増悪する場合から1日で増悪する場合など、3つのクラスターが確認されており、個別の対応が必要である[2]。ICSのアドヒアランスのよくなかった患者における喘息増悪の場合は、SABA吸入と同時に指示量のICSを吸入することも、アクションプランに記載あるいは指導しておく。PEF値を測定している患者の場合には、症状が乏しくても、自己最良値に比べ20％以上の低下が2日以上続いた場合は、アクションプランに従って治療を増強する必要がある。

　BUD/FM配合剤が処方され、SMART療法が行われている患者は、SABAに代えて同配合剤を追加吸入できる。増悪治療薬と同時に長期管理薬が十分量入ることにより、気道炎症

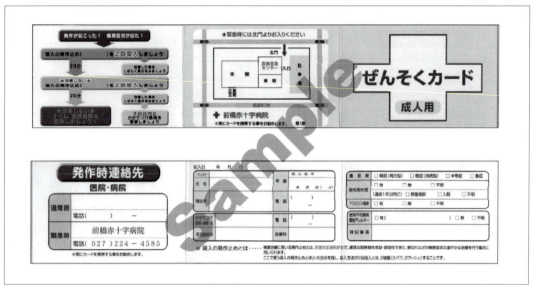

図 6-5　アクションプラン付きぜんそくカード

を抑制させるとされるが、2日以上 SMART 療法を行う必要がある場合は、SABA 使用頻度・使用期間増加の場合と同様に、予定外受診を行うことが必要である。喘息増悪時の初期治療として ICS 量を2倍に増量した場合、予後の改善と受診頻度の抑制が認められる。1週間程度の短期間の ICS 増量は長期管理薬としての有効性は示さないが、気道炎症が生じている場合に、特に低用量 ICS でコントロールされている喘息患者では ICS 増量が望ましい。

　アクションプランとして、次回外来受診時までの ICS 投与量の2〜4倍への増量を指示しておくことが考えられるが、2倍増では不十分であるとの報告もある。経口ステロイド薬の投与は気道炎症を改善させるが、必要量はプレドニン 0.5 mg/kg 程度である。プレドニゾロン 5 mg 程度の頓用が行われていることがあるが、その単回投与での有効性についてのエビデンスはない。前述の増悪治療薬の使用、長期管理薬の増量を行っても48時間以上改善が認められなかった場合は、予定外受診を行う必要がある[2]。

(1) 急性増悪状態の評価：病歴を聴取して増悪原因を判断する（**表 6-11**）。感染が疑われる場合は可能な限り胸部単純 X 線写真を撮影する。喀痰が採取できるようであれば、細菌検査を行う。特に高齢者は喘鳴が心原性のことや誤嚥性肺炎による可能性もあり、心電図検査や胸部単純 X 線撮影を行う。胸部聴診、バイタルサインをチェックし、検査可能な患者には呼吸機能検査あるいは PEF を測定し自己最良値と比較する。可能であれば血液検査を行い、好酸球数、好中球数をチェックし、CRP などの炎症反応を確認する。

(2) 急性増悪の治療（表 6-12、表 6-13）：急性増悪の状態で SpO_2 低下が認められた場合は酸素投与を行う。SpO_2 が 95％以上保たれている場合でも頻呼吸で辛うじて酸素レベルを保っている場合があり、その場合は早晩呼吸筋疲労から酸素の低下を生じる可能性があるので留意する。呼吸回数を把握して、頻呼吸で SpO_2 が維持されていると判断される場合は、1 L 程度の酸素投与を行い、可能であれば動脈血ガス分析を行う。SpO_2 が 95％前後を維持

表6-11 救急外来での問診で注意すべきポイント

- 発症の時間と増悪の原因
- これまでの服薬状況、最後に使用した薬剤とその時間、およびステロイド薬の使用
- これまでの喘息による入院の有無と救急外来の受診状況
- 喘息による呼吸不全や挿管の既往の有無
- 心肺疾患および合併症の有無（心不全、気胸、肺血栓塞栓症などは特に注意を要する）
- AERD（NSAIDs過敏喘息、N-ERD、アスピリン喘息）や薬物アレルギーの有無

表6-12 喘息増悪の強度と目安となる増悪治療ステップ

PEF値は、予測値または自己最良値との割合を示す。

増悪強度*	呼吸困難	動作	PEF	SpO₂	PaO₂	PaCO₂	増悪治療ステップ
喘鳴/胸苦しい	急ぐと苦しい 動くと苦しい	ほぼ普通	80%以上	96%以上	正常	45 Torr未満	増悪治療ステップ1
軽度（小発作）	苦しいが横になれる	やや困難					
中等度（中発作）	苦しくて横になれない	かなり困難 かろうじて歩ける	60〜80%	91〜95%	60 Torr超	45 Torr未満	増悪治療ステップ2
高度（大発作）	苦しくて動けない	歩行不能 会話困難	60%未満	90%以下	60 Torr以下	45 Torr以上	増悪治療ステップ3
重篤	呼吸減弱 チアノーゼ 呼吸停止	会話不能 体動不能 錯乱 意識障害 失禁	測定不能	90%以下	60 Torr以下	45 Torr以上	増悪治療ステップ4

＊：増悪強度は主に呼吸困難の程度で判定する（他の項目は参考事項とする）。異なる増悪強度の症状が混在する場合は強い方をとる。

できるように酸素流量を調節する。急性増悪で気道狭窄が生じると、吸気時間の減少と気道の不均一な狭窄から、必要な部位に有効量のSABAが供給されず、気道狭窄、喘鳴が改善しないことが考えられる。そのため、時間をかけてのネブライザーによるβ_2刺激薬吸入を行う場合がある。ネブライザーで吸入中に、動悸、倦怠感、手指振戦などの副作用が生じた場合は中止する。明らかな副作用がなく、有効性が認められれば反復投与は問題ない。

急性増悪時は、頻呼吸、経口摂取困難から脱水症を合併している場合があり、その兆候が認められる際は抗炎症治療と並行して脱水症に対する治療を行う。抗炎症治療は全身性ステロイド薬を投与する。ステロイド薬の種類や量は確立されていないが、わが国では次のように使用されることが多い。AERD（NSAIDs過敏喘息、N-ERD、アスピリン喘息）の存在を意識して治療する場合は、安全性の高いリン酸エステル製剤であるベタメタゾンとデキサ

表 6-13 喘息の増悪治療ステップ

治療目標：呼吸困難の消失、体動、睡眠正常、日常生活正常、PEF 値が予測値または自己最良値の 80％以上、酸素飽和度＞95％、平常服薬、吸入で喘息症状の悪化なし。

ステップアップの目安：治療目標が 1 時間以内に達成されなければステップアップを考慮する。

	治療	対応の目安
増悪治療ステップ 1	短時間作用性 β_2 刺激薬吸入[*2] ブデソニド/ホルモテロール吸入薬追加（SMART 療法施行時）	医師による指導のもとで自宅治療可
増悪治療ステップ 2	短時間作用性 β_2 刺激薬ネブライザー吸入反復[*3] ステロイド薬全身投与[*5] 酸素吸入（SpO$_2$ 95％前後） 短時間作用性抗コリン薬吸入併用可 （アミノフィリン点滴静注併用可[*4]）[*8] （0.1％アドレナリン（ボスミン）皮下注[*6] 使用可）[*8]	救急外来 ・2～4 時間で反応不十分 ┐入院治療 ・1～2 時間で反応なし　　┘ 入院治療：高度喘息症状として増悪治療ステップ 3 を施行
増悪治療ステップ 3	短時間作用性 β_2 刺激薬ネブライザー吸入反復[*3] 酸素吸入（SpO$_2$ 95％前後を目標） ステロイド薬全身投与[*5] 短時間作用性抗コリン薬吸入併用可 （アミノフィリン点滴静注併用可[*4]（持続静注[*7]））[*8] （0.1％アドレナリン（ボスミン）皮下注[*6] 使用可）[*8]	救急外来 1 時間以内に反応なければ入院治療 悪化すれば重篤症状の治療へ
増悪治療ステップ 4	上記治療継続 症状、呼吸機能悪化で挿管[*1] 酸素吸入にもかかわらず PaO$_2$ 50 Torr 以下 および/または意識障害を伴う急激な PaCO$_2$ の上昇 人工呼吸[*1]、気管支洗浄を考慮 全身麻酔（イソフルラン、セボフルランなどによる）を考慮	直ちに入院、ICU 管理[*1]

* 1：ICU または、気管挿管、補助呼吸などの処置ができ、血圧、心電図、パルスオキシメータによる継続的モニターが可能な病室。気管内挿管、人工呼吸装置の装着は、緊急処置としてやむを得ない場合以外は複数の経験のある専門医により行われることが望ましい。
* 2：短時間作用性 β_2 刺激薬 pMDI の場合：1～2 パフ、20 分おき 2 回反復可。
* 3：短時間作用性 β_2 刺激薬ネブライザー吸入：20～30 分おきに反復する。脈拍を 130/分以下に保つようにモニターする。なお、COVID-19 流行時には推奨されず、代わりに短時間作用性 β_2 刺激薬 pMDI（スペーサー併用可）に変更する。
* 4：本文参照：アミノフィリン 125～250 mg を補液薬 200～250 mL に入れ、1 時間程度で点滴投与する。副作用（頭痛、吐き気、動悸、期外収縮など）の出現で中止。増悪前にテオフィリン薬が投与されている場合は、半量もしくはそれ以下に減量する。可能な限り血中濃度を測定しながら投与する。
* 5：ステロイド薬点滴静注：ベタメタゾン 4～8 mg あるいはデキサメタゾン 6.6～9.9 mg を必要に応じて 6 時間ごとに点滴静注。AERD（NSAIDs 過敏喘息、N-ERD、アスピリン喘息）の可能性がないことが判明している場合、ヒドロコルチゾン 200～500 mg、メチルプレドニゾロン 40～125 mg を点滴静注してもよい。以後ヒドロコルチゾン 100～200 mg またはメチルプレドニゾロン 40～80 mg を必要に応じて 4～6 時間ごとに、またはプレドニゾロン 0.5 mg/kg/日、経口。
* 6：0.1％アドレナリン（ボスミン）：0.1～0.3 mL 皮下注射 20～30 分間隔で反復可。原則として脈拍は 130/分以下に保つようにモニターすることが望ましい。虚血性心疾患、緑内障［開放隅角（単性）緑内障は可］、甲状腺機能亢進症では禁忌、高血圧の存在下では血圧、心電図モニターが必要。
* 7：アミノフィリン持続点滴時は、最初の点滴（*6 参照）後の持続点滴はアミノフィリン 125～250 mg を 5～7 時間で点滴し、血中テオフィリン濃度が 8～20 μg/mL になるように血中濃度をモニターして中毒症状の発現で中止する。
* 8：アミノフィリン、アドレナリンの使用法、副作用、個々の患者での副作用歴を熟知している場合には使用可。

メタゾンを用い、投与量はベタメタゾン 4〜8 mg、デキサメタゾン 6.6〜9.9 mg である。しかし、これらの薬剤にはパラベン、安息香酸や亜硫酸塩などの添加物入っており、それらによる副作用の可能性があるため 30 分かけて点滴する。コハク酸エステル製剤である水溶性プレドニゾロン、メチルプレドニゾロンやヒドロコルチゾンは、AERD（NSAIDs 過敏喘息、N-ERD、アスピリン喘息）や薬剤アレルギーの既往のある場合は避ける。急速静注と筋注は禁忌であり、投与量はメチルプレドニゾロンで 40〜125 mg、ヒドロコルチゾンで 200〜500 mg で 30 分から 2 時間かけてゆっくり点滴する。

全身性ステロイド薬の抗炎症効果により気道狭窄、気道浮腫が改善するまでには 4 時間程度を要するとされることに対しテオフィリン製剤の併用が有効との報告がある[3]。メタ解析では増悪時の併用は有効性を示さなかったとして、アミノフィリン併用は推奨されていないが[4]、増悪時のアミノフィリン併用は有効性報告を考慮して可能とする。

アミノフィリン 250 mg（テオフィリンとして約 200 mg）を 1 時間で点滴投与するとその血中濃度は約 8 μg/mL 上昇する[5]。わが国の喘息患者で長期管理薬としてテオフィリン徐放製剤を 400 mg/日内服している場合の平均血中濃度は 10 μg/mL 前後であり、その場合に前述の点滴投与後のテオフィリン血中濃度は最高 18 μg/mL 前後となる可能性が高い。テオフィリンの中毒域から考えると、投与前に内服していない患者の場合は、その気管支拡張効果と抗炎症作用から、全身性ステロイド薬との併用は妥当であり、安全性の問題も少ないと考えられる。投与前に経口テオフィリン薬の有無を確認する必要があり、すでに投与中の患者で使用する場合には初回投与量はアミノフィリン 125 mg 程度までとして、かつ副作用には十分に注意する。テオフィリン血中濃度が中毒域に達していなくても、動悸、嘔気を訴えた場合は速やかに中止する。

2）家庭での対応

喘息症状には、わずかな喘鳴/胸苦しさから、歩行不能、会話不能の高度・重篤症状まで、重症度の広範なばらつきがある。したがって、医師は個々の患者に対して、急性増悪の重症度別にどのように対処するか指示を与えておく。この際、口頭で伝えるのでは不十分であり、具体的な指示を書いた自己管理計画書（アクションプラン）（図 6-5）を渡すことが勧められる[6]。喘鳴/胸苦しさのみから中等度（苦しくて横になれない）までの喘息症状の出現に際しては、まず SABA（pMDI）で 1〜2 パフを吸入し、効果が不十分であれば 1 時間まで 20 分おきに吸入を繰り返し、以後は 1 時間に 1 回を目安に吸入する。また、ブデソニド/ホルモテロール吸入薬による SMART 療法を実施中の患者では、増悪症状出現時に 1 吸入、数分間経過しても増悪症状が持続する場合には、さらに追加で 1 吸入する。これらの対応で経過を観察して、症状の消失（PEF が予測値または自己最良値の 80％以上を目安）が認められ、また薬剤の効果が 3〜4 時間持続する場合は、そのまま自宅治療とする。しかし、これらの治療で効果がなく症状が持続し、かつ下記の目安（表 6-14）があれば、経口ステロイド薬（プレドニゾロン 15〜30 mg 相当）を内服の上で、直ちに救急外来を受診するように指導する。

表 6-14 救急外来受診の目安

- 中等度（苦しくて横になれない）以上の喘息症状のとき。
- β_2 刺激薬の吸入を 1〜2 時間おきに必要とするとき。
- 症状が悪化していくとき。

3）救急室から帰宅させる場合の留意点

　治療によって自覚症状および気道狭窄が改善（%PEF が予測値または自己最良値の 80% 以上を目安）して、1 時間安定していれば帰宅可能である。

　帰宅に際しての留意点を表 6-15 に示す。ステロイド治療は再増悪や入院を減らす（エビデンス A）[7]ことから、増悪治療ステップ 2 以上の場合にはプレドニゾロン 0.5 mg/kg/日、5 日間程度の内服治療を検討する。

　症状が改善しても再び増悪する危険性があることを説明し、安静の上で治療を継続するように指導する。また、症状が悪化して改善が得られない場合は、救急外来などを再度受診するよう書面など用いて説明する。急性増悪後は長期管理薬の見直しや自己管理教育の重要な機会である。治療のステップアップを前提にかかりつけ医ないしは専門医への診療情報提供を行う（6-8「医療連携」参照）。

4）入院治療の適応

　治療開始から数時間以内に症状の改善が認められない患者に対しては入院を考慮する。表 6-16 に該当する患者についても入院治療の対象となる。鎮静薬の使用は呼吸状態の悪化を

表 6-15 帰宅時の留意点

- 増悪の原因を確認して，その回避と，喫煙者では禁煙を指導する。
- 増悪時の患者，家族の対応（悪化徴候の認識・初期対応・医療機関へのアクセスなど）に関して問題がなかったかどうかを確認し，必要に応じて指導する。
- 長期管理薬の使用が適切であったか（アドヒアランス，吸入手技など）を見直して，継続の必要性を説明する。
- 3〜5 日分の増悪治療薬（気管支拡張薬、経口ステロイド薬など）の処方を行う。
- 早期にかかりつけ医または喘息を専門とする医師を受診し、治療を継続するよう指導する。

表 6-16 入院治療の適応

- 中等度の症状（増悪治療ステップ 2）で 2〜4 時間の治療で反応不十分あるいは 1〜2 時間の治療で反応がない。
- 高度の症状（増悪治療ステップ 3）で 1 時間以内に治療に反応がない。
- 入院を必要とした重症喘息増悪の既往がある。
- 長期間（数日間〜1 週間）にわたり増悪症状が続いている。
- 肺炎，無気肺，気胸などの合併症がある。
- 精神障害が認められる場合や意思疎通が不十分と認められる。
- 交通などの問題で医療機関を受診することが困難と認められる。

来す可能性があり、回避すべきである。重篤症状（**表6-12**）を呈している場合はICU管理を前提に直ちに入院させて強力な治療を行う。

5）ICU管理の適応

ICU管理が望ましい場合を**表6-17**に示す。酸素吸入、SABA吸入、ボスミン（0.1％アドレナリン）皮下注、補助換気などの初期治療を行いながら速やかに移送を行う。

6）退院の条件

退院前の12時間ないし24時間以上、退院処方で治療悪化のないことを確認する。**表6-18**ならびに**表6-15**に挙げる条件も参考にする。

入院を要する高度の増悪の経験者は喘息死の危険性がより高いことを患者に理解させ、退院後も指導を徹底することが重要である。増悪症状を繰り返す場合は心理・社会的要因の関与も考慮し、専門医と連携し適切に対処する。

7）増悪治療薬

(1) SABA：SABAは、増悪治療の第1選択薬である。携帯用pMDI（スペーサー併用可）で1回1〜2パフを前述のように一定時間ごとに反復投与する。ネブライザーによる吸入も効果的で、酸素吸入に連動させて持続的に吸入させることができる。ブデソニド/ホルモテロール配合剤が処方され、SMART療法が行われている患者は、SABAに代えて同配合剤を追加吸入する。

(2) 副腎皮質ステロイド（ステロイド薬）：点滴静注は、AERD（NSAIDs過敏喘息、N-ERD、アスピリン喘息）や疑いの場合はベタメタゾンまたはデキサメタゾンが比較的安全で、AERDが否定される場合には、メチルプレドニゾロンやヒドロコルチゾンを**表6-13**の記載に準じて行う。経口ステロイド薬については、増悪治療ステップ2以上の場合に、short burstとしてプレドニゾロン 0.5 mg/kg/日、5日間程度の内服治療を検討する[8]（エビ

表6-17 ICU管理の適応

- 重篤な増悪症状または増悪治療ステップ4へのステップアップを要する。
- 救急室での初期治療で反応がない。
- 混迷，朦朧（もうろう）状態など呼吸停止や意識喪失などの危険を示す症状がある。
- 高度の呼吸不全を呈し呼吸停止の可能性が危惧される状態。

表6-18 退院の条件

- PaO_2 が正常値である。
- 身体所見に（ほとんど）異常がない。
- 歩行時の息切れがない。
- 夜間，早朝の増悪で目を覚まさない。
- 短時間作用性吸入β_2刺激薬（SABA）を4時間以内の間隔で必要としない。
- 退院時処方薬（吸入器など）を適切に実施できる。
- 症状の自己評価と自己管理が実施できる（自己管理計画書；アクションプランの作成）。
- PEF値はできれば予測値の80％以上，日内変動も20％未満を目安とする。

デンス D）。

(3) SAMA：急性増悪時には、SABA に SAMA（イプラトロピウム pMDI）を加えると、SABA 単独よりも気管支拡張効果が増強され、重症急性増悪における症状および呼吸機能の改善や入院率の低下をもたらすと報告されている[9]（エビデンス A）。また、SABA による初期治療で反応が得られない場合にも追加を検討する。SABA の副作用が問題になる患者にも有用である。

(4) テオフィリン薬：気管支拡張に有効な血中濃度（成人で 5〜15 μg/mL）と副作用の出現する目安になる血中濃度が近いため、欧米では使用されない傾向にあるが、わが国ではテオフィリン製剤の併用が広く行われている。呼吸中枢や呼吸筋の刺激作用も有すると考えられている。薬物効果の発現および薬物動態には、個人差があるため、薬物血中濃度を測定しながら用いるのがよい。

［参考文献］

1) Grainge CL, Lau LCK, Ward JK, et al. Effect of bronchoconstriction on airway remodeling in asthma. *N Engl J Med*. 2011; 364: 2006-15.
2) Tanaka H, Nakatani E, Fukutomi Y, et al. Identification of patterns of factors preceding severe or life-threatening asthma exacerbations in a nationwide study. *Allergy*. 2018; 73: 1110-8.
3) Ohta K, Nakagome K, Akiyama K, et al. Aminophylline is effective on acute exacerbations of asthma in adults -- objective improvements in peak flow, spirogram, arterial blood gas measurements and lung sounds. *Clin Exp Allergy*. 1996; 26: 32-7.
4) Nair P, Milan SJ, Rowe BH. Addition of intravenous aminophylline to inhaled beta(2)-agonisits in adult with acute asthma. *Cochrane Database Syst Rev*. 2012; 12(12): CD002742.
5) Kato M, Tatsuta H, Okada K, et al. Comparative effect of theophylline and aminophylline on theophylline blood concentrations and peripheral blood eosinophils in patients with asthma. *Drugs Exp Clin Res*. 2001; 27: 83-8.
6) Gibson PG, Powell H, Coughlan J, et al. Self-management education and regular practitioner review for adults with asthma. *Cochrane Database Syst Rev*. 2003; (1): CD001117.
7) Rowe BH, Spooner CH, Ducharme FM, et al. Corticosteroids for preventing relapse following acute exacerbations of asthma. *Cochrane Database Syst Rev*. 2007; (3): CD000195.
8) 金廣有彦, 熱田 了, 金子教宏, 他. 喘息治療の専門医の治療指示実態調査. 免疫・アレルギー 2012; 19: 96-106.
9) Kirkland SW, Vandenberghe C, Voaklander B, et al. Combined inhaled beta-agonist and anticholinergic agents for emergency management in adults with asthma. *Cochrane Database Syst Rev*. 2017; 1(1): CD001284.

6-6　小児喘息の長期管理に関する薬物療法

1）長期管理の目標と実践：薬物療法の位置づけ

小児喘息においても長期管理の目標は、薬物療法による副作用を最小限に留めて基本病態である気道炎症を抑制し、かつ気流制限を軽減することで、無症状状態の維持、呼吸機能や気道過敏性の正常化、QOL の改善を図り、最終的には寛解・治癒を目指すことである。小

表6-19 小児喘息の治療目標

最終的には寛解・治癒を目指すが、日常の治療の目標を以下に示す

症状のコントロール
・短時間作用性 β_2 刺激薬の頓用が減少、または必要がない
・昼夜を通じて症状がない

呼吸機能の正常化
・ピークフロー（PEF）やスパイロメトリーがほぼ正常で安定している
・気道過敏性が改善し、運動や冷気などによる症状誘発がない

QOLの改善
・スポーツも含めて日常生活を普通に行うことができる
・治療薬による副作用がない

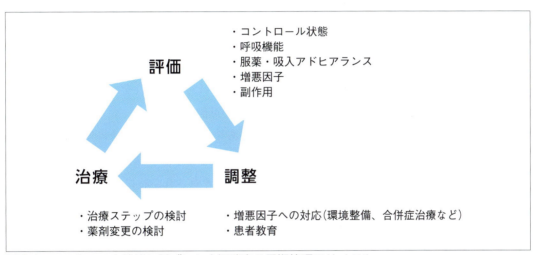

図 6-6 コントロール状態に基づいた小児喘息の長期管理のサイクル

児喘息の長期管理は、表6-19に提示した目標をもとにして評価・調整・治療のサイクルを基本として行う（図6-6）。

2）小児喘息の長期管理に用いられる薬剤

(1) **吸入ステロイド薬（ICS）**：フルチカゾンプロピオン酸エステル（FP）、ベクロメタゾンプロピオン酸エステル（BDP）、ブデソニド（BUD）、シクレソニド（CIC）に保険適用がある。小児特有の副作用として身長抑制があり、メタ解析の結果、使用開始後1年間で0.48cm程度の成長抑制が生じ、成人期では1.2cm程度が抑制されたとの報告があるため適切な使用を心がける[1]。

(2) **吸入ステロイド薬/長時間作用性吸入 β_2 刺激薬（LABA）配合剤**：フルチカゾン（FP）/サルメテロール（SLM）配合剤（SFC）とフルチカゾン（FP）/ホルモテロール（FM）配合剤（FFC）が5歳以上の小児に適用がある。ICS/LABAの長期間使用の安全性のデータは乏しく、漫然と使用せずに、ICS単独への切り替えを考慮する。

(3) **ロイコトリエン受容体拮抗薬（LTRA）**：プランルカスト水和物とモンテルカストナトリウムに保険適用がある。学童期の軽症例では、モンテルカストはICSとほぼ同等の効果を示す[2,3]。ウイルス感染による喘鳴に対して、経口ステロイド薬、救急外来受診や入院回数などを減らす効果はない[4]。

(4) **LTRA以外の抗アレルギー薬**：クロモグリク酸ナトリウム（DSCG）やTh2サイトカイン阻害薬、テオフィリン徐放製剤などがある。テオフィリンは有効安全域が狭いので、血中濃度のモニタリングが必要である。小児におけるテオフィリンの副作用は、悪心・嘔吐が最も多く、興奮、食欲不振、下痢および不眠なども報告されている。血中濃度上昇により頻脈や不整脈が誘発され、さらに高濃度では痙攣重積で死に至ることがある。テオフィリン使用中の痙攣は5歳以下に多い[5]。

(5) **生物学的製剤**

抗IgE抗体（オマリズマブ）、抗IL-5抗体（メポリズマブ）、抗IL-4/IL-13受容体抗体（デュピルマブ）の3製剤に小児適用がある。いずれも在宅自己注射管理料の対象製剤である。

①**抗IgE抗体（オマリズマブ）**：6歳以上に適用があり、高用量ICSおよび複数の喘息治療薬を併用しても症状が安定せず、通年性吸入アレルゲンに対して陽性を示し、体重および初回投与前の血清総IgE値が基準を満たす場合に使用が可能となる。

②**抗IL-5抗体（メポリズマブ）**：6歳以上に適用があり、高用量ICSとその他の長期管理薬を併用しても、全身性ステロイド薬の投与などが必要な急性増悪（発作）を来す患者や血清総IgE値が高くオマリズマブの適応とならない患者に考慮され、特に末梢血好酸球数の増加例で急性増悪（発作）の頻度抑制や経口ステロイド薬の減量効果が認められている。

③**抗IL-4/IL-13受容体抗体（デュピルマブ）**：12歳以上で、中用量または高用量のICSとその他の長期管理薬を併用しても全身性ステロイド薬の投与などが必要な急性増悪を来す患者に保険適用がある。

3）短期追加治療に用いられる薬剤（LABA以外の長時間作用性β_2刺激薬）

ツロブテロール貼付薬は、皮膚に貼付後24時間血中濃度が維持される。経口薬は血中半減期がサルブタモール硫酸塩（1.5～2時間）などの短時間作用性に比べて長い製剤が長時間作用性と称されており、プロカテロール塩酸塩水和物、クレンブテロール塩酸塩、ツロブテロール塩酸塩がある。いずれも、長期間使用の安全性は十分な検討がなされていない。

4）小児喘息の長期管理における薬物療法の進め方

(1) **長期管理における薬物療法開始時の重症度評価と治療開始ステップ**

未治療の場合は、急性増悪の頻度と症状の程度を参考に重症度を判定（表6-20）し、該当する治療ステップの基本治療から開始する。開始後はコントロール状態ならびに喘息の増悪因子を評価し、良好なコントロール状態を維持できるようにする。

(2) **長期管理中のコントロール状態、増悪因子や副作用の評価**（表6-21、表6-22）

コントロール状態は、表6-21を参考として評価する。また、コントロール状態の評価には、JPAC（乳幼児用：生後6か月～4歳未満と小児用：4～15歳）、Best ACT-P（6歳未

表 6-20 長期管理薬未使用患者の重症度評価と治療ステップの目安

重症度	間欠型	軽症持続型	中等症持続型	重症持続型
症状の頻度と程度	軽い症状（数回/年） 短時間作用性 β_2 刺激薬頓用で短期間に改善する	1回/月以上 時に呼吸困難。日常生活障害は少ない	1回/週以上 時に中・大発作となり日常生活が障害される	毎日 週に1〜2回中・大発作となり日常生活が障害される
開始する治療ステップ	治療ステップ1	治療ステップ2	治療ステップ3	治療ステップ4

表 6-21 喘息の長期管理の評価ステップ

1. コントロール状態の評価（最近1か月の状態で評価）

最近1か月の状態で評価

軽微な症状[*1]	□ なし	□ 月1回以上	□ 週1回以上
明らかな急性増悪（発作）	□ なし		□ 月1回以上
日常生活の制限[*2]	□ なし	□ 軽微にあり	□ 月1回以上
β_2 刺激薬の使用	□ なし	□ 月1回以上	□ 週1回以上

[*1]：運動や大笑い、啼泣後に一過性に認められる咳や喘鳴、夜間の咳込みなど
[*2]：夜間の覚醒、運動ができないなど

	すべて該当する	上記に一つ以上該当ありかつ、不良に該当がない	一つ以上該当あり
コントロール状態	良好	比較的良好	不良

2. 増悪因子の評価、診断の再評価

表 6-22 を参考に増悪因子の有無について評価を行う
コントロール状態「不良」の場合は診断の再評価を考慮

3. 治療の再評価

コントロール状態　**良好**

増悪因子　あり → 増悪因子への対応・患者教育を実施して　現在の治療継続
　　　　　なし → 3か月以上、安定が維持できていれば　ステップダウンを検討

コントロール状態　**比較的良好**　**不良**

増悪因子　あり → 増悪因子への対応・患者教育を実施して
　　　　　　　　　・改善の見込みがある場合は　治療継続
　　　　　　　　　・改善の見込みがない場合は　追加治療 or ステップアップを検討
　　　　　なし → 追加治療 or ステップアップを検討

表 6-22 喘息の増悪因子と対応

	増悪因子	対応
患者・家族因子[*1]	服薬・吸入アドヒアランスの不良 不適切な吸入手技	患者教育
個体因子	合併症[*2]（アレルギー性鼻炎、副鼻腔炎、胃食道逆流症など）	合併症治療。ダニによるアレルギー性鼻炎の場合はアレルゲン免疫療法（SCITおよびSLIT）を考慮
	肥満	体重の減量を指導
	発達障がい	患者教育、特に個別性に応じた教育が必要
	心因（ストレス）	心理的因子の解消、適切な心理療法
環境因子[*3]	ダニ	環境整備、アレルゲン免疫療法
	受動喫煙 ペット飼育	環境整備、喫煙者に対する禁煙指導、アレルゲン曝露の回避
	気象、花粉	ステップダウンの時期が症状増悪の季節と一致する場合は現行治療の継続を考慮 スギ花粉症の場合は、アレルゲン免疫療法（SLIT）を考慮
	呼吸器感染症	（可能な場合）感染症に対してワクチン接種を含めた予防や治療
呼吸機能[*4]	ピークフロー（PEF）の日内変動が20％以上、あるいは自己最良値の80％以下であるときフローボリューム曲線測定による1秒量（FEV_1）が予測値の80％以下、$β_2$刺激薬吸入に対する反応性が12％以上ある場合	ステップダウンの際はより慎重に行う
既往	最近1年間における、大発作以上の急性増悪の既往 過去に人工呼吸管理などの集中治療を要した治療の既往	ステップダウンの際はより慎重に行う
その他	イベント（受験、登山、マラソン大会など）	ステップダウンの時期がイベント直前の場合は現行治療の継続を考慮

詳細は JPGL2020 の各章を参照：*1：第6章、*2：第11章、*3：第4章、*4：第5章

満）、C-ACT（4～11歳）、ACT（12歳以上）[6~10]などの質問票や喘息日誌も有用である。呼吸機能検査も参考とする。FeNOを加えた評価も有用[11]だが、FeNOはさまざまな状況に影響を受けるため、その判断には十分に注意する。長期管理開始後は、コントロール状態に加えて、表 6-22 にある増悪因子、薬の副反応の有無を定期的に評価して、合併症治療、環境整備、患者教育などの対応を行う。

(3) 小児喘息の長期管理の考え方（図 6-7）

①基本治療：重症度に応じた各治療ステップの主たる治療であり、この治療でコントロール状態が良好となった場合には同治療を継続する。

②追加治療：基本治療でコントロール状態が改善したものの、良好なコントロール状態に至

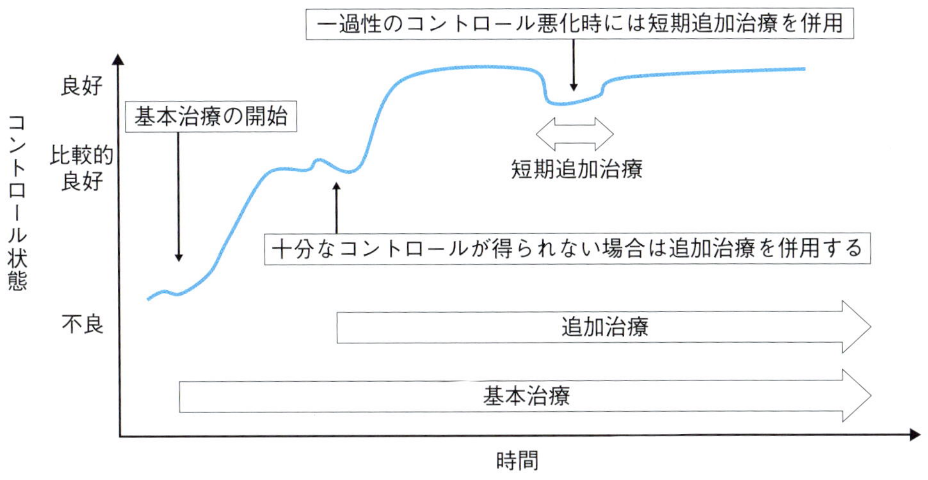

```
┌─────────────────────────────────────────────────────────────────┐
│                    ┌─────────────────────────────────┐          │
│                    │ 一過性のコントロール悪化時には短期追加治療を併用 │          │
│                    └─────────────────────────────────┘          │
│      良好                              ↓                         │
│   コ                ┌──────────┐        ～                       │
│   ン  比較的        │基本治療の開始│   ／       ＜─＞                │
│   ト  良好          └──────────┘  ／       短期追加治療            │
│   ロ             ／                                              │
│   ー             ┌──────────────────────────────┐               │
│   ル             │十分なコントロールが得られない場合は追加治療を併用する│               │
│   状             └──────────────────────────────┘               │
│   態  不良  ／                                                   │
│                      ┌──────────────────────→                   │
│                      │       追加治療                             │
│                 ┌──────────────────────────→                    │
│                 │         基本治療                                │
│                              時間                                │
└─────────────────────────────────────────────────────────────────┘

※追加治療：基本治療によってコントロール状態が改善したものの十分なコントロールが得られない場合に1か月以上の継続治療として考慮する治療。追加治療でも十分なコントロールが得られない場合はステップアップを行う。

※短期追加治療：明らかな急性増悪の所見はないが、運動、啼泣の後や起床時などに認められる一過性の咳嗽、覚醒するほどではない夜間の咳き込み、ピークフローモニタリングにおける日内変動の増加や自己最良値からの低下などが認められるときに併用し、コントロール状態が改善したら速やかに中止する。2週間以上必要である場合には追加治療やステップアップを行う。

**図6-7　長期管理における薬物療法の流れ**

らない場合に1か月以上の継続治療として併用する治療である。

③**短期追加治療**：感冒や季節性変化などで一過性にコントロール状態が悪化した場合に追加する治療である。明らかな急性増悪には至らないが、運動後や起床時などの一過性咳嗽、覚醒するほどではない夜間の咳き込み、PEFの低下や日内変動の増加などが認められるときに併用し、吸入薬以外の貼付もしくは経口の$β_2$刺激薬が該当する。ただし、ICS/LABA使用中は、原則として貼付もしくは経口の長時間作用性$β_2$刺激薬を併用しない。症状がコントロールされたら速やかに中止する。2週間以上必要である場合には、追加治療やステップアップを行う。

④**ステップアップ、ステップダウン、および長期管理薬中止の判断**

・**ステップアップの判断**：基本治療開始後にコントロール状態が改善せず、追加治療後もコントロールが「良好」にならない場合や増悪因子を調節しても改善しない場合は治療のステップアップを検討する。

・**ステップダウンの判断**：コントロール状態「良好」が3か月以上維持できたら追加治療薬の中止、ステップダウン（治療を1段階下げる）を検討する。ただし、過去1年以内の急性増悪による入院や全身性ステロイド薬を必要とする強い急性増悪の既往、症状増悪の季節には現行治療の継続を考慮する。

・**長期管理薬の中止**：一定の基準はない。良好なコントロールを維持しつつステップダウ
```

ンして、治療ステップ1となれば定期的な薬剤使用は中止となる。中止後も環境整備や日常生活管理の指導を行い、定期的な経過確認を継続することが望ましい。

(4) 各治療ステップにおける薬物療法の進め方

小児の喘息では乳幼児（5歳以下）と6～15歳の2つの年齢区分の長期管理プランがある（表6-23、表6-24）。

①治療ステップ1：間欠型に該当する治療。基本治療では、長期管理を使用せず、症状出現時にSABAを対症的に短期間用いるか、2週間をめどに短期追加治療を行う。季節の変わり目などに一時的に増悪傾向を認める症例には、追加治療としてLTRAなどを1か月間程度使用することを考慮する。

②治療ステップ2：軽症持続型に該当する治療。基本治療は、低用量ICSもしくはLTRAから選択する。この重症度で二者を比較した報告はなく、アドヒアランスがよいと考えられる薬剤を選択する。追加治療では両者の治療薬を併用する。

③治療ステップ3：中等症持続型に該当する治療。基本治療として5歳未満では中用量

表6-23　小児喘息の長期管理プラン（5歳以下）

	治療ステップ1	治療ステップ2	治療ステップ3[*2]	治療ステップ4[*2]
基本治療	長期管理薬なし	下記のいずれかを使用 ▶LTRA[*1] ▶低用量ICS	▶中用量ICS	▶高用量ICS （LTRAの併用も可）
追加治療	▶LTRA[*1]	上記治療薬を併用	上記にLTRAを併用	以下を考慮 ▶β₂刺激薬（貼付）併用 ▶ICSのさらなる増量 ▶経口ステロイド薬
短期追加治療	貼付もしくは経口の長時間作用性β₂刺激薬　数日から2週間以内			
	増悪因子への対応、患者教育・パートナーシップ			

[*1]：DSCG吸入や小児喘息に適応のあるその他の経口抗アレルギー薬（Th2サイトカイン阻害薬など）を含む。
[*2]：治療ステップ3以降の治療でコントロール困難な場合は小児の喘息治療に精通した医師の下での治療が望ましい。
なお、5歳以上ではICS/LABAも保険適用がある（治療ステップ、投与量は表6-24を参照）。
LTRA：ロイコトリエン受容体拮抗薬　　ICS：吸入ステロイド薬　　DSCG：クロモグリク酸ナトリウム（吸入）
ICS/LABA：吸入ステロイド薬/長時間作用性吸入β₂刺激薬配合剤

吸入ステロイド薬の用量の目安（μg/日）

	低用量	中用量	高用量
FP、BDP、CIC	100	200	400[※]
BUD	200	400	800
BIS	250	500	1,000

※小児への保険適用範囲を超える。
FP：フルチカゾン　　BDP：ベクロメタゾン　　CIC：シクレソニド　　BUD：ブデソニド　　BIS：ブデソニド吸入懸濁液

表 6-24　小児喘息の長期管理プラン（6～15歳）

	治療ステップ 1	治療ステップ 2	治療ステップ 3[*3]	治療ステップ 4[*3]
基本治療	長期管理薬なし	下記のいずれかを使用 ▶低用量 ICS ▶LTRA[*1]	下記のいずれかを使用 ▶中用量 ICS ▶低用量 ICS/LABA[*2]	下記のいずれかを使用 ▶高用量 ICS ▶中用量 ICS/LABA[*2] 以下の併用も可 ・LTRA ・テオフィリン徐放製剤
追加治療	▶LTRA[*1]	上記治療薬を併用	以下のいずれかを併用 ▶LTRA ▶テオフィリン徐放製剤	以下を考慮 ▶生物学的製剤[*4] ▶高用量 ICS/LABA[*2] ▶ICS のさらなる増量 ▶経口ステロイド薬
短期追加治療	貼付もしくは経口の長時間作用性 β_2 刺激薬　数日から 2 週間以内			
	増悪因子への対応、患者教育・パートナーシップ			

*1：DSCG 吸入や小児喘息に適応のあるその他の経口抗アレルギー薬（Th2 サイトカイン阻害薬など）を含む。
*2：ICS/LABA は 5 歳以上から保険適用がある。ICS/LABA の使用に際しては原則として他の長時間作用性 β_2 刺激薬は中止する。
*3：治療ステップ 3 以降の治療でコントロール困難な場合は小児の喘息治療に精通した医師の下での治療が望ましい。
*4：生物学的製剤（抗 IgE 抗体、抗 IL-5 抗体、抗 IL-4/IL-13 受容体抗体）は各薬剤の適用の条件があるので注意する。
LTRA：ロイコトリエン受容体拮抗薬　　ICS：吸入ステロイド薬　　DSCG：クロモグリク酸ナトリウム（吸入）
ICS/LABA：吸入ステロイド薬/長時間作用性吸入 β_2 刺激薬配合剤

吸入ステロイド薬の用量の目安（μg/日）

	低用量	中用量	高用量
FP、BDP、CIC	100	200	400※
BUD	200	400	800
BIS	250	500	1,000

※小児への保険適用範囲を超える。
FP：フルチカゾン　　BDP：ベクロメタゾン　　CIC：シクレソニド　　BUD：ブデソニド　　BIS：ブデソニド吸入懸濁液

吸入ステロイド薬/長時間作用性吸入 β_2 刺激薬配合剤の用量の目安（μg/日）

用量	低用量	中用量	高用量
FP/SLM	100/50	200/100	400～500/100
使用例	SFC 50 エアゾール 1 回 1 吸入、 1 日 2 回	SFC 100 DPI 1 回 1 吸入、 1 日 2 回	中用量 SFC＋中用量 ICS あるいは SFC 250 DPI[*2] 1 回 1 吸入、1 日 2 回
FP/FM	100/10[*1]	200/20	400～500/20
使用例	FFC 50 エアゾール 1 回 1 吸入、 1 日 2 回	FFC 50 エアゾール 1 回 2 吸入、 1 日 2 回	中用量 FFC＋中用量 ICS あるいは FFC 125 エアゾール[*2] 1 回 2 吸入、1 日 2 回

※1 エビデンスなし　※2 小児適応なし
FP：フルチカゾン　　SLM：サルメテロール　　SFC：サルメテロール/フルチカゾン配合剤
FM：ホルモテロール　　FFC：ホルモテロール/フルチカゾン配合剤
SFC 50 μg エアゾール製剤：1 噴霧中　FP 50 μg/SLM 25 μg、100 μg DPI 製剤：1 吸入中　FP 100 μg/SLM 50 μg、250 μg DPI 製剤：1 吸入中　FP 250 μg/SLM 50 μg
FFC 50 μg エアゾール製剤：1 噴霧中　FP 50 μg/FM 5 μg、125 μg エアゾール製剤：1 噴霧中　FP 125 μg/FM 5 μg

ICS、5歳以上では中用量 ICS もしくは低用量 ICS/LABA を選択する。追加治療は、5歳以下では LTRA、6歳以上では LTRA もしくはテオフィリン徐放製剤の併用を考慮する。なお、治療ステップ3以降の治療で良好なコントロール状態が得られない場合は、小児の喘息治療に精通した医師の管理下での治療が望ましい。

④治療ステップ4：重症持続型に該当する治療。基本治療として高用量 ICS もしくは5歳以上であれば中用量 ICS/LABA を選択する。また、LTRA の併用、6歳以上であればテオフィリン徐放製剤の併用も検討する。追加治療は、5歳以下では高用量 ICS に貼付 $β_2$ 刺激薬の併用、もしくは ICS のさらなる増量、6歳以上では抗 IgE 抗体（オマリズマブ）または抗 IL-5 抗体（メポリズマブ）、12歳以上では抗 IL-4/IL-13 受容体抗体（デュピルマブ）などの生物学的製剤の使用、もしくは ICS のさらなる増量または高用量 ICS/LABA〔中用量 ICS ＋ 中用量 ICS/LABA の併用、あるいは SFC 250 μg 製剤や FFC 125 μg 製剤（小児適用はない）〕を検討する（表 6-25）。ただし、高用量 ICS は全身性の副作用や身長抑制を認める可能性があるため長期間の使用は望ましくない。

生物学的製剤の使用に際しては、表 6-26 に示す評価項目や表 6-27 のチェックリストを参考にして、治療開始時ならびに治療中はできる限り客観的な評価に基づいて、その適応と効果の判定を行う。生物学的製剤や長期入院療法などが必要な小児患者は、喘息の「小児慢性特定疾病医療費助成」の対象となっている。さらに、前述の治療でもコントロール状態が得られない場合には全身性ステロイド薬の隔日投与を考慮するが、このような最重症患者は小児喘息に精通した医師の管理下で治療すべきである。

(5) 難治性喘息について（図 6-8）

治療ステップ4の基本治療を行っても良好なコントロールが得られない患者が存在する。これらの患者群から誤診例を除外したものを難治性喘息と定義する。この中には、治療アドヒアランス不良や不適切な吸入手技、アレルゲンや受動喫煙からの回避困難、肥満、アレルギー性鼻炎や副鼻腔炎の合併、発達・心理・精神的問題などのコントロール状態を不良にする要因を見極めて対策を講じること、すなわち、個別的な医療介入によってコントロール状態を改善することが期待できる症例が存在する。このような対応によってもコントロールが維持できない喘息を真の重症喘息と定義する。

表 6-25　生物学的製剤の対象年齢、用量・用法

	抗 IgE 抗体 （オマリズマブ）	抗 IL-5 抗体 （メポリズマブ）	抗 IL-4/IL-13 受容体抗体 （デュピルマブ）
商品名	ゾレア	ヌーカラ	デュピクセント
対象年齢	6歳以上	6歳以上	12歳以上
用量・用法	体重、血清総 IgE 濃度に応じて変化（1回 75〜600 mg）2〜4週間毎に皮下注射	6歳以上12歳未満：1回 40 mg 12歳以上：1回 100 mg 4週間毎に皮下注射	初回 600 mg、 2回目以降 300 mg を 2週間毎に皮下注射

表6-26 生物学的製剤の使用に際しての評価項目

	開始時	開始後
鑑別診断	開始前に他疾患の鑑別を行う。	治療効果が乏しい際には、再度他疾患の鑑別を行う。
喘息の増悪	過去1年における発作入院と経口ステロイド薬使用の回数を確認する。	治療中における発作入院と経口ステロイド薬使用の有無を確認する。
コントロール状態	質問票などを用いて客観的に評価する。運動誘発喘息の有無やQOLも評価する。	
治療内容	生物学的製剤の適応とされる治療ステップ4であるかを確認する。	生物学的製剤が有効な場合には、併用薬剤の減量を考慮する。
アドヒアランス	吸入手技を含めて確認する。	併用薬剤のアドヒアランスも確認する。
環境因子	受動喫煙、ペットとの接触、ダニが多い環境かなどを確認する。必要に応じて、家庭訪問も考慮する。症状が安定しても確認する。	
合併症	アレルギー性鼻炎・副鼻腔炎の有無やその重症度を評価する。また、心理的な側面についても評価する。	
スパイロメトリー	可逆性試験を含めて、正しい手技で測定する。	
血清総IgE値	血清総IgE値ならびにダニ特異的IgE値を測定する。また、環境や合併症によって、ダニ以外の吸入アレルゲンについても測定する。	
末梢血好酸球数	絶対数で評価する。特にメポリズマブやデュピルマブでは定期的に評価する。	
呼気中一酸化窒素濃度	自施設で測定できない場合には、他の医療機関での測定を考慮する(病病連携や病診連携)。	
副作用	ICS関連(身長の伸びなど)を確認する。	生物学的製剤関連(アナフィラキシー、局所反応、その他予期せぬ症状)を確認する。

表6-27 生物学的製剤の使用に際してのチェックリスト

	開始時	1か月後	3か月後	6か月後	1年後	毎年
鑑別診断	☐		☐	☐		
喘息の増悪	☐	☐	☐	☐	☐	☐
コントロール状態	☐	☐	☐	☐	☐	☐
治療内容	☐	☐	☐	☐	☐	☐
アドヒアランス	☐	☐	☐	☐	☐	☐
環境因子	☐			☐	☐	☐
合併症	☐			☐	☐	☐
スパイロメトリー	☐	☐	☐	☐	☐	☐
血清総IgE値	☐					
末梢血好酸球数	☐		☐		☐	☐
呼気中一酸化窒素濃度	☐		☐		☐	☐
副作用	☐	☐	☐	☐	☐	☐

＊チェックのタイミングは、使用薬剤や症例の状態によって適宜調整する。

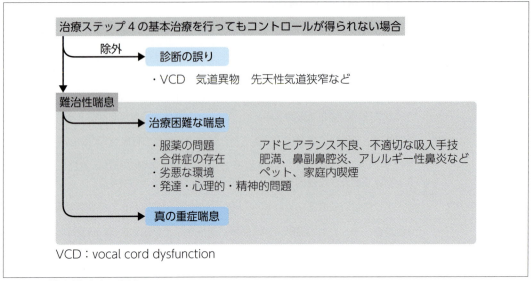

図 6-8　難治性喘息の概念

[参考文献]

1) Zhang L, Prietsch SO, Ducharme FM. Inhaled corticosteroids in children with persistent asthma: effects on growth. *Evid Based Child Health*. 2014; 9: 829-930.
2) Bukstein DA, Luskin AT, Bernstein A. "Real-world" effectiveness of daily controller medicine in children with mild persistent asthma. *Ann Allergy Asthma Immunol*. 2003; 90: 543-9.
3) Garcia Garcia ML, Wahn U, Gilles L, et al. Montelukast, compared with fluticasone, for control of asthma among 6- to 14-year-old patients with mild asthma:the MOSAIC study. *Pediatrics*. 2005; 116: 360-9.
4) Brodlie M, Gupta A, Rodriguez-Martinez CE, et al. Leukotriene receptor antagonists as maintenance and intermittent therapy for episodic viral wheeze in children. *Cochrane Database Syst Rev*. 2015; 2015 (10): CD008202.
5) 北林　耐，飯倉洋治，赤澤　晃，他．テオフィリンの小児における副作用と上手な使い方　テオフィリン関連痙攣についての検討．日小児臨薬理会誌．1998；11：11-5.
6) Ito Y, Adachi Y, Itazawa T, et al. Association between the results of the childhood asthma control test and objective parameters in asthmatic children. *J Asthma*. 2011; 48: 1076-80.
7) 板澤寿子，足立陽子，岡部美恵，他．小児喘息コントロールテスト（Childhood Asthma Control Test：C-ACT）の有用性と問題点．日小児難治喘息・アレルギー会誌．2011；9：30-5.
8) 磯崎　淳，川野　豊，正田哲雄，他．Japanese Pediatric Asthma Control Program（JPAC），小児喘息コントロールテスト（Childhood Asthma Control Test：C-ACT）と呼吸機能，呼気一酸化窒素の経時的変化の検討．アレルギー．2010；59：822-30.
9) 西牟田敏之，佐藤一樹，海老澤元宏，他．Japanese Pediatric Asthma Control Program（JPAC）とChildhood Asthma Control Test（C-ACT）との相関性と互換性に関する検討．日小ア誌．2009；23：129-38.
10) Sato K, Sato Y, Nagao M, et al. Development and validation of asthma questionnaire for assessing and achieving best control in preschool-age children. *Pediatr Allergy Immunol*. 2016; 27: 307-12.
11) Petsky HL, Kew KM, Chang AB. Exhaled nitric oxide levels to guide treatment for children with asthma. *Cochrane Database Syst Rev*. 2016; 11: CD011439.

6-7 小児喘息の急性増悪（発作）への対応

急性増悪（発作）の程度は、軽度なものから重篤なものまでさまざまであり、呼吸不全に至る可能性もあるため、早期からの適切な治療で速やかに症状を改善させる必要がある。

急性増悪の対応には、「家庭での対応」と「医療機関での対応」がある。家庭では、症状を重篤化させず、遷延化させないように急性増悪を認めた早期からの適切な対応が重要である。医療機関では、治療と同時に発作強度や合併症の把握、さらに他疾患の鑑別も行う。その誘因、発作強度、頻度に加え、患児や家族の疾病理解や対応の適切さを把握するように努める。これらは急性増悪時の適切な対応の指導のほか、適切な生活指導と長期管理薬の見直しにも関与し、喘息コントロールの向上を図ることに結びつく。

家庭で急性増悪に対して早期から治療介入することによって、さらなる増悪を防ぎ、患児ならびにその保護者のQOL低下（夜間の睡眠障害や欠席・欠勤など）を最小限に抑えることができる。逆に、医療機関への受診の遅れや家庭での不適切な対応は、症状の重篤化につながる恐れがあるため、日頃から患児や家族へ指導することが重要である。図6-9に具体的な対応の流れを示す。

1）家庭での対応
(1)「強い喘息発作のサイン」の有無による対応

発作強度は小・中・大発作と呼吸不全の4段階に分けられるが、家庭での対応は医療機関

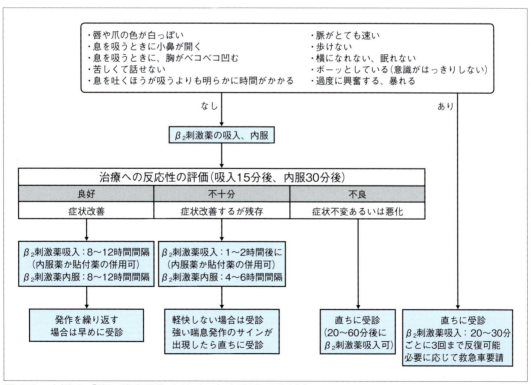

図6-9 小児の「強い喘息発作のサイン」と家庭での対応

を受診すべきタイミングを逃さないために、「強い喘息発作のサイン」（図 6-9）の有無に注目し、それに従って対応を判断するように指導する。また、増悪を認めたときに頓用薬がない場合には、原則として医療機関を受診するように指導する。

(2)「強い喘息発作のサイン」がある場合の対応
①症状：大発作ならびに呼吸不全に該当する。
②対応：「強い喘息発作のサイン」が認められた場合には、直ちに医療機関を受診する。特に、著明な呼吸困難や意識レベルの変化（意識低下あるいは過度な興奮）がある場合には、救急車を要請する。頓用の吸入 β_2 刺激薬が手元にある場合には、受診準備が整うまでの間に吸入を行う。さらに、携帯用の吸入器を持っている場合には医療機関までの道中で 20～30 分ごとに吸入してもよい。

(3)「強い喘息発作のサイン」がない場合の対応
①症状：小発作（日常生活が障害されない程度の咳嗽、喘鳴、軽度の呼吸困難）から中発作（咳嗽や喘鳴に加えて呼気延長や呼吸困難を伴い、日常生活にも影響がある）までの症状に該当する（表 6-28）。
②対応：医療機関から事前に説明されている方法に従って頓用の β_2 刺激薬（吸入薬あるいは内服薬）を使用し、吸入薬は 15 分後に、内服薬は 30 分後に、その効果を評価する。なお、貼付薬には即効性がないため、増悪治療薬としては不適切である。

表 6-28　急性増悪（発作）治療のための発作強度判定

			小発作	中発作	大発作	呼吸不全
主要所見	症状	興奮状況 意識 会話 起坐呼吸	平静 清明 文で話す 横になれる	句で区切る 座位を好む	興奮 やや低下 一語区切り～不能 前かがみになる	錯乱 低下 不能
	身体所見	喘鳴 陥没呼吸 チアノーゼ	軽度 なし～軽度 なし		著明 著明 あり	減少または消失
	SpO$_2$（室内気）*1		≧96%	92～95%	≦91%	
参考所見	身体所見	呼気延長 呼吸数*2	呼気時間が 吸気の 2 倍未満 正常～軽度増加		呼気時間が 吸気の 2 倍以上 増加	不定
	PEF	（吸入前） （吸入後）	>60% >80%	30～60% 50～80%	<30% <50%	測定不能 測定不能
	PaCO$_2$		<41 Torr		41～60 Torr	>60 Torr

主要所見のうち最も重度のもので発作強度を判定する。
*1：SpO$_2$ の判定にあたっては、肺炎など他に SpO$_2$ 低下を来す疾患の合併に注意する。
*2：年齢別標準呼吸数（回/分）
　　0～1 歳：30～60　　1～3 歳：20～40　　3～6 歳：20～30　　6～15 歳：15～30　　15 歳～：10～30

(4) 喘息児とその家族に対する指導のポイント

①**症状観察**：直ちに医療機関を受診する必要がある「強い喘息発作のサイン」について、日頃から十分に説明する。自宅で行った初期対応の効果判定のためにも、家族が発作強度による全身状態（動作、会話、顔色、日常生活、食欲、睡眠など）の変化を見分けられることが望ましい。特に、喘鳴の強弱だけでは発作強度が判別困難であることを説明する。なお、指導の際には『おしえて先生！ 子どものぜん息ハンドブック』[1]などが有用である。

②**急性増悪（発作）時の治療薬**：急性増悪時に家庭で頓用薬を用いた対応が必要であると考えられる場合には前もって処方しておく。処方の際には、薬効や持続時間、使用間隔など具体的な使用法について説明する。特に、吸入薬による定期治療を行っていない患児と家族に対しては、実技を交えて吸入指導を行う。指導するにあたっては、喘息個別対応プラン（JPGL2020 web 図6-1）などの文章を用いた指導が勧められる[2]。頓用薬として用いる薬剤の詳細はJPGL2020 第8章「3. 一般的な急性増悪（発作）の治療薬」の項を参照されたい。医療機関受診前にβ_2刺激薬の吸入あるいは内服などの治療が開始されている場合も多いが[3]、家庭での対応後も症状が不変もしくは悪化している場合には、追加治療を行うなどの対応を行う。また、喘息増悪への治療を行うとともに、合併症の検索や喘鳴を来す他の疾患も鑑別する（鑑別を要する疾患：JPGL2020 表2-1、合併症：JPGL2020 第11章参照）。

　救急医療体制は地域ごと、医療機関によっても異なる。JPGL2020を参考にして、個々の医療機関で急性増悪時の治療手順をまとめ、可能であれば各地域で治療手順を共有して連携することが望ましい。

2) 医療機関での対応

(1) 救急外来治療で把握すべきこと

①**発作強度判定**：受診時に速やかに発作強度の判定を行う（表6-28）。症状（興奮状況、意識、会話、起坐呼吸）、身体所見（喘鳴、陥没呼吸、チアノーゼ）、SpO_2を主要所見とし、そのうち最も重度のもので発作強度を判定する。ほかに、身体所見（呼気延長、呼吸数）、%PEF値（自己最良値もしくは予測値に対する%）[5,6]、$PaCO$を参考所見とする。治療経過を継続的に評価する指標として修正pulmonary indexスコア（JPGL2020 web 表8-1）[7]などがある。来院時に中発作までの状態であれば、その後の外来治療で症状が十分に改善し、帰宅させ得る場合もある。一方、大発作や呼吸不全であれば入院治療を考慮する。すでに喘息としての日常管理をされている患児では、重症度や長期管理薬を把握することも過少治療を防ぐ上で重要である。過去に重症化した既往のある患児では、来院時は中発作であってもその後の経過に注意する。

②**SpO_2と血液ガス分析**：急性増悪時の換気状態を正確に把握するために、動脈血液ガス分析でPaO_2（動脈血酸素分圧）や$PaCO_2$（動脈血二酸化炭素分圧）を評価する。しかし、小児の動脈血液ガス分析は容易に行える検査ではないため、発作程度が比較的軽度と考えられる場合には静脈血液ガス分析をスクリーニングとして行うこともある。二酸化炭素分圧は動脈と静脈で乖離を認める場合があるため、静脈血液ガス分析で二酸化炭素分圧高値を認めた

場合は動脈血液ガス分析を行って$PaCO_2$の確認をする。一方、SpO_2の測定は、非侵襲的、リアルタイム、連続測定、記録可能などより、発作強度や治療効果の判定に有用であるが（JPGL2020 web 表 8-2）[9]、その間も二酸化炭素分圧が評価できていないことを念頭に置く。また、実際の使用に際しては、末梢循環不全などの身体的要因、プローブのサイズや接着の問題など外的要因に影響されることにも注意する。

(2) 小発作に対する治療（表 6-28、表 6-29）

$β_2$刺激薬の単回あるいは反復吸入のみで改善することが多い。それでも十分に改善しない場合は、長期管理薬を含めた家庭での治療内容や他疾患の鑑別も考慮して、中発作に対する治療に移行する。

(3) 中発作に対する治療（図 6-10、表 6-28、表 6-29）

中発作までは外来治療でも改善が期待できるが、表 6-30 のような場合には早期から入院治療の必要性を判断する。

①中発作に対する初期治療

- 酸素投与の必要性：SpO_2を測定し、必要であれば$SpO_2≧95\%$となるように酸素投与を行う[5, 10]。
- $β_2$刺激薬吸入：$β_2$刺激薬をネブライザーで吸入させる。わが国ではサルブタモールと

表 6-29　医療機関での急性増悪（発作）に対する薬物療法プラン

発作強度	小発作	中発作	大発作	呼吸不全
初期治療	$β_2$刺激薬吸入	酸素吸入 （$SpO_2≧95\%$が目安） $β_2$刺激薬吸入反復[*1]	入院 酸素吸入・輸液 $β_2$刺激薬吸入反復[*1] または イソプロテレノール持続吸入[*3] ステロイド薬全身投与	入院 意識障害があれば人工呼吸管理 酸素吸入・輸液 イソプロテレノール持続吸入[*3] ステロイド薬全身投与
追加治療	$β_2$刺激薬吸入反復[*1]	ステロイド薬全身投与 アミノフィリン点滴静注（考慮）[*2] 入院治療考慮	イソプロテレノール持続吸入（増量）[*3] アミノフィリン持続点滴（考慮）[*2] 人工呼吸管理	イソプロテレノール持続吸入（増量）[*3] アミノフィリン持続点滴[*2] 人工呼吸管理

*1：$β_2$刺激薬吸入は改善が不十分である場合に 20〜30 分ごとに 3 回まで反復可能である。
*2：アミノフィリン持続点滴は痙攣などの副作用の発現に注意が必要であり、血中濃度のモニタリングを行うことを原則として、小児の喘息治療に精通した医師の管理下で行われることが望ましい。実施にあたっては、表 6-33 を参照のこと。

> - アミノフィリン投与を推奨しない患者
>   1) 2 歳未満の患者
>   2) 痙攣既往者、中枢神経系疾患合併例
>   3) アミノフィリンやテオフィリン徐放製剤による副作用の既往がある患者

*3：イソプロテレノール持続吸入を行う場合は人工呼吸管理への移行を念頭に置く。実施にあたっては表 6-36 を参照。

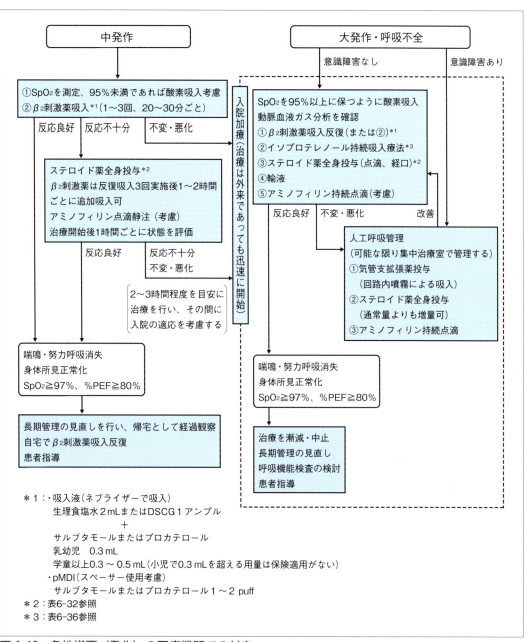

図6-10 急性増悪(発作)の医療機関での対応

表6-30 中発作における入院治療の適応

- 前日から急性増悪(発作)が持続して、夜間睡眠障害があった場合
- すでに家庭でβ₂刺激薬の吸入や内服を繰り返し使用している場合
- 重篤な増悪の既往歴がある場合
- 乳幼児の場合
- 合併症がある場合

プロカテロールが使用可能である。患児の体格、発作強度、吸入効率などを考慮し、乳幼児では 0.3 mL 程度、学童以上では 0.3～0.5 mL を生理食塩水（2 mL）または DSCG 吸入液（1 アンプル＝2 mL）とともに用いるが、小児への保険適用は 0.3 mL までである。吸入後 15～30 分で効果を判定し、改善が不十分であれば 20～30 分ごとに 3 回まで反復することができる。$β_2$ 刺激薬吸入を反復する必要がある場合には追加治療の開始を考慮する。ネブライザーによる吸入の代わりに pMDI を用いることも可能である。pMDI を使用する場合はスペーサーの使用を推奨する。なお、換気血流不均等を増悪させ、低酸素血症を悪化させることがあるため、SpO_2 が 95％未満のときには酸素吸入を併用しながら吸入薬を使用することが望ましい。

②中発作に対する追加治療

$β_2$ 刺激薬吸入を反復してもなお十分に改善しない場合は、下記治療の追加を検討する。外来治療は 2～3 時間程度を目安にし、その後は入院を考慮する。

・**全身性ステロイド薬投与**：ステロイド薬の内服または静注を追加する。治療早期からステロイド薬の併用を考慮すべき患者を**表 6-31** に示す。全身性ステロイド薬は、通常は即効性がなく効果発現に数時間を要するため、患者の状態によっては外来でステロイド薬の効果発現を待たずに早期の入院治療も検討する。標準的な投与量は**表 6-32** に示す。

・**アミノフィリン点滴静注、持続点滴**：アミノフィリンは気管支拡張作用を持ち、増悪時の治療として有効であるが、JPGL2020 では外来治療ならびに入院治療を問わず「考慮」としている。これは安全に使用できる有効血中濃度域が狭く、かつ副作用発現の可能性がある濃度と近接しているためである。アミノフィリンの使用に際しては、血中濃度のモニタリングによる管理を原則とする。増悪治療時の血中濃度は 8～15 μg/mL を目安とする[11]が、血中濃度が 18 μg/mL を超えると濃度依存性に副作用を発現する症例が増加する[12]。医療機関内で迅速に測定できるシステムがないことや、急激な血中濃度上昇で有効濃度域でも頭痛や嘔気、嘔吐が生じるという副作用の観点から、最近ではアミノフィリンの使用が減少している[13]。乳幼児では血中濃度が 15 μg/mL 以下であっても発熱時には痙攣を誘発する可能性が指摘されており[14]、特に 2 歳未満では外来での使用は控える。アミノフィリンの投与量の目安を**表 6-33**、JPGL2020 web 表 8-3 に示す。また、アミノフィリン投与を推奨しない患者を**表 6-29** の脚注に示す[15〜17]。

③中発作に対する治療に反応良好の場合

治療に対して反応良好で帰宅可能と判断できる場合を**表 6-34** に示す。

表 6-31　全身性ステロイド薬の併用を考慮すべき患者

・治療ステップ 3 以上の長期管理を行っている。
・過去 1 年間に急性増悪（発作）による入院の既往がある。
・意識障害を伴う急性増悪や急性増悪治療で気管挿管をされたことがある。

表 6-32 全身性ステロイド薬の投与方法

静脈内

	初回投与量	定期投与量
ヒドロコルチゾン	5 mg/kg	5 mg/kg 6〜8 時間ごと
プレドニゾロンもしくは メチルプレドニゾロン	0.5〜1 mg/kg	0.5〜1 mg/kg 6〜12 時間ごと

最大投与量：PSL 換算 60 mg/日

経口

プレドニゾロン		1〜2 mg/kg/日 (分 1〜3)
デキサメタゾン ベタメタゾン		0.05〜0.1 mg/kg/日 (分 1〜2)

最大投与量：PSL 換算 60 mg/日

・静脈内投与と経口投与で効果に差はない。
・全身性ステロイド薬の投与期間は 3〜5 日間を目安とし漫然と投与しないこと。
・投与期間が 7 日以内であれば中止にあたって漸減の必要はない。
〈静脈内投与方法〉原則、数分間かけて静注または 30 分程度で点滴静注する。
〈注意点〉
・ヒドロコルチゾン：ミネラルコルチコイド作用もあるため、数日以内の使用に留めること。
・静脈内投与で稀に即時型アレルギー反応が誘発されることがある。
・外来での使用は 1 か月に 3 日間程度、1 年間に数回程度とする。これを超える場合には、小児の喘息治療に精通した医師に紹介する。

表 6-33 喘息の急性増悪（発作）時のアミノフィリン投与量の目安

	投与量	
	初期投与 (mg/kg)	維持量 (mg/kg/時)
あらかじめ経口投与されていない場合	4〜5	0.6〜0.8
あらかじめ経口投与されている場合	3〜4	

・2 歳未満の乳幼児については、原則として投与を推奨しない
・初期投与量は 250 mg を上限とする
・肥満がある場合、投与量は標準体重で計算する
・目標血中濃度：8〜15 μg/mL

表 6-34　帰宅可能とする判断要件と患者への指導内容

◎帰宅可能とする判断要件
・咳嗽、喘鳴、陥没呼吸がほぼ消失して呼吸数が正常に戻っている。
・SpO_2 が 97％以上、PEF 値が自己最良値、または予測値の 80％以上である[18]。
・家庭での対応を含めて 2 回以上の $β_2$ 刺激薬吸入あるいは追加治療が必要であった場合は、可能な限り改善後 1 時間程度の経過を観察して悪化がないことを確認することが望ましい。

◎帰宅時に必要な指導
・家庭で行った増悪への対応の評価（適切な点と改善すべき点）を口頭で伝える。
・家庭で $β_2$ 刺激薬（吸入薬・内服薬・貼付薬）を数日間使用すること。
・次回受診日を設定して帰宅後の再悪化時の対応を伝える。
・家庭に増悪時の $β_2$ 刺激薬がなければ処方する。
・増悪誘因の検討と対策、および長期管理薬の見直しを考慮する。限られた時間内での有効な指導内容には限界があることに留意し、指導できなかった点は再診時に、あるいは救急処置が他院で行われた場合はかかりつけ医で行うようにする。
・一旦増悪が治まったと判断できれば、その後の再増悪予防を目的とした経口ステロイド薬は不要である。

④中発作に対する治療に反応不十分、不変・悪化の場合
　①**入院治療**：追加治療を行っても反応良好でない場合や悪化傾向が認められる場合には入院治療に移行する。追加治療中でも悪化傾向が認められれば、入院治療に移行する。入院後、症状が中発作までの強度で遷延している場合には外来での治療を継続してもよいが、悪化傾向にある場合は大発作の治療を開始する。入院治療の適応を**表 6-35** に示す。
　②**合併症検索・他疾患の鑑別**：増悪治療による改善が乏しい場合には、再度合併症や他疾患を鑑別する。

(4) 大発作・呼吸不全に対する治療（入院での対応）（図 6-10）

　大発作・呼吸不全は、早急に強力な治療を開始すべき状態である。入院治療を原則とし、受診後速やかに治療を開始する。大発作以上では $PaCO_2$ が 40 Torr 以上となることが予想されるため血液ガス分析による状態把握も行い、増悪治療と同時に胸部 X 線像による合併症（皮下気腫、縦隔気腫、気胸、無気肺、肺炎など）の検索も行う。喘息の急性増悪では末梢気道狭窄による呼出障害のためにエアトラッピング（auto-PEEP）が生じ、肺の過膨張を来す。大発作・呼吸不全では、結果として換気量が低下し $PaCO_2$ が上昇して呼吸性アシ

表 6-35　入院治療の適応

・当初から大発作である。
・外来で追加治療を含む治療を 2 時間行ってもなお反応良好とならない。
・外来治療中に悪化が認められた。
・肺炎、無気肺、縦隔気腫、皮下気腫などの合併症がある。
・2 歳未満の中発作以上で $β_2$ 刺激薬吸入に対する反応が良好でない。

ドーシスとなる。

大発作・呼吸不全に対する初期治療：意識障害を認める場合は人工呼吸管理を検討する。意識障害がない場合は次の治療を行う。

- **酸素投与と末梢静脈路の確保**：大発作と判断した場合には、速やかに酸素投与を開始し、治療反応性とSpO_2を参考に酸素流量を調整する。末梢静脈路を確保して輸液を開始し各種薬物投与を行えるように準備する。大発作・呼吸不全では可能な限り血液ガス分析を行い、$PaCO_2$を把握しながら治療する。スクリーニングとしては静脈血で二酸化炭素分圧の評価を、高値を示す場合は動脈血での評価を行う。

- **$β_2$刺激薬吸入・全身性ステロイド薬投与**：$β_2$刺激薬吸入をまず20〜30分ごとに3回まで反復して行う。症状に改善傾向が認められれば、1〜2時間ごとに反復することも可能である。発作強度が強い場合や外来ですでに$β_2$刺激薬吸入を複数回行っている場合には、後述するイソプロテレノール持続吸入を開始する。

    入院時から十分量のステロイド薬を全身投与する。全身状態が悪いことから静注内投与が選択される場合が多いが、内服が可能であれば経口投与でも構わない。静注用ステロイド薬を選択する際には、コハク酸エステルが関連する喘息悪化の可能性に注意する。ステロイド薬の標準的な投与量を**表6-31**に示すが、状態によっては増量も考慮する。通常は3〜5日間の使用で十分な効果が期待できる。この場合の十分な効果とは聴診上の呼吸副雑音の完全な消失を意味するものではなく、努力呼吸の消失など明らかな臨床的改善を意味している。なお、乳幼児のウイルス性上気道炎に伴う喘鳴に対しては、全身性ステロイド薬投与が無効であるという報告もある[19]。喘鳴が狭義の喘息によるものかどうかの問題もあるが、少なくとも有効性を評価して不要な長期投与を行わないよう配慮する。

- **イソプロテレノール持続吸入療法**：イソプロテレノール持続吸入療法によって、人工呼吸管理を回避できる可能性が大幅に高まる[20〜22]。イソプロテレノールは、β受容体に対する固有活性（薬物と受容体の結合により生じる生理活性の強さ）が最も高く、かつ生物学的半減期がきわめて短いため持続吸入で管理しやすい。一方で、$β_2$作用[23,24]と同等の$β_1$作用を有するため、$β_1$作用に起因する循環系の副作用が起こり得るも不整脈は最も注意すべき副作用である。イソプロテレノール持続吸入療法の詳細を**表6-36**に示す。持続吸入の効果は、通常は開始30分以内に確認でき、治療効果が得られる場合には上昇していた心拍数が減少してくることが多い。治療効果が十分に得られない場合には増量を考慮する[20,21,25]とともに再度合併症の有無を検討する。間欠的吸入に比べて患児への排痰誘導や、体位変換などの機会が減りやすいので、一定時間ごとの観察と処置を励行する。一方で、治療反応性が乏しい場合には、速やかに人工呼吸管理に移行する。本療法では急性期だけでなく回復期にも徐脈を呈する症例があることにも留意する[26]。

- **アミノフィリン静注、持続点滴**：アミノフィリン静注は、以前はよく用いられていた治療法[27〜31]であるが、最近ではその使用に否定的な見解[32〜34]もあり、使用機会が減っている。しかし、大発作以上では人工呼吸管理の回避のためにも積極的に考慮してよい。特に

表 6-36　イソプロテレノール持続吸入療法実施の要点

1. 準備するネブライザー
   インスピロン® またはジャイアントネブライザーとフェイスマスクを使用する。
2. 吸入液の調節
   アスプール®（0.5%）2〜5 mL（またはプロタノール®L 10〜25 mL）＋生理食塩水 500 mL
   アスプール® の量は症状に応じて 2 倍量に増量可
   注：注射用製剤プロタノール®L は吸入薬としての使用に保険適用はない。
3. 方法
   1. 酸素濃度 50%、酸素流量 10 L/分で開始する。
   2. SpO_2 を 95% 以上に保つことができるように酸素濃度と噴霧量を調整する。
      注：インスピロン® では酸素濃度を上げるとイソプロテレノールの供給量が減少するため、拡張薬としての効果が低下する。イソプロテレノール供給量を保つためには酸素流量も増量する必要がある。
   3. 開始 30 分後に効果判定を行い、無効・効果不十分な場合は増量、あるいは人工呼吸管理を考慮する。
   4. 増悪の改善が認められたら、噴霧量を漸減して中止する。その後は $β_2$ 刺激薬の間欠的投与に変更する。
4. モニター
   1. パルスオキシメータ、心電図、血圧、呼吸数は必須である。
   2. 血液検査：血清電解質、心筋逸脱酵素、血液ガス
5. 注意点
   1. 必ず人工呼吸管理への移行を念頭に置いて実施する。
   2. 一定時間ごとに排痰、体位変換、体動を促す。
   3. チューブの閉塞（折れ曲がり、液貯留、圧迫など）や噴霧状況などに常に注意する。本療法では生理食塩水を用いるため、特にインスピロン® の目詰まりに注意する。
   4. 心電図上の変化、胸痛など心筋障害を疑う所見があったときには心筋逸脱酵素を検査するとともに、イソプロテレノールの減量と人工呼吸管理への移行を早急に検討する。

呼吸不全では副作用の発現に注意して使用することを積極的に否定する根拠はない。

(5) 入院治療の調整と退院の基準

　治療により症状が改善傾向を示せば、程度に応じて治療を調整する。一般的には、①人工呼吸管理の中止、②イソプロテレノール持続吸入療法漸減中止と間欠 $β_2$ 刺激薬吸入への変更、③全身性ステロイド薬の中止、④ $β_2$ 刺激薬吸入の漸減中止の順で治療レベルを下げる。その判断時期について統一の見解はないが、陥没呼吸を認めず、酸素投与を必要としない程度にまで改善させた上で全身性ステロイド薬を中止し、$β_2$ 刺激薬の頻回吸入を漸減・中止することが望ましい。最終的には退院後に家庭で継続する治療（短期で終了する増悪治療薬）として、表 6-37 の状態が 1〜2 日間持続することを確認できれば退院としてよい。

(6) 退院時の指導

　患者・家族への指導は入院当初から計画を立てて、段階的に行うことが望ましい（表 6-38）。一般的な病態についての説明も重要であるが、患者・家族の受療態度、理解の程度、重症度などを勘案し、具体的に治療行動や増悪時対応に結びつくような指導を第一に考える（具体的な指導方法は本章の「1. 家庭での対応」を参照）。

表6-37 退院の要件

- 咳嗽、喘鳴、陥没呼吸が十分に消失して呼吸数が正常であること。
- 夜間睡眠中を含めて SpO_2 が97％以上で安定していること。
- PEF値が自己最良値（あるいは予測値）の80％以上で安定していること。
- （6歳以上では可能な限り）フローボリューム曲線の正常化が確認されること。可能であれば $β_2$ 刺激薬吸入前後での変化の有無を確認して次回外来受診時に再度評価する。

表6-38 退院時の患者・家族への指導内容

- 喘息の病態
- 今回の増悪強度および現在の重症度
- 今回の増悪対応の適切性と改善すべき点
- 予防的治療（長期管理）と増悪治療の違い
- 喘息発作強度の判断方法と増悪時対応（家庭での対応を念頭に）
- （5歳以上では）PEFモニタリングとその活用方法
- 家庭に増悪時用の $β_2$ 刺激薬（吸入薬・内服薬）がなければ処方し、使用法を説明
- 上記を踏まえた喘息個別対応プランの作成と説明
- 退院後の増悪治療薬の継続期間
- 増悪誘因の検索と対策
- 長期管理薬の見直しおよび吸入方法の指導
- 帰宅後の悪化時の対応、悪化がない場合の再診日

[参考文献]

1) 藤澤隆夫監修．おしえて先生！ 子どものぜん息ハンドブック．環境再生保全機構．
2) Zemek RL, Bhogal SK, Ducharme FM. Systematic review of randomized controlled trials examining written action plans in children: what is the plan? *Arch Pediatr Adolesc Med*. 2008; 162: 157-63.
3) 横田孝之，足立雄一，村上巧啓，他．小児気管支喘息患者家庭における電動式ネブライザーを用いた発作時β刺激剤吸入の実態調査．日小ア誌．2000；14：212-8.
4) Fleming S, Thompson M, Stevens R, et al. Normal ranges of heart rate and respiratoryrate in children from birth to 18 years of age: a systematic review of observational studies. *Lancet*. 2011; 377: 1011-8.
5) 末廣 豊，亀崎佐織，四宮敬介．小児気管支喘息における発作強度と SpO_2 の関係についての検討．日小ア誌．1998；12：293-8.
6) Global Initiative for Asthma. Global Strategy for Asthma Management and Prevention. 2009 update. NHLBI/WHO workshop report. NHLBI. 2009, p. 66.
7) Carroll CL, Sekaran AK, Lerer TJ, et al. A modified pulmonary index score withpredictive value for pediatric asthma exacerbations. *Ann Allergy Asthma Immunol*. 2005; 94: 355-9.
8) 西間三馨．臨床症状と検査 血液ガス・酸塩基平衡．馬場 実（編）小児気管支喘息．東京医学社，東京，1983，p.301-10.
9) Mochizuki H, Shigeta M, Kato M, et al. Age-related changes in bronchial hyper reactivity to methacholine in asthmatic children. *Am J Respir Crit Med*. 1995; 152: 906-10.
10) 池部敏市，勝呂 宏，末廣 豊，他．喘息発作重症度とピークフロー値及び酸素飽和度との関係．日小ア誌．1998；12：172.
11) Sarrazin E, Hendeles L, Weinberger M, et al. Dose-dependent kinetics of theophylline: observations

among ambulantory asthmatic children. *J Pediatr*. 1980; 97: 825-8.
12) Beker MD. Theophylline toxicity in children. *J Pediatr*. 1986; 109: 538-42.
13) 南部光彦．JPGL2005がもたらした小児気管支喘息治療の変化．日小ア誌．2008；22：15-32.
14) 北林　耐，小田嶋安平，飯倉洋治．テオフィリンの副作用統計．アレルギー・免疫．1999；6：1249-53.
15) 小田島安平，中野裕史，加藤哲司．テオフィリン投与中の痙攣症例に関する臨床的検討：特に痙攣発症に影響を及ぼす因子について．アレルギー．2006；55：1295-303.
16) 小田島安平，岡田邦之，加藤哲司，他．テオフィリン投与中の痙攣症例に関する臨床検討（第2報）中毒例からみた投与上の留意点と予後に関する検討．アレルギー．2007；56：691-8.
17) 西間三馨，森川昭廣，海老澤元宏，他．厚生労働省医薬食品安全局安全対策課　平成17年度研究「小児気管支喘息の薬物療法における適正使用ガイドライン」．
18) 池部敏市，勝呂　宏，末廣　豊，他．喘息発作時のピークフロー及び酸素飽和度のβ_2刺激薬の吸入による影響についての検討．アレルギー．1999；48：1083.
19) Panickar J, Lakhanpaul M, Lambert PC, et al. Oral prednisolone for preschool children with acute virus-induced wheezing. *N Engl J Med*. 2009; 360: 329-38.
20) 乾　宏行，小幡俊彦，植草　忠，他．小児気管支喘息重症発作に対するイソプロテレノール療法．日小ア誌．1988；2：28-35.
21) 高増哲也，栗原和幸，五藤和子，他．小児気管支喘息発作に対するdl体イソプロテレノール持続吸入療法（II）アスプール少量持続吸入療法—大量療法との比較．アレルギー．1998；47：573-81.
22) 関根邦夫，青柳正彦，西牟田敏之．小児気管支喘息重症発作に対するイソプロテレノール持続吸入療法．喘息．1998；11：67-72.
23) 野々村和男，島田司巳．イソプロテレノール持続吸入療法中に頻拍性不整脈を認めた重症気管支喘息の1例．日小ア誌．1993；7：230.
24) 三好麻里，足立佳代，櫻井　隆，他．l体イソプロテレノール持続吸入療法中に心筋障害，うっ血性心不全を呈した3歳幼児例．日小ア誌．1999；13：51-8.
25) 朱　博光，清酒外文，中野猛夫，他．気管支喘息重症発作に対するイソプロテレノール持続吸入療法について．小児科．1981；22：537-43.
26) 板澤寿子，足立雄一，足立陽子，他．イソプロテレノール持続吸入療法中の徐脈発現に関する検討．日小ア誌．2008；22：349-56.
27) Yung M, South M. Randomized controlled trial of aminophylline for severe acute asthma. *Arch Dis Child*. 1998; 79: 405-10.
28) Ream RS, Loftis LL, Albers GM, et al. Efficacy of IV theophylline in children with severe status asthmaticus. *Chest*. 2001; 119: 1480-8.
29) Mitra A, Bassler D, Goodman K, et al. Intravenous aminophylline for acute severe asthma in children over two years receiving inhaled bronchodilators. *Cochrane Database Syst Rev*. 2005; 2005 (2): CD001276.
30) 重田政樹．小児気管支喘息発作時の外来初期治療におけるアミノフィリン点滴静注とβ_2刺激剤吸入の併用効果についての比較検討．日小ア誌．1999；13：43-51.
31) 海老澤元宏，秋山一男，西間三馨．小児気管支喘息の発作治療におけるアミノフィリンの使用状況について（国立病院機構における治験のための調査研究報告）．日小ア誌．2007；21：729-38.
32) Strauss RE, Wertheim DL, Bonagura VR, et al. Aminophylline therapy does not improve outcome and increases adverse effects in children hospitalized with acute asthmatic exacerbations. *Pediatrics*. 1994; 93: 205-10.
33) Parameswaran K, Belda J, Rowe BH. Addition of intravenous aminophylline to beta2-agonists in adults with acute asthma. *Cochrane Database Syst Rev*. 2000; (4): CD002742.
34) 真部哲治，新田啓三，成相昭吉．乳児喘息の急性発作治療におけるアミノフィリン持続点滴の必要性．日児誌．2008；112：1369-72.

6-8　医療連携

1）アレルギー疾患対策基本法を受けて

　今日、国民の約2人に1人が、喘息など何らかのアレルギー疾患を患い、増加傾向にある。アレルギー疾患は、患者の日常生活や職場・学校など社会生活のさまざまな場面で悪影響を及ぼし、増悪を繰り返し死に至る例もある。この状況を鑑み、総合的なアレルギー疾患対策を推進するため、2015年12月より「アレルギー疾患対策基本法」が施行されている。同法は乳児、児童から独居や認知症の高齢患者まで幅広い患者層を対象とし、迅速かつ的確な対応が必要な喘息などのアレルギー疾患の治療において、従来の病診連携や医薬連携の枠を越えて連携する、患者中心の医療環境の整備を目指す。専門知識と技能を有する医師、薬剤師、看護師、その他の医療従事者間の連携を強化し、学校や職場関係者とも連携し、患者の居住地域によらず、適切な医療や相談支援が受けられるようにする。中心拠点病院、都道府県拠点病院、かかりつけ医の役割を明確化し、情報提供や人材育成なども行う医療連携体制を目指す。

2）吸入療法の課題と医療連携

　以前は6,000人前後で推移したわが国の年間喘息死者数は、2000年から順調に減少し続け、2016年には1,454人となった。この減少はICSを核とした抗炎症治療法が広く普及していく流れに沿っており、その治療の考え方を臨床現場に浸透させる上で本ガイドラインが果たした役割は大きい。また、2004年に厚生労働省が提唱した「喘息死ゼロ作戦」に呼応し、全国各地で始まったさまざまな病診・医薬連携活動もこの減少に寄与している[1,2]。しかし、近年この減少の勢いは鈍化し、ほぼ横ばい状態になっている。ACQUIRE-2試験が示すように、ICS（含む配合薬）を使用しているにかかわらず、JGL2015基準でコントロール良好状態を達成できている喘息患者は24.4％であった[3]。その原因の1つに、他疾患合併例や診断間違い、ステロイド抵抗性の難治例などもあるが、より大きな課題は、患者の服薬アドヒアランス低下や誤った吸入手技操作により、治療に必要な十分量のICS投与量に達せず、コントロール不十分や不良状態のままの患者が多くいる点である。内服薬と比較し、吸入薬ではアドヒアランスを良好に維持することの困難さをしばしば経験する[4]。吸入薬と内服薬との大きな違いは、薬剤投与経路の違いのみではなく、吸入薬には薬剤吸入を補助する専用器具、吸入デバイスが存在する点にある。そして、吸入療法では、内服薬と同様の薬剤に対するアドヒアランスと、吸入デバイスに対するアドヒアランスの、2つが並立していることに気付くことが重要である。患者の知識不足、過小評価などで薬剤の服薬アドヒアランス低下がある場合、内服薬と同様に十分な説明をし、患者が理解することで、アドヒアランスは向上する。一方、日常臨床現場では吸入デバイスの誤操作がしばしば生じ、吸入デバイスに対するアドヒアランス低下に繋がり、吸入療法そのものの継続が困難になる場合も多い。吸入デバイスに対するアドヒアランスを良好に維持するために、医療者による吸入指導が非常に重要である。同じ吸入デバイスでも患者ごとに生じる誤操作は多種多様であり、加

齢現象、個性や習慣、生活スタイルなど患者側の要因が色濃く反映されている[5]。
3）多職種医療連携ネットワークの構築

　核家族化や高齢者の独居化などが進む中で、医療職が連携して、地域全体で患者を支える必要性がある。患者に対し医療職ごとの役割と機能に応じた適切な指導を提供できるように、地域内の多職種が相互連携し、吸入療法などに関する患者情報の収集と蓄積、共有化を図る機能的なネットワークの構築が必要となる（図6-11）。2020年の調剤報酬改定で薬剤服用歴管理指導料に吸入薬指導加算が新設された。「かかりつけ医」と「かかりつけ薬剤師」の役割をより明確化し機能させることが求められている。

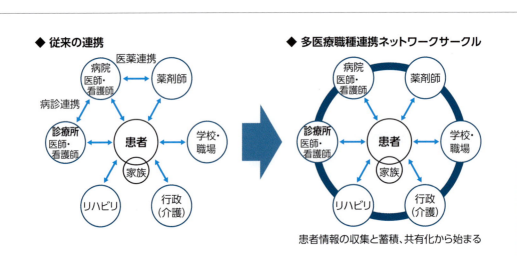

1) 患者を円中心とするネットワークサークルを構築し、患者情報の収集と蓄積、共有化を図る（個人情報保護を厳格に遵守）
2) その患者情報を基に現在ある問題点と課題を明確化し、各医療職の役割と機能に応じて分担する対応策を計画。その患者主体の計画案は医師などから、患者やその家族に直接提案され、実施に向けてその理解と同意を得る。
3) 計画に基づき、各医療職が協調連携し、患者のアドヒアランスの向上維持を意識した継続的な治療を有機的に行う。
4) 各医療職は、計画が適切かつ順調に実施されているか、新たな問題点や課題の発生がないかをモニターし、ネットワークサークル内に情報をフィードバックする。吸入療法のみでなく、他疾患を含めた全治療をモニターし、薬剤の重複投与や過剰投与がなく、安全で効果的な治療が確実に行われているかを確認する。吸入療法では標準化された共通の指導法と適切な評価方法の確立が必要である。また、残薬確認などを行い、医療費の無駄遣いがないかもモニターし、医療費全体の縮小も目指す。現在の治療で効果不十分な場合、治療法を再度見直し、より高度な先進治療法への移行などを視野に入れた検討を行う。
5) 患者に対し、常に最新かつ的確な指導を提供するため、各医療職は疾患や治療に関する知識や技術の自己研鑽を行う。
6) 治療の円滑化、確実化、安全化の推進のため、患者により理解しやすく、利便性の高いツールを積極的に導入するように検討する（DVD映像、電子お薬手帳などIT化された資材などの導入）。

図6-11　従来の連携から発展した多医療職種連携ネットワークサークル

[参考文献]

1) 大林浩幸．岐阜県東濃地区の喘息死ゼロ作戦（均一で良質な吸入指導体制の確立に向けて）．日本小児難治喘息・アレルギー．2012；10：7-12．
2) 堀江健夫．吸入療法の実際と理論．医薬連携，医師の立場から．日本呼吸ケアリハ会誌．2014；24：70-4．
3) Adachi M, Hozawa S, Nishikawa M, et al. Asthma control and quality of life in a real-life setting: a cross-sectional study of adult asthma patients in Japan (ACQUIRE-2). *J Asthma*. 2019; 56: 1016-25.
4) Cramer JA, Bradley-Kennedy C, Scalera A. Treatment persistence and compliance with medications for chronic obstructive pulmonary disease. *Can Respir J*. 2007; 14: 25-9.
5) 大林浩幸．患者吸入指導テキスト．協和企画，東京．2020，3-4．

7

種々の側面

7-1 AERD（NSAIDs過敏喘息、N-ERD、アスピリン喘息）

1）**定義、呼称**：アスピリン喘息は、COX-1阻害作用をもつNSAIDsにより、強い気道症状を呈する非アレルギー性の過敏症（不耐症）である[1~4]。本症の本態はCOX-1阻害薬過敏と考えられている[1~4]（エビデンスA）。これまでは「アスピリン喘息」と称されてきたが、鼻閉や流涙なども伴うため近年は「aspirin-exacerbated respiratory disease（AERD）」と呼ばれている[2~4]。また、アスピリンのみならずNSAIDs全般で症状を誘発するため、あえて「NSAIDs-exacerbated respiratory disease（N-ERD）」と呼称することもある[4]。

2）**疫学、臨床像、誘発症状**：本症は成人喘息の5～10％程度の頻度があり、男女比は1：2で女性に多い[1~5]。小児の症例は稀である。家族内発症は稀で、病態に人種差や地域差の特徴はないこと、喫煙既往がある症例が多いことから、後天的な原因が考えられるが、発症原因は定かではない[2,6,7]。発症年齢は20～40歳代が多く、アレルギー素因はないことが多い。また、喘息の重症化因子として知られている[8]。典型例ではNSAIDs投与後1時間以内に症状が出現して数時間持続する。投与経路が腸溶錠、貼付薬では発現が遅い[1,2]。NSAIDs投与直後に強い鼻閉と鼻汁、喘息増悪症状が発現し、顔面紅潮、眼結膜充血が伴うことが多いほか、消化管症状（腹痛、嘔気、下痢）、時に胸痛や瘙痒、蕁麻疹などを認める症例もある。鼻茸を伴う好酸球性鼻副鼻腔炎を高率に合併し、再発を繰り返す鼻茸と嗅覚障害が特徴的である。好酸球性中耳炎を半数以上に、好酸球性腸炎症状を約30％に、異型狭心症様胸痛を10～20％に認める。

3）**病態**：CysLTの過剰産生体質が特徴的である[1~4]。機序は、気道におけるCOX-2機能低下とEP$_2$受容体機能低下が指摘されている。血小板の特異的活性化と顆粒球への付着亢進、マスト細胞の持続的活性化、ILC2細胞の鼻茸病変への関与なども指摘されている。

4）**診断方法**：NSAIDs過敏は非アレルギー機序のため、アレルギー学的検査で診断することはできない。基本は問診と負荷試験である。問診では、①喘息発症後のNSAIDs使用歴と副反応、②嗅覚障害、③鼻茸や副鼻腔炎の既往・手術歴の3点が重要である。確定診断は内服負荷試験によるが、増悪誘発試験であるため、安定している時期に専門施設の入院下での施行が推奨される[1,2,4]。

5）**発熱疼痛時の対応**：過敏症状は、NSAIDsの注射薬、坐薬、内服薬の順に出現が早く重篤で、貼付薬、塗布薬、点眼薬などの外用薬も危険である（表7-1）。常用量の1/5以下が誘発閾値であり、少量でも増悪を誘発し得る。アセトアミノフェンは比較的安全であるが、1,000～1,500 mg/回負荷で34％が呼吸機能低下を示した報告[9]（エビデンスC）があり、少量での投与が望ましい。欧米では500 mg/回、日本人では300 mg/回以下にすべきである[1,2]。漢方薬の葛根湯や地竜などは安全である（エビデンスD）。選択的COX-2阻害薬セレコキシブは安全性が高い[1~4]（エビデンスA）が、重症かつ不安定例で稀に増悪し得る。

6）**急性増悪時の対応**：通常の喘息と同様に全身の評価をするとともにSABA吸入、ステロイド薬の全身投与が基本となるが、AERDの場合、静注用（注射用）ステロイド薬の急

表7-1　AERD（NSAIDs過敏喘息、N-ERD、アスピリン喘息）に対する使用可能な薬剤

1. 多くのAERDで投与可能
   ただし喘息症状が不安定なケースで増悪が生じることがある（COX-1阻害の可能性がある）
   特に④〜⑥は安全性が高い
   ① PL顆粒®*（アセトアミノフェン*などを含有）
   ② アセトアミノフェン*1回300 mg以下
   ③ NSAIDsを含まずサリチル酸を主成分とした湿布（商品名：MS冷シップ）
   ④ 選択性の高いCOX-2阻害薬　エトドラク*、メロキシカム*（高用量でCOX-1阻害あり）
   ⑤ 選択的COX-2阻害薬（セレコキシブ*、ただし重症不安定例で悪化の報告あり）
   ⑥ 塩基性消炎薬（チアラミド塩酸塩*など、ただし重症不安定例で悪化の報告あり）
2. 安全
   喘息の悪化は認めない（COX-1阻害作用なし）
   ① モルフィン、ペンタゾシン
   ② 非エステル型ステロイド薬（内服ステロイド薬）
   ③ 漢方薬（地竜、葛根湯など）
   ④ その他、鎮痙薬、抗菌薬、局所麻酔薬など、タートラジンなどの添加物のない一般薬はすべて使用可能
   ＊：添付文書では、アスピリン喘息において禁忌とされている薬剤。ただし、禁忌とされた薬剤でも医学的根拠に乏しい場合もある（例：セレコキシブ）

速静注で悪化し得るため、必ず緩徐な点滴投与で行う[2]（エビデンスC）。特に、コハク酸エステル型ステロイド製剤（商品名：ソル・コーテフ、ソル・メドロール、水溶性プレドニンなど）の急速静注は喘息増悪の重篤化につながる場合があり、これらの薬剤は回避する。リン酸エステル型ステロイド製剤（商品名：ハイドロコートン、リンデロン、デカドロンなど）が推奨されるが、ほとんどの薬剤に添加物が含まれるので急速投与では増悪の危険性がある。内服のプレドニゾロンは安全性が高い。すなわち、ステロイド点滴投与についてはリン酸エステル型を選択し、急速静注は絶対禁忌と考え1〜2時間以上かけての点滴投与が望ましい（表7-2）。また、NSAIDsによる誘発症状は急激に悪化するため、アドレナリン筋注が喘息増悪のみならず鼻や皮膚、消化器、胸痛症状に奏効する（エビデンスD）。

7）長期管理とNSAIDs誤使用の防止対策：長期管理は通常の喘息と基本的に同様である。オマリズマブは重症AERD患者の上下気道症状を改善し、CysLT過剰産生とマスト細胞活

表7-2　AERD（NSAIDs過敏喘息、N-ERD、アスピリン喘息）に対する静注用ステロイド製剤

静注用ステロイド製剤にはコハク酸エステル製剤とリン酸エステル製剤があり、AERDは特にコハク酸エステル製剤に過敏である

一般名 \ 商品名	コハク酸エステルステロイド製剤（禁忌）	リン酸エステルステロイド製剤（添加物に注意）
ヒドロコルチゾン	サクシゾン、ソル・コーテフなど	水溶性ハイドロコートンなど
プレドニゾロン	水溶性プレドニンなど	−
メチルプレドニゾロン	ソル・メドロールなど	−
デキサメタゾン	−	デカドロンなど
ベタメタゾン	−	リンデロンなど

性化を抑制する[10]（エビデンス A）。LTRA 併用は喘息と鼻副鼻腔炎症状を改善し、アスピリン誘発反応も部分的に抑制する（エビデンス B）が効果は十分でない[11]。DSCG は増悪寛解期の AERD に対して、有意な気管支拡張効果がある[12]（エビデンス B）。AERD では、NSAIDs 投与後に数日間の不応期が生じることから、少量から連続してアスピリンを内服するアスピリン耐性維持療法（アスピリン減感作）が行われる場合がある[13]。鼻症状や喘息症状が改善するが、耐性を維持するためにはアスピリンを生涯にわたって継続投与する必要があるため、副作用の観点から適応は限られる。AERD 由来の好酸球性鼻茸は非 AERD と比較して重症で再燃しやすい。難治例では内視鏡下副鼻腔手術の適応となり、手術で改善すれば上下気道症状の安定化（エビデンス A）と尿中 LTE_4 低下が得られるが、鼻茸再発で再燃する[14]（エビデンス B）。

　NSAIDs の誤投与が重大な増悪につながるため、口頭で伝えるだけでなく文書を用いて NSAIDs 過敏に関して説明することが望ましい。特に、NSAIDs 不耐症患者カードを作成して携帯すれば、医療機関や薬局で提示することで NSAIDs 誤使用を防止しやすくなる（エビデンス D）。詳細は国立病院機構相模原病院臨床研究センター NSAIDs（解熱鎮痛薬）不耐症・過敏症 HP（http://www.hosp.go.jp/~sagami/rinken/crc/nsaids/index.html）を参照されたい。

[参考文献]

1) Kowalski ML, Asero R, Bavbek S, et al. Classification and practical approach to the diagnosis and management of hypersensitivity to nonsteroidal anti-inflammatory drugs. *Allergy*. 2013; 68: 1219-32.
2) Taniguchi M, Mitsui C, Hayashi H, et al. Aspirin-exacerbated respiratory disease (AERD): Current understanding of AERD. *Allergol Int*. 2019; 68: 289-95.
3) White AA, Stevenson DD. Aspirin-Exacerbated Respiratory Disease. *N Engl J Med*. 2018; 379: 1060-70.
4) Kowalski ML, Agache I, Bavbek S, et al. Diagnosis and management of NSAID-Exacerbated Respiratory Disease (N-ERD)-a EAACI position paper. *Allergy*. 2019; 74: 28-39.
5) Berges-Gimeno MP, Simon RA, Stevenson DD. The natural history and clinical characteristics of aspirin-exacerbated respiratory disease. *Ann Allergy Asthma Immunol*. 2002; 89: 474-8.
6) Hayashi H, Fukutomi Y, Mitsui C, et al. Smoking Cessation as a Possible Risk Factor for the Development of Aspirin-Exacerbated Respiratory Disease in Smokers. *J Allergy Clin Immunol Pract*. 2018; 6: 116-25. e3.
7) Rajan JP, Wineinger NE, Stevenson DD, White AA. Prevalence of aspirin-exacerbated respiratory disease among asthmatic patients: A meta-analysis of the literature. *J Allergy Clin Immunol*. 2015; 135: 676-81. e1.
8) Fukutomi Y, Taniguchi M, Tsuburai T, et al. Obesity and aspirin intolerance are risk factors for difficult-to-treat asthma in Japanese non-atopic women. *Clin Exp Allergy*. 2012; 42: 738-46.
9) Settipane RA, Schrank PJ, Simon RA, et al. Prevalence of cross-sensitivity with acetaminophen in aspirin-sensitive asthmatic subjects. *J Allergy Clin Immunol*. 1995; 96: 480-5.
10) Hayashi H, Fukutomi Y, Mitsui C, et al. Omalizumab for Aspirin Hypersensitivity and Leukotriene Overproduction in Aspirin-exacerbated Respiratory Disease. A Randomized Controlled Trial. *Am J Respir Crit Care Med*. 2020; 201: 1488-98.
11) Ramírez-Jiménez F, Vázquez-Corona A, Sánchez-de la Vega Reynoso P, et al. Effect of LTRA in L-ASA Challenge for Aspirin-Exacerbated Respiratory Disease Diagnosis. *J Allergy Clin Immunol Pract*. 2021; 9: 1544-61.

12) 妹川史朗，佐藤篤彦，谷口正実，他．クロモグリク酸ナトリウムは発作寛解期のアスピリン喘息患者に対して急性気管支拡張効果を有する．アレルギー．1992；41；1515-20．
13) Stevens WW, Jerschow E, Baptist AP, et, al. The role of aspirin desensitization followed by oral aspirin therapy in managing patients with aspirin-exacerbated respiratory disease: A Work Group Report from the Rhinitis, Rhinosinusitis and Ocular Allergy Committee of the American Academy of Allergy, Asthma & Immunology. *J Allergy Clin Immunol*. 2021; 147: 827-44.
14) Adelman J, McLean C, Shaigany K, et al. The Role of Surgery in Management of Samter's Triad: A Systematic Review. *Otolaryngol Head Neck Surg*. 2016; 155: 220-37.

7-2　運動誘発喘息・運動誘発気管支収縮（アスリート喘息の管理を含む）

1）実臨床における運動に関連する喘息症状： 実臨床において運動に関連する喘息症状または患者の対応で問題になるのは、①運動誘発喘息の診断、治療およびその予防、②運動選手（アスリート）への対応である。特に②はトップアスリートの場合にドーピングを含めた対応も重要になる。運動に伴う喘息症状に関する診断・管理については、2013年にATSからガイドラインが示され[1]、さらに総説が発表された[2,3]。

2）運動誘発喘息・運動誘発気管支収縮の概念： 喘息患者の多くは運動終了の数分後から一過性の気管支収縮を来して60分以内に自然回復する。消褪後は最大4時間ほどの不応期となる。このように運動の数分後に喘息増悪や気管支収縮が生じることを、運動誘発喘息（exercise-induced asthma, EIA）、運動誘発気管支収縮（exercise-induced bronchoconstriction, EIB）と呼ぶ[4]。多くの小児喘息患者と半数以上の成人喘息患者が運動時の悪化を自覚している[4]。実際の運動では水泳で生じにくく、ランニング、特に短距離走の繰り返しや中距離走、冬季の運動で生じやすいという報告がある。EIBの機序として、気道内の温度の急激な変化および気道の水分喪失に伴う浸透圧上昇が刺激となり、各種炎症性メディエーターが遊離され、気道収縮が引き起こされると推察されている[2]。

3）診断： EIBの診断は、最大酸素摂取量の70〜80％程度、または最大心拍数の85％以上まで上昇する運動を3〜8分間行い、その後の呼吸機能検査で1秒量が10％以上の低下を確認する[4]。しかし、実臨床でこの基準は実用的ではなく、運動後の咳嗽や呼吸困難感、喘鳴などを問診で診断する。EIBと鑑別を要する病態を**表7-3**に示す。

表7-3　運動誘発気管支収縮と鑑別を要する疾患

- 運動誘発性喉頭機能異常（声帯機能異常など）
- 運動誘発性過換気
- 慢性閉塞性肺疾患/拘束性肺障害
- 運動誘発アナフィラキシー
- 心疾患
- 胃食道逆流
- 心因性

4）治療・予防：予防に有用な薬物として、SABA、DSCG、LTRA などが用いられる[1～3]。

(1) SABA：単剤で最も気管支収縮抑制作用があり、頓用使用の有用性が高いため第1選択薬に挙げられる[5]。運動の5～20分前に使用し、効果は2～4時間持続する[6]（エビデンスA）。

(2) LTRA：気道収縮抑制と抗炎症作用を併せ持ち、効果はSABAに及ばないが連用しても耐性が生じない[7]。通常、運動2時間前の服用で効果が24時間持続する[1,2]（エビデンスA）。

(3) DSCG：運動前の単回吸入で有意な抑制効果を示し、メタ解析でも効果は確認されている[5]。効果の発現は迅速で、1～2時間程度持続する（エビデンスA）。

(4) 抗コリン薬：SAMAのEIB抑制効果が報告されているが効果の発現は一定でない[1,2]。LAMAの効果は明らかでない。

EIBは喘息の病態を伴うことが多く、非特異的気道過敏性や気道の好酸球性炎症と相関する[8]ため、予防には喘息の管理に準じてICSなどの長期管理薬を十分に投与することが必要となる（エビデンスA）。運動直前のSABAの単回投与と、長期管理薬による喘息のコントロールがEIB管理・予防の両輪となる。薬物以外に、EIBが生じた後は不応期となりEIBが生じにくくなることを利用して、予定されている運動あるいは競技前のウォーミングアップが効果的で推奨されている[9]（エビデンスA）。その他、運動時のマスクの着用、加湿も効果的である[1]。

5）アスリート喘息

(1) アスリート喘息の現状：国際的なアスリートが非競技者に比べて高い有病率で喘息を発症することが報告されている[10]。わが国のオリンピック派遣選手団の喘息有病率は11.2～12.9％と、米国などの諸外国と同様に一般成人と比べて著明に高いことが報告されており、的確な診断と治療で競技能力の向上が期待できる。一方で、治療薬には世界アンチドーピング機構（World Anti-Doping Agency, WADA）が使用禁止とする薬物、さらに禁止表に含まれる薬物であっても、治療目的や投与経路に除外規定が設けられている薬物があるので細心の注意を要する。禁止薬を治療目的で使用する場合は除外措置（therapeutic use exemption, TUE）の申請で使用が可能となる場合がある。

(2) アスリート喘息の病因、病態：発症機序は基本的にはEIBと同様であるが、アスリート喘息には特有の病態が提唱されている。非常に激しい運動による過酷な換気状態では細胞の極度の進展と収縮が気道上皮の傷害をもたらす。この上皮傷害はすぐに修復されるが、傷害と修復が繰り返される過程で気道過敏性の亢進、気道リモデリングが生じる[2,11]。

(3) アスリート喘息の診断（図7-1）：国内外の主要な競技会に出場する場合は客観的な診断が必要である。喘鳴、胸苦しさ、息切れなどの症状がある場合には、呼吸機能検査で気道狭窄の有無を評価すると同時にSABAによる可逆性試験を行う。陰性の場合は負荷試験により陽性と判定する必要がある。実臨床では明らかな喘息であっても可逆性試験や負荷試験で陰性になる症例も存在する。その場合にはTUEを必要としない薬剤に変更して治療を続けることが実際的である。TUE申請には診断根拠を客観的に証明する書類の提出が必須であり、日本アンチドーピング機構（Japan Anti-Doping Agency, JADA, http://www.play

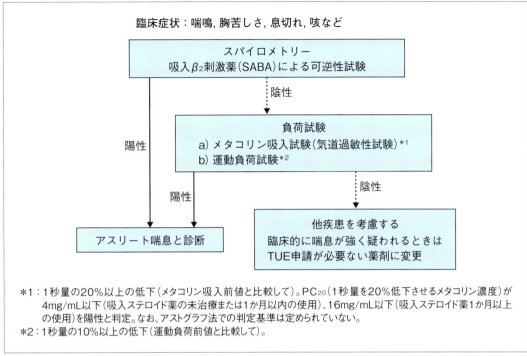

図 7-1　アスリート喘息の診断

truejapan.org/）の『医師のための TUE 申請ガイドブック 2020』が参考になる。

(4) アスリート喘息の治療：予防には前述のように喘息の長期管理に準じる。長期管理、増悪時の対応は一般的な喘息と同じであるが、使用可能な薬剤、TUE 申請で使用可能になる薬剤、TUE 申請が認められておらず使用できない薬剤に分類される（**表 7-4**）。β_2 刺激薬は薬剤により対応が異なるため注意を要する（**表 7-5**）。

(5) アスリート喘息の管理：前述のように、運動前・症状発現時に SABA を中心とした薬物療法とウォーミングアップを取り入れて EIB を予防する（**表 7-6**）。症状が強い場合は、LTRA や DSCG の追加を考慮する。さらに、配合剤を含めた ICS を中心に連日投与を追加して喘息の長期管理を行い、状態を安定させて EIB 予防を強化する。一方で、アスリート喘息には ICS の効果が低い症例があり[12]、今後の課題である。その他には、EIB を予防できる環境を整備し、気温や湿度の極端に低いところでの運動は避けることを指導する。

[参考文献]

1) Parsons JP, Hallstrand TS, Mastronarde JG, Kaminsky DA, Rundell KW, Hull JH, et al. An official American Thoracic Society clinical practice guideline: exercise-induced bronchoconstriction. *Am J Respir Crit Care Med*. 2013; 187: 1016-27.
2) Weiler JM, Brannan JD, Randolph CC, Hallstrand TS, Parsons J, Silvers W, et al. Exercise-induced bronchoconstriction update-2016. *J Allergy Clin Immunol*. 2016; 138: 1292-5.e36.
3) Koya T, Ueno H, Hasegawa T, et al. Management of Exercise-Induced Bronchoconstriction in Athletes. *J Allergy Clin Immunol Pract*. 2020; 8: 2183-92.
4) Tan RA, Spector SL. Exercise-induced asthma: diagnosis and management. *Ann Allergy Asthma*

表7-4 喘息治療薬と使用可否およびTUE申請の関係

喘息治療薬	投与経路	使用可否	TUE申請	注
糖質コルチコイド*	内服・注射	不可	必要	遡及的TUE申請必要
	吸入	可		
β₂刺激薬	吸入	可	必要	サルブタモール、サルメテロール、ホルモテロール、ビランテロールのみTUE申請不要
	内服、貼付	不可	必要	
LTRA	内服	可		
テオフィリン薬	内服、注射	可		
抗コリン薬	吸入	可		
DSCG	内服、吸入	可		
抗アレルギー薬	内服	可		
生物学的製剤	注射	可		
エフェドリン	内服	不可	必要	通常、TUE申請は承認されない

LTRA：ロイコトリエン受容体拮抗薬、DSCG：クロモグリク酸ナトリウム
＊：糖質コルチコイドは競技会外検査では禁止されていないため喘息増悪などの際に全身投与されても、競技会時でなければTUE申請は不要

表7-5 実臨床で使用されるβ₂刺激薬と使用可否について

治療薬	投与経路	使用可否	注
サルブタモール	吸入	可	24時間最大使用量 1,600 mcg、12時間ごとに800 mgを超えない*
サルメテロール	吸入	可	24時間最大使用量 200 mcg*
ホルモテロール	吸入	可	24時間最大使用量 54 mcg*
ビランテロール	吸入	可	24時間最大使用量 25 mcg*
プロカテロール	吸入、内服	不可	TUE申請が必要。内服の申請認可は困難
フェノテロール	吸入、内服	不可	同上
ツロブテロール	貼付、内服	不可	TUE申請が必要であるが、申請認可は困難
インデカテロール	吸入	不可	TUE申請が必要。代替理由が重要
オロダテロール	吸入	不可	同上
クレンブテロール	内服	不可	筋肉増強作用があり、禁

＊：上限量を超える使用の場合にはTUE申請が必要

表7-6 アスリート喘息の管理

非薬物療法	ウォーミングアップを十分に行う 寒冷時のマスク着用、環境整備
薬物療法	① EIBに対する治療 　SABA吸入（サルブタモール）頓用（運動前使用または症状発現時） 　LTRA内服（モンテルカストまたはプランルカスト）の追加 　DSCG吸入も選択肢 ② ベースとなる喘息の治療 　ガイドラインに則った治療。ただし、LABAはサルメテロール、ホルモテロールまたはビランテロール以外を使用するとTUE申請が必要

SABA：短時間作用性$β_2$刺激薬　　LTRA：ロイコトリエン受容体拮抗薬
LABA：長時間作用性$β_2$刺激薬　　DSCG：クロモグリク酸ナトリウム

Immunol. 2002; 89: 226-35; quiz 35-7, 97.
5) Spooner CH, Spooner GR, Rowe BH. Mast-cell stabilising agents to prevent exercise-induced bronchoconstriction. *Cochrane Database Syst Rev.* 2003; (4): CD002307.
6) McFadden ER, Jr., Gilbert IA. Exercise-induced asthma. *N Engl J Med.* 1994; 330: 1362-7.
7) Philip G, Pearlman DS, Villaran C, et al. Single-dose montelukast or salmeterol as protection against exercise-induced bronchoconstriction. *Chest.* 2007; 132: 875-83.
8) Otani K, Kanazawa H, Fujiwara H, et al. Determinants of the severity of exercise-induced bronchoconstriction in patients with asthma. *J Asthma.* 2004; 41: 271-8.
9) Stickland MK, Rowe BH, Spooner CH, et al. Effect of warm-up exercise on exercise-induced bronchoconstriction. *Med Sci Sports Exerc.* 2012; 44: 383-91.
10) Fitch KD. An overview of asthma and airway hyper-responsiveness in Olympic athletes. *Br J Sports Med.* 2012; 46: 413-6.
11) Kippelen P, Anderson SD. Airway injury during high-level exercise. *Br J Sports Med.* 2012; 46: 385-90.
12) Hoshino Y, Koya T, Kagamu H, et al. Effect of inhaled corticosteroids on bronchial asthma in Japanese athletes. *Allergol Int.* 2015; 64: 145-9.

7-3 肥満関連喘息

1) 肥満が喘息の病態に及ぼす影響： 肥満は、喘息新規発症の危険因子である[1]。加えて、喘息コントロールの悪化因子でもある[2,3]。さらに、肥満合併喘息患者は、ステロイド薬への反応性が低下している[4]。肥満患者では、脂肪組織および全身の慢性炎症と酸化ストレス亢進、高脂肪食および低線維食とそれによる腸管細菌叢の変化、胸郭への脂肪蓄積、運動量の低下が認められる。これらが気道炎症の亢進、ステロイド感受性低下、コリン作動性神経の活性化、呼吸機能の低下などを誘導している。肥満関連疾患である睡眠時無呼吸症候群や食道裂孔ヘルニアの合併は喘息の重症化につながる。

2) 日本人における肥満の定義と喘息との関連： 日本人における肥満の定義は、日本肥満学会によって「脂肪組織に脂肪が過剰に蓄積した状態で、BMI≧25 kg/m²」と定められてい

る[5]。これは、肥満関連疾患の増加の閾値が日本人ではBMI＝25 kg/m^{2}であることに基づいている。喘息についても、日本人ではBMI≧25 kg/m^{2}で喘息の有病率上昇が報告されている[6,7]。喘息コントロールとBMIの関連は、日本人ではBMI≧25 kg/m^{2}の患者では、それ以下の患者と比べて重症喘息増悪回数が高く、25≦BMI＜30 kg/m^{2}の患者とBMI≧30 kg/m^{2}の患者とでは差がないことが報告されている[8]。日本人患者を対象に肥満関連喘息の評価、治療を行うときには、WHOの肥満の基準（≧30 kg/m^2）ではなく、日本肥満学会の基準（≧25 kg/m^2）を使う必要がある。

3）肥満関連喘息の分類：肥満が喘息の病態を修飾する機序は種々あるが肥満がある場合には少なくとも2つのフェノタイプが存在する[9]。一つは「asthma consequent to obesity」と称されるlate-onsetで非2型炎症・酸化ストレスが強く女性に多いフェノタイプである。もう一つは「asthma complicated by obesity」と称され、early onsetでIgE値高値の2型炎症が強いフェノタイプである。今後、さらなる細分類がなされる可能性がある。

4）治療：肥満合併喘息の病態は多様であり、患者によって対応は異なるのが現状と考えられる。一般的な対応としては、体重の減量、肥満関連合併症への治療介入を行うと同時に通常の喘息の治療を行う。これに反応する患者はある程度存在する。減量が不可能、または治療反応性不十分の際には、2型炎症を呈する重症喘息であれば生物学的製剤の投与を考慮する[10]。生物学的製剤の中には、肥満でも効果の減弱が認められないものがある。経口ステロイド薬の連用は肥満の悪化につながるので、できる限り避ける必要がある。

[参考文献]

1) Camargo CA, Jr., Weiss ST, Zhang S, et al. Prospective study of body mass index, weight change, and risk of adult-onset asthma in women. *Arch Intern Med*. 1999; 159: 2582-8.
2) Gibeon D, Batuwita K, Osmond M, et al. Obesity-associated severe asthma represents a distinct clinical phenotype: analysis of the British Thoracic Society Difficult Asthma Registry Patient cohort according to BMI. *Chest*. 2013; 143: 406-14.
3) Taylor B, Mannino D, Brown C, et al. Body mass index and asthma severity in the National Asthma Survey. *Thorax*. 2008; 63: 14-20.
4) Peters-Golden M, Swern A, Bird SS, et al. Influence of body mass index on the response to asthma controller agents. *Eur Respir J*. 2006; 27: 495-503.
5) Examination Committee of Criteria for 'Obesity Disease' in Japan; Japan Society for the Study of Obesity, New criteria for 'obesity disease' in Japan. *Circ J*. 2002; 66: 987-92.
6) Konno S, Hizawa N, Fukutomi Y, et al. The prevalence of rhinitis and its association with smoking and obesity in a nationwide survey of Japanese adults. *Allergy*. 2012; 67: 653-60.
7) Tomita Y, Fukutomi Y, Irie M, et al. Obesity, but not metabolic syndrome, as a risk factor for late-onset asthma in Japanese women. *Allergol Int*. 2019; 68: 240-6.
8) To M, Hitani A, Kono Y, et al. Obesity-associated severe asthma in an adult Japanese population. *Respir Investig*. 2018; 56: 440-7.
9) Dixon AE, Poynter ME. Mechanisms of Asthma in Obesity. Pleiotropic Aspects of Obesity Produce Distinct Asthma Phenotypes. *Am J Respir Cell Mol Biol*. 2016; 54: 601-8.
10) Albers FC, Papi A, Taille C, et al. Mepolizumab reduces exacerbations in patients with severe eosinophilic asthma, irrespective of body weight/body mass index: meta-analysis of MENSA and MUSCA. *Respir Res*. 2019; 20: 169.

7-4 慢性閉塞性肺疾患（COPD）（Asthma and COPD Overlap, ACO）

1）ACO診断の手順：2018年発刊の日本呼吸器学会の手引き[1]は、ACOを「慢性の気流閉塞を示し、喘息とCOPDのそれぞれの特徴を併せ持つ疾患である」と定義した。呼吸器症状があり、固定性気流閉塞を有する40歳以上を対象にした診断の手順を示す（図7-2)[1]。

※ ACO, Asthma and COPD Overlap、喘息とCOPDとのオーバーラップ

2）発症要因：発症には気道リモデリングや喫煙・大気汚染曝露が関与するが、近年では肺の発育障害説も唱えられている[1~3]。すなわちGWAS研究などから*CCL*遺伝子の多型、*ADAM33*遺伝子発現、*HLA complex group 22*遺伝子やその多型などの遺伝素因、胎児期の母体側からの喫煙、飲酒、薬剤や感染症などの受動的要因、小児期のアトピー素因や気道過敏性の獲得、あるいは住宅環境や反復する気道感染などが肺の発育障害に関与する[1~3]。

3）有病率・予後：有病率（95% CI）は一般人口の2.0（1.4-2.6）%［0.3~5.0%］で、喘息の26.5（19.5-33.6）%［3.2~51.4%］とされる[4]。わが国では喘息の19~49%とされている[1]。診断の手順（図）を用いて40歳以上の閉塞性肺疾患患者（n＝170）を対象に分類するとACO、喘息およびCOPDの割合はそれぞれ30.6%、2.8%および66.6%と報告されている[5]（エビデンスC）。ACOの有病率や罹患率は診断基準や対象例の違いに影響を受ける[1,4,5]。喘息と比較して、ACOは疾患コントロールが不良で、生活の質（QOL）が低く、呼吸機能が低く、増悪や入院の頻度が高く、医療費が高額で、全身併存症の数も多い[1]。長期コホート研究では、晩期発症ACO例の年間1秒量49.6 mLの低下は喘息例の25.6 mLより大きく、晩期発症ACOは非喫煙健常人を対照とした入院と呼吸関連死のハザード比（95% CI）はそれぞれ14.7（10.4-20.9）と6.4（4.0-10.1）で、いずれも喘息の8.3（5.5-12.4）と2.6（1.3-5.3）より高く、予後不良であることが示されている。ただし早期発症ACOの予後は喘息と同等とされる[6]（エビデンスC）。

4）治療：治療選択のエビデンスは乏しい[1~3,7]。ACOを対象とした無作為化比較試験（RCT、3研究）およびコホート研究（6研究）をまとめたシステマティックレビューでは、ICS/LABA併用療法は、LABA単独またはICS単独療法より増悪を39%抑制させ、LABAやLAMA単独療法より入院または死亡リスクを18%低下させるとしている[8]。この結果より、ICSとLABAとの併用が推奨される。一方、COPDを対象としたIMPACT[9]（エビデンスA）、KRONOS[10]（エビデンスA）、およびETHOS研究[11]（エビデンスA）では喘息既往の記載がなくACOの割合は不明であるが、ACOの要素である気道可逆性陽性（1秒量200 mL以上かつ12%以上）と末梢血好酸球増多（150［または300］/μL以上）例の割合がそれぞれ、18%と43%、48%と51%、および31%と60%［15%］であった。これらの試験においてICS/LABA/LAMAのトリプル療法が、ICS/LABAあるいはLAMA/LABA併用療法に比較してQOLや呼吸機能の改善および増悪抑制効果が示されている。ただし、ACOと好酸球性COPDとは区別されるべき病態として注意する[2]。ACOを対象にしたトリプル療法（被験者数149人）とICS/LABA併用療法（154人）群とのRCT（48週間の前向

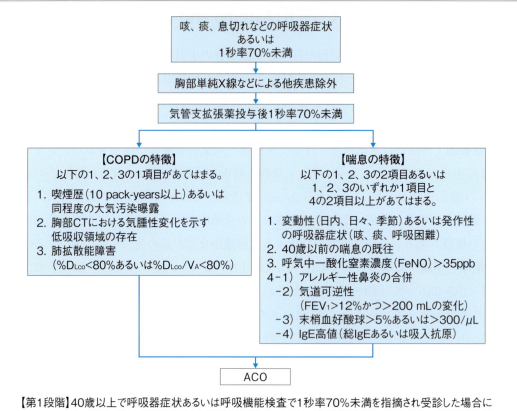

図7-2 ACOの診断手順[1]

き試験)では、トリプル療法で呼吸機能の改善が認められたものの、増悪頻度は18.8%、18.9%と群間で有意差はなく、症状の改善も有意差がなかった[12](エビデンスA)。2つの12週間の前向き非盲検交差試験(被験者数19人と17人)では、トリプル療法がICS/LABA併用療法に比較して、1秒量や最大吸気量の改善が認められたが、症状やQOLは改善がなかった[13,14](エビデンスB)。オマリズマブは少人数の被験者数(3～55人)の検討では、症状やQOLの改善が示されているが、呼吸機能の改善は示されなかった[2,7]。マクロライド系抗菌薬や抗IL-5療法は増悪抑制に期待されるがエビデンスは乏しい[7]。抗IL-4/IL-13療法の有用性は証明されていない[2,7]。疾患コントロール不良例ではテオフィリン薬、喀痰調整薬やロイコトリエン受容体拮抗薬の追加が考慮されるがエビデンスはない[1]。

[参考文献]

1) 日本呼吸器学会. 喘息とCOPDのオーバーラップ（Asthma and COPD Overlap：ACO）診断と治療の手引き2018. 2017.
2) Leung JM, Sin DD. Asthma-COPD overlap syndrome: pathogenesis, clinical features, and therapeutic targets. *BMJ*. 2017; 358: j3772.
3) Allinson JP, Hardy R, Donaldson GC, et al. Combined impact of smoking and early-life exposures on adult lung function trajectories. *Am J Respir Crit Care Med*. 2017; 196: 1021-30.
4) Hosseini M, Almasi-Hashiani A, Sepidarkish M, et al. Global prevalence of asthma-COPD overlap (ACO) in the general population: a systematic review and meta-analysis. *Respir Res*. 2019; 20: 229.
5) Yamamura K, Hara J, Kobayashi T, et al. The prevalence and clinical features of asthma-COPD overlap (ACO) definitively diagnosed according to the Japanese Respiratory Society Guidelines for the Management of ACO 2018. *J Med Invest*. 2019; 66: 157-64.
6) Lange P, Colak Y, Ingebrigtsen TS, et al. Long-term prognosis of asthma, chronic obstructive pulmonary disease, and asthma-chronic obstructive pulmonary disease overlap in the Copenhagen City Heart study: a prospective population-based analysis. *Lancet Respir Med*. 2016; 4: 454-62.
7) Maselli DJ, Hardin M, Christenson SA, et al. Clinical approach to the therapy of asthma-COPD overlap. *Chest*. 2019; 155: 168-77.
8) Amegadzie JE, Gorgui J, Acheampong L, et al. Comparative safety and effectiveness of inhaled bronchodilators and corticosteroids for treating asthma-COPD overlap: a systematic review and meta-analysis. *J Asthma*. 2021; 58: 344-59.
9) Lipson DA, Barnhart F, Brealey N, et al. Once-Daily Single-Inhaler Triple versus Dual Therapy in Patients with COPD. *N Engl J Med*. 2018; 378: 1671-80.
10) Ferguson GT, Rabe KF, Martinez FJ, et al. Triple therapy with budesonide/glycopyrrolate/formoterol fumarate with co-suspension delivery technology versus dual therapies in chronic obstructive pulmonary disease (KRONOS): a double-blind, parallel-group, multicentre, phase 3 randomised controlled trial. *Lancet Respir Med*. 2018; 6: 747-58.
11) Rabe KF, Martinez FJ, Ferguson GT, et al. Triple Inhaled Therapy at Two Glucocorticoid Doses in Moderate-to-Very-Severe COPD. *N Engl J Med*. 2020; 383: 35-48.
12) Park SY, Kim S, Kim JH, et al. A randomized, noninferiority trial comparing ICS + LABA with ICS + LABA + LAMA in asthma-COPD overlap (ACO) treatment: The ACO Treatment with Optimal Medications (ATOMIC) Study. *J Allergy Clin Immunol Pract*. 2021; 9: 1304-1311.e2.
13) Ishiura Y, Fujimura M, Ohkura N, et al. Triple therapy with Budesonide/Glycopyrrolate/Formoterol Fumarate improves inspiratory capacity in patients with asthma-chronic obstructive pulmonary disease overlap. *Int J Chron Obstruct Pulmon Dis*. 2020; 15: 269-77.
14) Ishiura Y, Fujimura M, Ohkura N, et al. Effect of triple therapy in patients with asthma-COPD overlap. *Int J Clin Pharmacol Ther*. 2019; 57: 384-92.

7-5 乳幼児期の喘息

1）乳幼児期における「診断的治療」の導入： JPGL2012までは2歳未満を乳児喘息と定義したが、病態、フェノタイプの差異、治療反応性、予後などに関して2～5歳の喘息との差異を示すエビデンスがほとんどないため、JPGL2017以降は5歳以下を乳幼児喘息としている。また、JPGL2012までは気道感染の有無によらず反復性喘鳴を3回以上繰り返す2歳未満を広義の乳児喘息と診断していたが、ウイルス感染後の反応性気道疾患（reactive airway disease, RAD)[1]や一過性初期喘鳴群など、過剰治療になる症例が含まれることから、確実な診断をするためにJPGL2020ではJPGL2017と同様に「診断的治療」を取り入れた。

2）乳幼児期の特徴と課題：喘息は6歳までに80〜90％が発症するため、よりよい予後のためには発症早期の適切な診断に基づいた早期介入が重要である。早期介入が急性増悪（発作）頻度や治療のステップアップ、β_2刺激薬使用を有意に減らす[2]（エビデンスB）。乳幼児期は各種検査が困難であり、病状把握は身体所見に基づく臨床的な判断に頼らざるを得ず、他覚所見をもとに呼吸困難の程度を判定する。また、乳幼児期は保護者、特に母親への対応が重要であり、病態の説明、日常の環境整備、感染予防などを丁寧に指導する。治療ステップ3以降の治療でコントロールが困難な場合は、小児の喘息治療に精通した医師の指導・管理のもとでの治療が望ましい。

3）乳幼児喘息の病態生理：乳幼児期と6歳以上の病態の差異は明らかではないが、重症例の粘膜生検やBALF所見などから類似した病態が認められる。非IgE関連喘息も認められ、乳幼児の気道上皮傷害は好中球の関与が大きいとの報告もある[3]（エビデンスB）。乳幼児は年長児に比し気道内径が狭く肺弾性収縮力が低い、気管支平滑筋が少なく粘液分泌腺や杯細胞が過形成を示し分泌物が多い、側副換気が少なく低酸素血症を来しやすいことなどから症状の進行が速く、また上記の要因により呼吸困難が生じやすくなる。発症要因はウイルス下気道感染による気道傷害が重要[4]（エビデンスB）で、乳児期のRSウイルス重症細気管支炎で喀痰中に剥離した気道上皮の集塊（クレオラ体）がある場合は喘息の発症との関連を示す報告[5]（エビデンスB）や、5歳時に反復性喘鳴やIgE関連喘息が有意に多いとの報告[6]（エビデンスC）もある。さらに、パリビズマブを使用することで3歳での反復性喘鳴が抑制されるとの報告[7]（エビデンスA）、6歳での喘息発症リスクは3歳以下の下気道感染時のライノウイルス検出群が非検出群の9.8倍と、RSウイルス感染の2.6倍と比し有意に高率との報告[8]（エビデンスA）がある。

4）喘鳴性疾患の病型分類（フェノタイプ）：乳幼児期の反復する喘鳴性疾患は、一過性初期喘鳴群と非アトピー型喘鳴群、IgE関連喘鳴/喘息群の3分類が提唱されている。ERS Task Forceは喘鳴を時間的パターンからmultiple-trigger wheezeとepisodic（viral）wheezeに分類し、前者はICSが、後者はLTRAが有効としている。PRACTALL consensus reportでは、喘息をvirus-induced asthma、exercise-induced asthma、allergen-induced asthma、unresolved asthmaに4分類し、低年齢、ウイルス性喘息にはLTRAを基本として乳幼児でもアトピー型喘息はICSを第1選択薬とすることを提言している。JPGL2020でも、乳幼児喘息の病態の多様性を考慮し、IgE関連喘息（アレルゲン誘発性喘息／アトピー型喘息）と非IgE関連喘息（ウイルス誘発性喘息など）に分類した。表7-7に示す「乳幼児IgE関連喘息の診断に有用な所見」を満たす場合をIgE関連喘息とし、満たさない場合を非IgE関連喘息とした。

5）診断：5歳以下で24時間以上続く呼気性喘鳴を3エピソード以上繰り返し、β_2刺激薬吸入後に呼気性喘鳴や努力性呼吸・SpO_2の改善が認められる場合に「乳幼児喘息」と診断す

表7-7 乳幼児 IgE 関連喘息の診断に有用な所見

- 両親の少なくともどちらかに医師に診断された喘息（既往を含む）がある。
- 患児に医師の診断によるアトピー性皮膚炎（既往を含む）がある。
- 患児に吸入アレルゲンに対する特異的 IgE 抗体が検出される。
- 家族や患児に高 IgE 血症が存在する（血清総 IgE 値は年齢を考慮した判定が必要である）。
- 喀痰中に好酸球やクレオラ体が存在する（鼻汁中好酸球、末梢血好酸球の増多は参考）。
- 気道感染がないと思われるときに呼気性喘鳴を来したことがある。

る。β_2 刺激薬に反応が乏しいが呼気性喘鳴を認める症例は「診断的治療」により「乳幼児喘息」と診断する（図7-3(a)、(b)）。ただし、繰り返す呼気性喘鳴3エピソードは治療開始に必須ではない。また、エピソード間に1週間程度以上の無症状期間を確認する。呼気性喘鳴は診察による判断が望ましいが、喘鳴について十分に指導した上で、保護者からの聴取

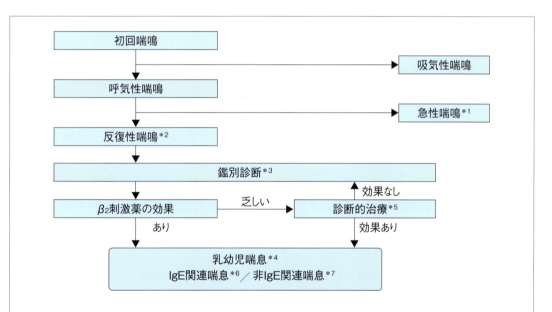

- ＊1：急性喘鳴：ウイルスや細菌の感染などによる単発の喘鳴エピソードを指す。
- ＊2：反復性喘鳴：持続する喘鳴エピソードが受診までに複数回繰り返される喘鳴を指す。
- ＊3：鑑別診断：表7-8(b) 参照
- ＊4：乳幼児喘息：5歳以下の反復性喘鳴のうち24時間以上続く明らかな呼気性喘鳴を3エピソード以上繰り返しβ_2刺激薬吸入後に呼気性喘鳴や努力性呼吸・SpO_2の改善が認められる場合を「乳幼児喘息」と診断する。さらに、呼気性喘鳴を認めるが、β_2刺激薬に反応が乏しい症例に対しては、「診断的治療」を用いて「乳幼児喘息」と診断できる。
- ＊5：診断的治療：図7-3(b) 参照
- ＊6：IgE関連喘息（アレルゲン誘発性喘息／アトピー型喘息）：乳幼児喘息のうち「乳幼児IgE関連喘息の診断に有用な所見(表7-7)」を満たす場合をいう。
- ＊7：非IgE関連喘息（ウイルス誘発性喘息など）：乳幼児喘息のうち「乳幼児IgE関連喘息の診断に有用な所見(表7-7)」を満たさない場合をいう（RADの占める割合が多い）。

図7-3(a)　乳幼児喘息の診断のフローチャート

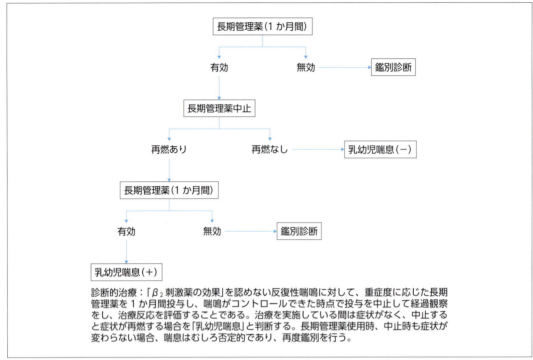

図 7-3(b)　診断的治療

による判断も可能である。乳幼児喘息は IgE 関連喘息と非 IgE 関連喘息に分類する。非 IgE 関連喘息は、ウイルス、タバコ煙、冷気などによる喘息を含み、特にウイルス感染などで生じる反復性喘鳴、RAD の割合が高い[1]。乳幼児期の呼気性喘鳴は年齢により推移し（図 7-4）、IgE 関連喘息の多くは吸入アレルゲンに対する特異的 IgE 抗体陽性のアトピー型喘息として学童期以降も認められ、乳幼児期の非 IgE 関連喘息の一部は学童期までにアトピー型喘息/非アトピー型喘息へ移行する（学童期はアトピー型喘息が 80～90％）。反復喘鳴児が学童期に喘息として診断されるかを予測する指標がいくつか報告されている[9]。

6）鑑別診断： 反復性喘鳴の鑑別（表 7-8(b)）は、新生児期における呼吸障害後の慢性肺疾患や先天性心疾患などの基礎疾患が明らかな児では比較的容易である。血管輪や腫瘍などによる気道狭窄や胃食道逆流症による喘鳴も念頭に置くようにする。さらに、慢性鼻副鼻腔炎では後鼻漏を伴う湿性咳嗽が続くため、反復性喘鳴の鑑別疾患となる[10]。乳幼児喘息と急性ならびに反復性喘鳴疾患の鑑別について、喘息との鑑別に有用な症状・特徴のほか、診療所や大学・市中病院で実施可能な代表的な検査を表 7-8(a)、(b) に記載した。

[参考文献]
1）吉原重美．乳幼児期の喘鳴症候群　Reactive airway disease（RAD）の臨床像．小児科．2009；50：93-102．

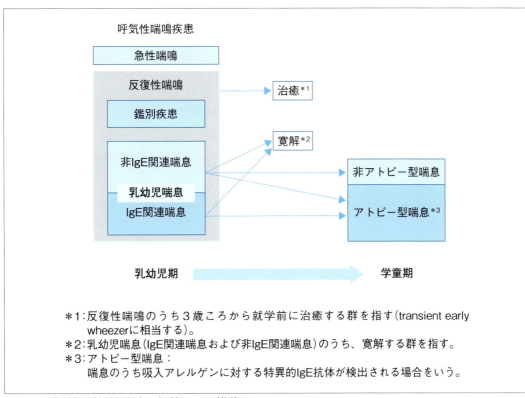

図7-4 乳幼児呼気性喘鳴の年齢による推移

表7-8(a) 乳幼児喘息と急性喘鳴疾患の鑑別

疾患	喘息との鑑別に有用な症状・特徴	診療所で可能な検査	2次病院以降（大学・市中病院）で可能な検査
急性鼻副鼻腔炎	覚醒時・昼間の咳嗽	副鼻腔 Xp、SpO_2	副鼻腔 CT、MRI
気管支炎・肺炎	発熱、湿性咳嗽	胸部 Xp、SpO_2、血液抗体価検査、鼻咽頭病原体抗原迅速検査	胸部 CT
急性細気管支炎	発熱、鼻閉、鼻汁、哺乳力低下（1歳未満に多い）	RS ウイルス迅速検査、ヒトメタニューモウイルス迅速検査、胸部 Xp、SpO_2	胸部 CT
食物アレルギーなどによるアナフィラキシー	全身性に複数の臓器（皮膚、粘膜、呼吸器、消化器、循環器など）にアレルギー症状が出現	SpO_2	─
気道異物	突然の咳嗽、豆類などの摂取歴の問診と聴診（3歳未満に多い）	吸気・呼気の胸部 Xp、SpO_2	胸部 CT、気管支内視鏡
腫瘍による気道圧迫（縦隔腫瘍など）	胸痛、肩痛、時に嚥下障害、体位による症状の変化	胸部 Xp、SpO_2	胸部 CT、MRI、気管支内視鏡

表 7-8（b）　乳幼児喘息と反復性喘鳴疾患の鑑別

疾患	喘息との鑑別に有用な症状・特徴	診療所で可能な検査	2次病院以降（大学・市中病院）で可能な検査
慢性鼻副鼻腔炎	慢性咳嗽、後鼻漏	副鼻腔 Xp、SpO₂	副鼻腔 CT、MRI
鼻・咽頭逆流症	哺乳／食事摂取後の咳嗽	胸部 Xp、SpO₂	嚥下造影
胃食道逆流症	昼間の活動中の乾性咳嗽、夜間や臥位での咳き込み	胸部 Xp、SpO₂	上部消化管造影、24時間 pH モニタリング、上部消化管内視鏡
慢性肺疾患（新生児期の呼吸障害後）	問診による早産児、低出生体重児の既往、乳児期早期の喘鳴	胸部 Xp、SpO₂	胸部 CT
気管・気管支軟化症	乳児期早期の喘鳴、繰り返す肺炎、チアノーゼ／窒息発作	胸部 Xp、SpO₂	気管支内視鏡
先天異常による気道狭窄（血管輪など）	乳児期早期の喘鳴	胸部 Xp、SpO₂	胸部 CT、MRI、気管支内視鏡
閉塞性細気管支炎	膠原病、臓器移植、造血幹細胞移植の既往	胸部 Xp、SpO₂	胸部 CT
気管支拡張症	慢性咳嗽、喀痰、血痰、胸痛	胸部 Xp、SpO₂	胸部 CT
先天性免疫不全症（反復性呼吸器感染）	発熱、易感染	胸部 Xp、SpO₂	遺伝子検査
心不全	動悸、浮腫、尿量減少	胸部 Xp、SpO₂、ECG（心電図）	超音波検査

2) Nagao M, Ikeda M, Fukuda N, et al. Early control treatment with montelukast in preschool children with asthma: a randomized controlled trial. *Allergol Int.* 2018; 67: 72-8.
3) Yoshihara S, Yamada Y, Abe T, et al. Association of epithelial damage and signs of neutrophil mobilization in the airways during acute exacerbations of paediatric asthma. *Clin Exp Immunol.* 2006; 144: 212-6.
4) Yoshihara S, Munkhbayarlakh S, Makino S, et al. Prevalence of childhood asthma in Ulaanbaatar, Mongolia in 2009. *Allergol Int.* 2016; 65: 62-7.
5) Yamada Y, Yoshihara S, Arisaka O. Creola bodies in wheezing infants predict the development of asthma. *Pediatr Allergy Immunol.* 2004; 15: 159-62.
6) Yamada Y, Yoshihara S. Creola bodies in infancy with respiratory syncytial virus bronchiolitis predict the development of asthma. *Allergol Int.* 2010; 59: 375-80.
7) Yoshihara S, Kusuda S, Mochizuki H, et al. Effect of palivisumab prophylaxis on subsequent recurrent wheezing in preterm infants. *Pediatrics.* 2013; 132: 811-8.
8) Jackson DJ, Gangnon RE, Evans MD, et al. Wheezing rhinovirus illnesses in early life predict asthma development in high-risk children. *Am J Respir Crit Care Med.* 2008; 178: 667-72.
9) Kothalawala DM, Kadalayil L, Weiss VBN, et al. Prediction models for childhood asthma: A systematic review. *Pediatr Allergy Immunol.* 2020; 31: 616-27.
10) 吉原重美，井上壽茂，望月博之，監修．小児の咳嗽診療ガイドライン 2020．日本小児呼吸器学会作成，東京，診断と治療社；2020．

7-6　思春期喘息・移行期医療

　思春期・青春期の喘息管理については、以下の2点を考慮する必要がある。
①『小児気管支喘息治療・管理ガイドライン』(JPGL)から『喘息予防・管理ガイドライン』(JGL)に続く一貫性のある管理・治療ができる。
②小児科的医療から内科的医療へのスムーズな移行ができる（移行期医療）。

1）思春期・青年期における疫学
　小児期発症の喘息児で思春期・青年期までに寛解する児は約30～40％と考えられ[1,2]、重症喘息児では寛解率は低下する。また、わが国の喘息重症度分布経年推移に関する多施設検討では13歳以上の治療を加味した重症度の約半数が中等症持続型以上であった[3]。

2）思春期・青年期の喘息の特徴
(1) 呼吸機能：呼吸機能は思春期以降に生理的に低下するが、喘息ではさらに低下が加速する例がある[2,4]。末梢気道の閉塞が長期経過に影響する可能性も示されている[5]。
(2) 気道過敏性：症状が消失しても気道過敏性の亢進が残存している児が存在する[6,7]。このような児では呼吸困難感の自覚の低下も指摘されている[8]。
(3) 肥満や内分泌疾患：わが国の7～15歳の学童を対象にした大規模調査によると、海外からの報告と同様に肥満の女児に喘息が有意に多い[9]。二次性徴の早期発来や糖代謝異常があると、喘息の頻度（罹患率）が増すとの報告もある[10～14]。
(4) 生活習慣の変化・アドヒアランスに伴う問題：思春期の喘息患者において、多忙などの生活習慣、病態や治療の知識不足、医療者とのコミュニケーション不足、喫煙や受動喫煙が治療における自己管理に影響し、アドヒアランスの低下や通院の中断を来す可能性がある[15～17]。

3）小児気管支喘息治療管理ガイドラインから喘息予防・管理ガイドラインへ
　思春期後期になっても薬物治療が必要な場合には、以後も長期に継続が必要となる可能性が高い。このためJPGLからJGLへのスムーズな移行が必要である。
　JPGLとJGLの治療ステップは、治療前の重症度を実際の症状の頻度や程度に置き換えると、対応する治療ステップは基本的には同等である。コントロール状態を良好に保つことを目標に治療することも変わらない。15歳以上でもコントロール良好であれば同じ治療を継続すればよいが、良好でなければJGLに基づいた治療を行う。具体的にはJPGL治療ステップ3もしくは4の治療を行ってもなおコントロール不良の患者に対して、JGLの治療ステップ2もしくは3の治療を行う。JGLの治療ステップ3の治療でコントロール不良の場合は、可能な限り患者が自立していることを確認して成人の喘息治療に精通した医師への紹介を考慮する（表7-9）。遷延化・難治化している場合には、合併症、アドヒアランス、生活因子・環境因子、心理・社会的・経済的背景も検討する。

表7-9 小児期からフォローしている患者が思春期後期・青年期になってもコントロール不十分の場合の対応

症状の頻度		<1回/週		≧1回/週	毎日
		治療ステップ1	治療ステップ2	治療ステップ3	治療ステップ4
6〜14歳(JPGL)	基本	—	いずれか ・ICS (100) ・LTRA	いずれか ・ICS (200) ・ICS (100)/LABA	いずれか ・ICS (400) ・ICS (200)/LABA 上記に以下を併用 ・LTRA ・テオフィリン徐放製剤
	追加	LTRA	上記併用	上記に以下を併用 ・LTRA ・テオフィリン徐放製剤	以下を考慮 　生物学的製剤 　ICS (400〜500)/LABA 　ICS 増量 　経口ステロイド薬
				JPGL 治療ステップ3でコントロール不十分 ⇩	JPGL 治療ステップ4でコントロール不十分 ⇩
		治療ステップ1	治療ステップ2	治療ステップ3	治療ステップ4
15歳以上(JGL)	基本	ICS (100〜200) あるいは ・LTRA ・テオフィリン徐放製剤	ICS (100〜400) 以下のいずれかを併用 ・LABA (配合剤) ・LAMA ・LTRA ・テオフィリン徐放製剤	ICS (400〜800) 以下の1剤あるいは複数を併用 ・LABA (配合剤) ・LAMA ・LTRA ・テオフィリン徐放製剤 → 専門医への紹介を考慮 →	ICS (800) 以下の複数を併用 ・LABA (配合剤) ・LAMA ・LTRA ・テオフィリン徐放製剤 ・生物学的製剤 ・経口ステロイド薬 ・気管支熱形成術
	追加	LTRA 以外の抗アレルギー薬			

〈JGL の特徴〉ICS や ICS/LABA 配合剤、生物学的製剤の選択肢が多い、1日1回の薬剤、LAMA　　　(ICS は FP 換算、μg/日)
LTRA：ロイトコリエン受容体拮抗薬　　ICS：吸入ステロイド薬　　LABA：長時間作用性β₂刺激薬
LAMA：長時間作用性抗コリン薬　　FP：フルチカゾンプロピオン酸エステル

4）移行期医療（成人診療科的診療へ向けて）

　患者が思春期になれば、医療者は患者自身が、それまでの保護的な小児期医療から、自立的、自律的な医療である成人期医療を受け入れられるように促す必要がある。このような成人における疾病との向き合いについての意識の準備を「移行」と呼ぶ。思春期以降まで薬物治療が必要な場合は、患者が「病気を受け入れ」、長きにわたって「付き合っていく」必要があり、このために患者自身が疾患に能動的に向き合う必要がある。このような変化を促す

ために、小児科医は意図的に患者-医師関係を変化させ、患者の自立を促す必要があるが、これらを包括した医療内容を「移行期医療」と呼ぶ。「移行期医療」では、この時期に生じ得る進路・進学・就職・友人関係・親子関係などさまざまな悩みにも対応する必要があるため、患者の自立を支援する医師は子どもの成長・発達を支える小児科医が望ましい。

5）思春期・青年期の患者指導

(1) 学童期の患者指導：患児の理解力に合わせた病態生理、検査結果、治療の必要性について説明し、治療、管理を可能な範囲から本人に任せ、セルフケア行動ができるように導く。

(2) 思春期・青年期の患者指導：本人が喘息の病態生理や自分の検査結果や治療の必要性をどこまで理解しているかを確認し、本人によるセルフモニタリング（喘息日記、ピークフローモニタリング、質問紙）を行うことを促す。そして、患者本人がすべきことを具体的に確認する（表7-10）。

6）成人診療科への転科について

多くの喘息患者が、自立が確認できたらスムーズな内科への転科が可能と考えられる。転科は移行期医療に含まれるが、必ずしも必須のものではない。一方で、転居などにより転科せざるを得ない状況となることもあるため、移行期医療としての取り組みはどの患者にも必

表7-10　思春期までに患者本人が理解し説明できること（患者本人がすべきこと）[18]

1）喘息の病態・治療・予後について 　・気道の慢性炎症性疾患である 　・治療を継続してコントロールが必要な疾患である 　・発作強度の目安 　・予防薬の種類と使い方 2）自分の喘息について 　・喘息のコントロール状況 　・使用している薬剤の名前、効果、使い方 　・自分のアレルゲン・検査結果 　・日々の生活で注意しなければいけないこと 　・喫煙してはいけない 　・緊急受診のタイミング 3）受診について 　・自分で定期受診をすること 　・緊急受診の方法や医療機関 4）医師とのコミュニケーションについて 　・現在の自分の症状 　・喘息により困っていること 　・薬の残量 　・受診可能日の調整 5）その他 　・院外処方箋の期限 　・予約・変更の仕方 　・受診により学校や職場を欠席することへの理解 　・救急車の依頼の仕方

要である。また知的能力障害、自閉スペクトラム症、注意欠如・多動症、限局性学習症、心理的要因を抱える児、重症心身障害を合併する喘息児の中には、成人診療科への移行がスムーズにいかず、成人診療科と小児診療科の併診や小児診療科での医療を継続せざるを得ない児もいる。このような児においての転科は今後の課題である。

[参考文献]

1) Andersson M, Hedman L, Bjerg A, et al. Remission and persistence of asthma followed from 7 to 19 years of age. *Pediatrics*. 2013; 132: 435-42.
2) Tai A, Tran H, Roberts M, et al. Outcomes of childhood asthma to the age of 50 years. *J Allergy Clin Immunol*. 2014; 133: 1572-8.
3) 日本小児アレルギー学会疫学委員会．喘息重症度分布経年推移に関する多施設検討 2018年度報告．日小ア誌．2020；34：166-71.
4) McGeachie MJ, Yates KP, Zhou X, et al. Patterns of Growth and Decline in Lung Function in Persistent Childhood Asthma. *N Eng J Med*. 2016; 374: 1842-52.
5) Siroux V, Boudier A, Dolgopoloff M, et al. Forced Midexpiratory Flow Between 25% and 75% of Forced Vital Capacity Is Associated With Long-Term Persistence of Asthma and Poor Asthma Outcomes. *J Allergy Clin Immunol*. 2016; 137: 1709-16.
6) Fuchs O, Bahmer T, Rabe KF, et al. Asthma transition from childhood into adulthood. *Lancet Respir Med*. 2017; 5: 224-24.
7) Scars MR, Greene JM, Willan AR, et al. A longitudinal population-based, cohort study of childhood asthma followed to adulthood. *N Eng J Med*. 2003; 349: 1414-22.
8) Motomura C, Odajima H, Tezuka J, et al. Perception of dyspnea during acetylcholine-induced bronchoconstriction in asthmatic children. *Ann Allergy Asthma Immunol*. 2009; 102: 121-4.
9) Kusunoki T, Morimoto T, Nishikomori R, et al. Obesity and the prevalence of allergic diseases in schoolchildren. *Pediatr Allergy Immunol*. 2008; 19: 527-34.
10) Perez MK, Piedimonte G. Metabolic asthma: is there a link between obesity, diabetes, and asthma?. *Immunol Allergy Clin North Am*. 2014; 34: 777-84.
11) Hancox RJ, Milne BJ, Poulton R, et al. Sex differences in the relation between body mass index and asthma and atopy in a birth cohort. *Am J Respir Care Med*. 2005; 171: 440-5.
12) Guerra S, Wright AL, Morgan WJ, et al. Persistence of asthma symptoms during adolescence: role of obesity and age at the onset of puberty. *Am J Respir Crit Care Med*. 2004; 170: 78-85.
13) Macsali F, Real FG, Plana E, et al. Early age at menarche, lung function, and adult asthma. *Am J Respir Crit Care Med*. 2011; 183: 8-14.
14) Cottrell L, Neal WA, Ice C, et al. Metabolic abnormalities in children with asthma. *Am J Respir Crit Care Med*. 2011; 183: 441-8.
15) Thomas M. Why aren't we doing better in asthma: time for personalized medicine? *NPJ Primary Care Respiratory Medicine*. 2015; 25: 15004.
16) Holley S, Morris R, Knibb R, et al. Barriers and facilitators to asthma self management in adolescents: a systematic review of qualitative and quantitative studies. *Pediatric Pulmonology*. 2017; 52: 430-42.
17) 望月博之．アレルギー疾患のトランジションを考える〜成人期を迎える患者にどう対応するか・小児喘息の理想的な対応を中心に〜．日本小児臨床アレルギー学会誌．2018；16：2-6.
18) 石崎優子．成人移行期小児慢性疾患患者の自立支援のための移行支援について 平成26年度厚生労働科学研究費補助金（成育疾患克服等次世代育成基盤研究事業）慢性疾患に罹患している児の社会生活支援ならびに療育生活支援に関する実態調査およびそれら施設の充実に関する研究．
www.jpeds.or.jp/uploads/files 2016_ikotyosa_hokoku.pdf

7-7 高齢者喘息

1）特徴：世界保健機関（WHO）では高齢者を65歳以上と定義しており、65歳以上で喘息に罹患している症例群を高齢者喘息として取り扱う。わが国では年々高齢者の比率が増加しており、2020年の総人口に占める高齢者人口の割合は32.1％と過去最高を記録している。高齢者喘息では、喫煙、併存疾患、呼吸生理学的変化、フレイル、認知機能低下、免疫老化、ポリファーマシーなどの因子により、喘息の診断と治療に難渋することが多い（図7-5）。近年では、喘息総死亡者数に占める高齢者の割合は90％近くを推移している。2019年においても91.8％ときわめて高率であり、特に75歳以上が総死亡者数の81.5％を占めている（図7-6）[1]。今後、喘息死亡者数を減少させるためには、後期高齢者の特徴を考慮した上で、診断、治療、管理を実践することが必要である。

2）病型：高齢者喘息は発症時期により、若年期に発症して長期間にわたり持続している早発型と、成人期に発症した遅発型に大別される[2,3]。病型の特徴を表7-11に示す。早発型では、2型炎症を有する頻度や、アレルギー性鼻炎の合併率が高い。コントロール状態に有意差はないとされ、気流閉塞の程度も報告により結果が分かれる。しかし、罹患年数と気流閉塞は相関し[4]、クラスター解析でも、長期罹患を特徴とする群の中に、気流閉塞が強くコントロール不良である群が同定されている[5,6]。遅発型では、喫煙、いびき、副鼻腔炎症状、体重増加、肥満が喘息発症の関連因子である[7]。

3）診断：加齢に伴う生理学的変化によって健常者でも1秒率は低下し[8]、気道過敏性が亢進するため[9]正確な喘息の診断は困難となる。また、加齢に伴いFeNOは増加するが[10]、高

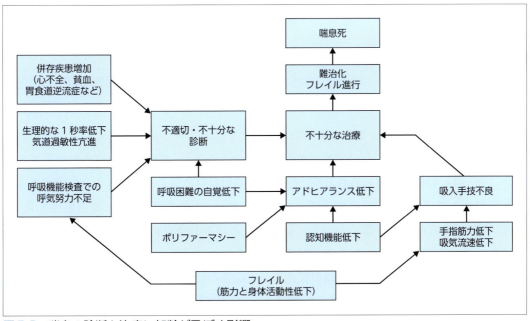

図7-5　喘息の診断と治療に加齢が及ぼす影響

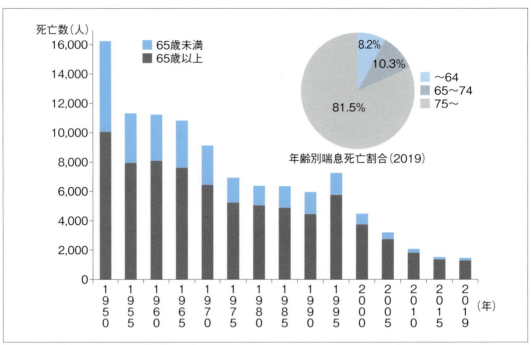

図 7-6 喘息死に占める高齢者の割合

表 7-11 高齢者喘息の病型による特徴

	早発型	遅発型
発症年齢	若年期	中年期以降
罹患年数	長い	短い
喘息家族歴	多い	少ない
鼻炎合併	多い	少ない
COPD 合併	少ない	多い
IgE 高値	高頻度	低頻度
FeNO	高値の傾向	低値の傾向

齢者における FeNO のカットオフ値は設定されていない[11]。さらに、20％程度の高齢者喘息ではスパイロメトリーにおいて呼気努力が不十分となる[9]。高齢者喘息にも特徴的な急性増悪（発作性）の症状は認められるが、呼吸困難感の自覚に個人差が大きく、疲労感を主に訴える場合もある[8]。非喘息高齢者でも、加齢に伴い、1秒率低下[9]、気道過敏性亢進[8]、FeNO 増加[10]などの特徴が認められる。高齢者における FeNO のカットオフ値は設定されていないが、喘息診断での有用性は示唆されている[11]。

また、高齢者に多い心不全、貧血や胃食道逆流症等の慢性疾患が、喘息症状と誤判断されやすい点に注意して病歴を聴取する（図 7-5）。心・血管系障害との併存・鑑別の診断には、胸部 X 線、心電図、心エコー検査、BNP や D-ダイマーの測定を行うことが有用であ

る。また、他の年齢層と異なり、COPDとの合併症例（ACO）が多い。喘息を対象とした場合、ACOの有病率は11.1〜61.0％とされている[12]。喫煙歴を有する症例ではCOPD併存の可能性を考えて、胸部CT、肺拡散能などの検査を考慮すべきである。COPDにおける喘息合併率は、わが国のACOガイドラインに準拠した場合、約30％とされる[13〜15]。症状変動や安静時症状を有するCOPDでは喘息合併の可能性を考えて、FeNO測定、末梢血好酸球数、血清IgEなどの検査を考慮する[12]。

4）治療：高齢者は併存疾患などの理由で大規模臨床試験から除外されることが多く、治療に関するエビデンスは限られている。しかし、高齢者喘息においても基本的な病態は気道の慢性炎症であり、ICSが長期管理における第1選択薬であることは変わらない。加齢に伴い、吸気流量は低下し[16]、手指筋力低下や認知機能低下も関与して、吸入手技不良率は高まる[17]（図7-6）。吸入手技の可否、操作手順の理解度を個々の症例で確認し、臨床背景に則したデバイスを選択することが重要である（表7-12）。喘息コントロールが不良の場合には、吸入手技とアドヒアランスを確認した上で、デバイスの変更や薬剤の追加を考慮する。表7-13に高齢者喘息の薬剤選択とその注意点を示す。

5）管理・患者教育：高齢者喘息の管理では、症状コントロールと増悪リスクの回避に加え、自己管理能力の低下や薬物相互作用を考慮すべきである。認知症やうつ病が併存する場合には喘息長期管理の必要性に対する認識が乏しくなるためアドヒアランスが低下し、喘息増悪を来しやすくなる（図7-5）[18]（エビデンスC）。アドヒアランス低下に対しては、配合剤や1日1回吸入製剤の導入が対応の選択肢となる。薬物治療の自己管理が困難な症例では、介護者が吸入の補助を行うことで喘息増悪頻度の低下や呼吸機能の改善が可能である[19]（エビデンスC）。個々の症例のレベルに合致した丁寧な吸入指導と教育・介護・ケアを継続する必要がある。

表7-12　高齢者喘息における吸入療法の問題点とデバイス選択

問題点	デバイス選択
最大吸気流量低下	pMDI、pMDI＋スペーサー
手指筋力低下	pMDI＋噴霧補助器具
手先の器用さの低下	DPI、pMDI＋スペーサー
噴霧と吸気の同調不良	DPI、pMDI＋スペーサー
アドヒアランス低下	配合剤、1日1回吸入製剤
認知機能低下	介助付き吸入、ネブライザー

表 7-13　高齢者喘息に対する薬物療法の注意点とその対策

使用薬剤	高齢者での注意点	対策
吸入ステロイド薬	高用量の長期使用で、骨粗鬆症の進行、骨折、白内障、糖代謝異常、消化性潰瘍	特に女性では骨塩量の測定 基礎疾患の確認 増量前にアドヒアランスの確認
β_2 刺激薬	振戦、頻脈、狭心症、不整脈	SABA 吸入回数の制限、基礎疾患の確認
長時間作用性抗コリン薬	閉塞隅角緑内障の合併例では禁忌 男性に排尿障害	前立腺肥大、緑内障の既往の確認 残尿感、夜間排尿回数の確認
テオフィリン徐放製剤	生理的クリアランス低下 75 歳以上では副作用重篤化の可能性	クリアランスに影響を与える併用薬に注意 血中濃度測定（目安 5〜10 μg/mL）
ロイコトリエン受容体拮抗薬 抗アレルギー薬	生理的クリアランス低下 口渇、中枢神経抑制作用	減量 非鎮静性抗ヒスタミン薬の使用
生物学的製剤	特になし	特になし

[参考文献]

1) e-stat　政府統計の総合窓口（2021 年 3 月 21 日アクセス）表 5-15　死因（死因年次推移分類）別にみた性・年齢（5 歳階級）・年次別死亡数及び死亡率（人口 10 万対）
 https://www.e-stat.go.jp/stat-search/files?page=1&layout=datalist&toukei=00450011&tstat=000001028897&cycle=7&year=20190&month=0&tclass1=000001053058&tclass2=000001053061&tclass3=000001053065&result_back=1&tclass4val=0
2) Liu QK, X. Wang YB. Liu, KX. et al. Differences in the Clinical Characteristics of Early- and Late-Onset Asthma in Elderly Patients. *Biomed Res Int*. 2020: 2020; 2940296.
3) Herscher ML, Wisnivesky JP, Busse PJ, et al. Characteristics and outcomes of older adults with long-standing versus late-onset asthma. *J asthma*. 2017; 54: 223-9.
4) Cassino CB, KI. Goldring, RM. Norman RG et al. Duration of Asthma and Physiologic Outcomes in Elderly Nonsmokers. *Am J Respir Crit Care Med*. 2000; 162: 1423-8.
5) Baptist AP, Hao W, Karamched KR, et al. Distinct Asthma Phenotypes Among Older Adults with Asthma. *J Allergy Clin Immunol Pract*. 2018; 6: 244-9.e2.
6) Park HW, Song WJ, Kim SH, et al. Classification and implementation of asthma phenotypes in elderly patients. *Ann Allergy Asthma Immunol*. 2015; 114: 18-22.
7) Jamrozik E, Knuiman MW, James A, et al. Risk factors for adult-onset asthma: a 14-year longitudinal study. *Respirology*. 2009; 14: 814-21.
8) Quanjer PS, S. Cole, TJ. Baur, X. et al. Global Lung Function Initiative. Multi-ethnic reference values for spirometry for the 3-95-yr age range: the global lung function 2012 equations. *Eur Respir J*. 2012; 40: 1324-43.
9) Baptist AP, Busse PJ. Asthma Over the Age of 65: All's Well That Ends Well. *J Allergy Clin Immunol Pract*. 2018; 6: 764-73.
10) Toren K, Murgia N, Schioler L, et al. Reference values of fractional excretion of exhaled nitric oxide among non-smokers and current smokers. *BMC Pulm Med*. 2017; 17: 118.
11) Godinho Netto A, Dos Reis T, Matheus C, et al. Fraction of exhaled nitric oxide measurements in the diagnoses of asthma in elderly patients. *Clin Interv Aging*. 2016; 11: 623-9.

12) 喘息とCOPDのオーバーラップ診断と治療の手引き2018．日本呼吸器学会 喘息とCOPDのオーバーラップ（Asthma and COPD Overlap：ACO）診断と治療の手引き2018作成委員会メディカルレビュー社．2017.
13) Yamamura K, Hara J, Kobayashi T, et al. The prevalence and clinical features of asthma-COPD overlap (ACO) definitively diagnosed according to the Japanese Respiratory Society Guidelines for the Management of ACO 2018. *J Med Invest*. 2019; 66: 157-64.
14) Hashimoto S, Sorimachi R, Jinnai T, et al. Asthma and Chronic Obstructive Pulmonary Disease Overlap According to the Japanese Respiratory Society Diagnostic Criteria: The Prospective, Observational ACO Japan Cohort Study. *Adv Ther*. 2021; 38: 1168-84.
15) Toyota H, Sugimoto N, Kobayashi K, et al. Comprehensive analysis of allergen-specific IgE in COPD: mite-specific IgE specifically related to the diagnosis of asthma-COPD overlap. *Allergy Asthma Clin Immunol*. 2021; 17: 13.
16) Kawamatawong T, Khiawwan S, Pornsuriyasak P. Peak inspiratory flow rate measurement by using In-Check DIAL for the different inhaler devices in elderly with obstructive airway diseases. *J Asthma Allergy*. 2017; 10: 17-21.
17) Barbara S, Kritikos V, Bosnic-Anticevich S. Inhaler technique: does age matter? A systematic review. *Eur Respir Rev*. 2017; 26: 170055.
18) O'Conor R, Wolf MS, Smith SG, et al. Health literacy, cognitive function, proper use, and adherence to inhaled asthma controller medications among older adults with asthma. *Chest*. 2015; 147: 1307-15.
19) Matsunaga K, Yamagata T, Minakata Y, et al. Importance of assistance by caregivers for inhaled corticosteroid therapy in elderly patients with asthma. *J Am Geriatr Soc*. 2006; 54: 1626-7.

7-8　喘息と妊娠

1）喘息が妊娠に与える影響： 2004～2006年の厚生労働科学研究事業による全国調査における妊娠・出産年齢（20歳～44歳）女性における喘息有病率は5.6％であり、喘息は妊娠に合併する最も頻度の高い呼吸器疾患である[1]。正常妊娠においても、妊娠に伴う子宮増大が横隔膜を拳上させて機能的残気量（functional residual capacity, FRC）が減少し、また血中プロゲステロン濃度の上昇により1回換気量が増加し呼吸性アルカローシスを呈する。よって、妊婦は妊娠期間を通じ徐々に呼吸困難感を自覚しやすいため、喘息増悪との鑑別が重要となる。かつては、喘息患者の1/3が妊娠中に増悪するとされていたが、治療の進歩に伴いこの比率は低下しており、約1/4（23％）が妊娠中に増悪するといわれている[2]。妊婦における喘息増悪は図7-7に示すような病態で胎児に低酸素血症をもたらしやすく、喘息患者では正常妊婦に比較して流早産や低出生体重児、先天異常の頻度が高いとの報告がある[3,4]。このため、十分な喘息コントロールが重要である。

2）妊娠中の喘息治療： 妊婦は妊娠期間中の薬剤の使用による妊娠や胎児への影響に神経質になるのが常である。全く薬剤使用のない正常妊娠でも自然流産は約15％、先天異常は2～4％に認められ、コントロール不良な喘息患者では正常妊娠に比べて合併症はより高率に発生し得ることを患者と共有し、妊娠中であっても喘息治療の継続は有益性が高い[5]ことを十分に説明して喘息治療を継続する。加えて、抗原・刺激物質の回避、環境整備、禁煙（受動

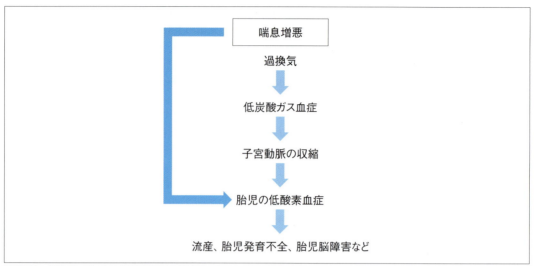

図7-7 妊娠における喘息増悪の影響

喫煙も含む）、心身の安静などの薬物治療以外にも配慮が必要である。妊娠中の喘息長期管理についても、非妊娠喘息患者と同様に重症度分類をして管理を行う。妊娠前、妊娠中の喘息患者に使用する薬剤の安全性評価を表7-14に示す[6]。経口薬に比較して吸入薬の安全性は高いと考えられ、ICSが第1選択薬として推奨され、ICSのみでコントロールが得られない場合には、LABAやLAMAを追加する。テオフィリン徐放製剤、貼付$β_2$刺激薬、LTRAの追加も可能である。生物学的製剤については、抗IgE抗体製剤では妊娠前から使用している場合、継続可能と考えられている[7]。また、抗IL-5抗体製剤、抗IL-5受容体α鎖製剤、抗IL-4/13受容体α鎖製剤については、有益性が危険性を上回る場合は投与可能であるが、現在レジストリ研究が進行中で、さらなる知見が待たれる[8]。また、長期管理中の喘息増悪時の対応については表7-15に示す[9]。表7-14に示すように、増悪治療薬のSABA、全身性ステロイド薬は母児への安全性が高く、増悪治療を躊躇しないよう勧められる。

[参考文献]

1) Jolving LR, Nielsen J, Kesmodel US, et al. Prevalence of maternal chronic diseases during pregnancy-a nationwide population based study from 1989 to 2013. *Acta Obstet Gynecol Scand*. 2016; 95: 1295-304.
2) Gluck JC, Gluck PA. The effect of pregnancy on the course of asthma. *Immunol Allergy Clin North Am*. 2006; 26: 63-80.
3) Murphy VE, Clifton VL, Gibson PG. Asthma exacerbations during pregnancy: incidence and association with adverse pregnancy outcomes. *Thorax*. 2006; 61: 169-76.
4) Demissie K, Breckenridge MB, Rhoads GG. Infant and maternal outcomes in the pregnancies of asthmatic women. *Am J Respir Crit Care Med*. 1998; 158: 1091-5.
5) Murphy VE, Gibson PG. Asthma in pregnancy. *Clin Chest Med*. 2011; 32: 93-110.
6) Middleton PG, Gade EJ, Aguilera C, et al. ERS/TSANZ Task Force Statement on the management of reproduction and pregnancy in women with airways diseases. *Eur Respir J*. 2020; 55: 1901208.
7) Namazy J, Cabana MD, Scheuerle AE, et al. The Xolair Pregnancy Registry (EXPECT): the safety of

表7-14 妊婦における抗喘息薬

分類	一般名	TGA	FDA	ERS/TSANZ	添付文書（日本）
吸入ステロイド薬	ブデソニド	A	B	安全	有益性投与
	ベクロメタゾン	B3	−		
	フルチカゾン	B3	−		
	シクレソニド	B3	C	ほぼ安全	有益性投与
	モメタゾン	B3	−		
吸入長時間作用性β₂刺激薬	ホルモテロール	B3	−	ほぼ安全	有益性投与
	サルメテロール	B3	C		
	ビランテロール	B3	C	おそらく安全	有益性投与
吸入長時間作用性抗コリン薬	チオトロピウム	B1	−	おそらく安全	有益性投与
ロイコトリエン受容体拮抗薬	モンテルカスト	B1	B	ほぼ安全	有益性投与
メチルキサンチン	テオフィリン	A	C	安全	有益性投与
生物学的製剤	オマリズマブ	B1	−	ほぼ安全	有益性投与
	メポリズマブ	B1	−	おそらく安全	有益性投与
	ベンラリズマブ	B1	−		
	デュピルマブ	B1	−		
吸入短時間作用性β₂刺激薬	サルブタモール	A	−	安全	有益性投与
全身性ステロイド薬	プレドニゾロン	A	C	おそらく安全	有益性投与
	ヒドロコルチゾン	A	C		

TGA：Therapeutic Goods Administration（オーストラリア政府医薬品評価委員会基準）
A：ヒト多数妊婦での胎児への影響なし。
B1：ヒト少数妊婦での胎児への影響なく、動物実験で胎児への影響なし。
B3：ヒト少数妊婦での胎児への影響なく、動物実験で胎児への影響があったが、ヒトでは不明。
FDA：Food and Drug Administration（米国食品医薬品局基準）
B：動物実験で胎児への影響が示されないか、ヒト妊婦での対照研究がない。
C：動物実験で胎児への影響が示されているが、ヒト妊婦での対照研究がなく証明されていない。有益性が上回る場合にのみ投与する。
ERS/TSANZ：the European Respiratory Society/The Thoracic Society of Australia and New Zealand Task Force Statement
有益性投与：妊娠中の投与に関する安全性については確立していないため、治療上の有益性が危険性を上回ると判断される場合にのみ投与する。

omalizumab use during pregnancy. *J Allergy Clin Immunol*. 2015; 135: 407-12.
8) Pfaller B, José Yepes-Nuñez J, Agache I, et al. Biologicals in atopic disease in pregnancy: An EAACI position paper. *Allergy*. 2021; 76: 71-89.
9) Bonham CA, Patterson KC, Strek ME. Asthma Outcomes and Management During Pregnancy. *Chest*. 2018; 153: 515-27.

表7-15 妊娠中の喘息増悪時の対応

1. 妊婦と児の状態をモニターする。
2. 短時間作用性吸入β₂刺激薬（SABA）：pMDI（サルブタモール）で20分おきに2～4パフを1時間まで繰り返す。あるいはネブライザーを用いて吸入する。
3. 酸素飽和度（SpO₂）を95％以上に保つ。
4. 適切な母体の心拍出量を維持するために、飲水管理や点滴も考慮する。
5. 0.1％アドレナリン（ボスミン®）の皮下注射は子宮動脈の収縮を惹起するためアナフィラキシーなどの場合のみ使用する。
6. 増悪の程度によってはステロイド薬の点滴静注を行う。ただしAERD（NSAIDs過敏喘息、N-ERD、アスピリン喘息）の既往のある患者にはコハク酸エステル製剤の使用は避ける。
7. 上記治療反応性が悪い場合は早めに気管挿管、人工呼吸器管理を考慮する。pH<7.35、PCO₂≧28～32 Torr（通常妊婦の正常値）あるいはPO₂<70 Torrで挿管を考慮する。

7-9　合併症

1）アレルギー性鼻炎

　アレルギー性鼻炎は鼻粘膜のI型アレルギー疾患で、原則的には原因となる抗原（アレルゲン）の曝露直後に認められる「発作性反復性のくしゃみ」、「水性鼻漏」、「鼻閉」を3主徴とする疾患である[1]。ただし、好酸球、リンパ球をはじめとする種々の炎症細胞浸潤が局所に認められ、即時相のみでなくアレルゲン非存在下に形成される炎症反応により遅発相が形成され、重症化や遷延化に関与している[2]。

　アレルギー性鼻炎は好発時期からは、通年性アレルギー性鼻炎と季節性アレルギー性鼻炎に大別され、季節性の多くは花粉をアレルゲンとすることから花粉症とも呼ばれる。通年性アレルギー性鼻炎の原因アレルゲンの大半は家塵ダニが占めているが、そのほか、真菌、ペットのふけ、昆虫などがある。

　花粉症を引き起こす花粉を大別すると樹木花粉と草木花粉になり、前者としてスギ、ヒノキ、ハンノキ、シラカンバなどが、後者としてはカモガヤ、オオアワガエリ、ブタクサ、ヨモギなどがある[1]。特に日本特有とされるスギ花粉症は患者の増加、症状の強さから大きな問題になっている。スギの植生は沖縄、北海道北部を除いて広く見られる。アレルギー性鼻炎は国民の約5割が罹患していて、患者数は依然として増加しているとされる[1]。一旦発症すると中高年者を除いて症状は自然には改善しにくい[3]。

　喘息との合併が多く、小児では喘息患者の70％あるいはそれ以上、成人の喘息患者でも60～70％以上に合併が認められ、アレルギー性鼻炎患者から見るとその20～30％に喘息の合併が報告されている[3-5]。アレルギー性鼻炎は喘息発症の独立した危険因子であり、症状の増悪にも関連が深く、アレルギー性鼻炎合併喘息のコントロールは非合併喘息より悪く[4]、救急外来受診も多い。また、スギ花粉症も喘息患者の40％程度に合併しており、花粉飛散期には喘息コントロールが悪化しやすい[6]。その関連は"one airway, one disease"として知られている[3]（エビデンスA）（図7-8）。

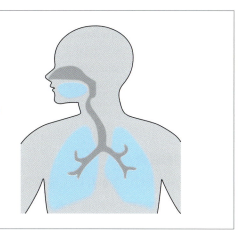

図 7-8 One airway, one disease

　治療としては、原因アレルゲンの除去・回避指導、薬物療法、アレルゲン免疫療法、手術療法がある。わが国の診療ガイドラインでは患者の重症度、病型に応じた薬物療法が推奨されている[1]。アレルゲン免疫療法はアレルギー性鼻炎の自然経過を改善させる唯一の治療であり、従来からの皮下注射法に加えて安全性の高い舌下免疫療法についてもダニ舌下錠、スギ舌下錠の安全性、有効性が評価されている[7〜10]（エビデンス A）。また、2019 年に抗 IgE 抗体療法が重症、最重症の季節性アレルギー鼻炎に対して適応追加された[11]。

　保存的治療で改善しない患者には、鼻中隔彎曲、鼻ポリープの有無など専門的な診察が必要である。手術治療も考慮される。

[参考文献]

1) 鼻アレルギー診療ガイドライン—通年性鼻炎と花粉症．2020 年版鼻アレルギー診療ガイドライン作成委員会，ライフ・サイエンス，東京，2020.
2) Okuma Y, Okamoto Y, Yonekura S, et al. Persistent nasal symptoms and mediator release after continuous pollen exposure in an environmental challenge chamber. *Ann Allergy Asthma Immunol*. 2016; 117: 150-7.
3) Bousquet J, Khaltaev N, Cruz AA, et al. World Health Organization; GA(2)LEN; AllerGen. Allergic Rhinitis and its Impact on Asthma (ARIA) 2008 update (in collaboration with the World Health Organization, GA(2)LEN and AllerGen). *Allergy*. 2008; 63 Suppl 86: 8-160.
4) Ohta K, Bousquet PJ, Aizawa H, et al. Prevalence and impact of rhinitis in asthma. SACRA, a cross-sectional nation-wide study in Japan. *Allergy*. 2011; 66: 1287-95.
5) Yonekura S, Okamoto Y, Shimojo N, et al. The onset of allergic rhinitis in Japanese atopic children: A preliminary prospective study. *Acta Otolaryngologica*. 2012; 132: 981-7.
6) Hojo M, Ohta K, Iikura M, et al. The impact of co-existing seasonal allergic rhinitis caused by Japanese Ceder Pollinosis (SAR-JCP) upon asthma control status. Allergol Int. 2015; 64: 150-5.
7) Okamoto Y, Okubo K, Yonekura S, et al. Efficacy and safety of sublingual immunotherapy for two seasons in patients with Japanese cedar pollinosis. *Int Arch Allergy Immunol*. 2015; 166: 177-88.
8) Okamoto Y, Fujieda S, Okano M, et al. House dust mite sublingual tablet is effective and safe in patients with allergic rhinitis. *Allergy*. 2017; 72: 435-43.
9) Okubo K, Masuyama K, Imai T, et al. Efficacy and safety of the SQ house dust mite sublingual

immunotherapy tablet in Japanese adults and adolescents with house dust mite -induced allergic rhinitis. *J Allergy Clin Immunol.* 2017; 139: 1840-8.
10) Gotoh M, Yonekura S, Imai T, et al. Long-Term Efficacy and Dose-Finding Trial of Japanese Cedar Pollen Sublingual Immunotherapy Tablet. *J Allergy Clin Immunol Pract.* 2019; 7: 1287-97.
11) Okubo K, Okano M, Sato N, et al. Add-On Omalizumab for Inadequately Controlled Severe Pollinosis Despite Standard-of-Care: A Randomized Study. *J Allergy Clin Immunol Pract.* 2020; 8: 3130-40.

2）慢性副鼻腔炎

慢性副鼻腔炎は、3か月以上継続する粘性もしくは膿性の鼻漏、鼻閉、後鼻漏（図7-9）、それに伴う咳嗽を示す疾患である[1]。鼻閉は、鼻漏が鼻腔を占拠することによるが、その場合鼻をかむと軽快する。慢性副鼻腔炎は鼻茸を伴うことがあり（図7-10a）、常時鼻閉を感じる。鼻茸は感染を繰り返すたびに大きくなり、鼻腔を占拠する。問診は診断に重要である。症状の有無と病悩期間を十分に聴取する。これらの症状を伴い、副鼻腔単純X線（図7-11）とCT（図7-12）にて、副鼻腔に陰影があれば慢性副鼻腔炎と診断できる。

これまでわが国では、鼻副鼻腔粘膜および鼻茸に好中球優位の浸潤を認める慢性副鼻腔炎が多かった[2]。このタイプは、マクロライド少量長期投与（マクロライド系抗菌薬半量・約3か月間投与）が高い有効率を示し、咳嗽喀痰（副鼻腔気管支症候群）の改善にもつながった。図7-9に示すような後鼻漏は、マクロライド系抗菌薬によって消失し、症状の改善を認める（エビデンスC）。ただし、膿性鼻汁が激しい急性期では、アンピシリン内服を選択する[3]。鼻茸は保存的治療での治癒が不可能なため内視鏡下鼻内副鼻腔手術を行う。一般的な慢性副鼻腔炎は、内視鏡下鼻内副鼻腔手術と術後のマクロライド少量長期投与で再発を認めることがほとんどなくなった[4]。

3）好酸球性副鼻腔炎

1990年代後半からわが国では手術療法やマクロライド療法に抵抗する難治性慢性副鼻腔炎が増加してきた。その特徴は、成人発症で篩骨洞病変が主体であり、嗅覚障害を主訴と

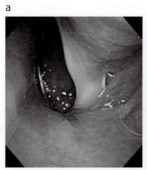 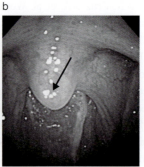

a：慢性副鼻腔炎患者に内視鏡を挿入し上咽頭を観察すると、膿性の鼻汁（後鼻漏）が認められる。
b：咽頭後壁に流れる後鼻漏。矢印は口蓋垂を示す。

図7-9　慢性副鼻腔炎患者の後鼻漏

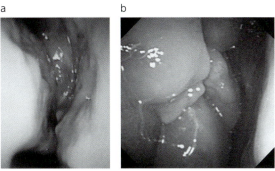

a：一般的な慢性副鼻腔炎に多い単発性鼻茸
b：好酸球性副鼻腔炎の多発性鼻茸

図 7-10　鼻腔内に認められる鼻茸

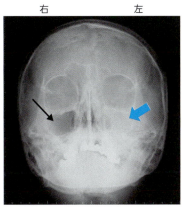

右上顎洞（↘）は正常。左上顎洞（←）に陰影を認める。

図 7-11　慢性副鼻腔炎の単純 X 線像

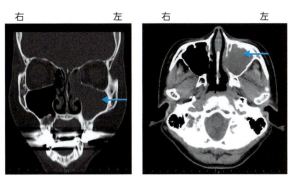

右上顎洞・篩骨洞は正常。左上顎洞（←）と篩骨洞に均一な陰性を認める。

図 7-12　慢性副鼻腔炎の典型的 CT 像

し、両側に多発性の鼻茸を有する。末梢血中では好酸球増加を示し、鼻粘膜・鼻茸では多数の好酸球浸潤を認めるため、好酸球性副鼻腔炎と呼んだ[5]。好酸球性副鼻腔炎は、喘息、NSAIDs（アスピリン）不耐症の合併が多い特徴がある。NSAIDs（アスピリン）不耐症患者の約90％に鼻茸が合併しているが、その副鼻腔炎はほとんどすべて好酸球性副鼻腔炎である（図7-10b）[6]。

　厚生労働省難治疾患克服事業における多施設共同大規模疫学調査（JESREC Study）では、以下のように臨床スコア（JESRECスコア）による診断基準を作成した[7]。両側の病変、鼻茸あり、篩骨洞優位な陰影、末梢血中の好酸球率から臨床スコアを計算し、11点以上を好酸球性副鼻腔炎と診断した（表7-16）。鼻茸組織中に400倍視野あたり70個以上の好酸球浸潤を認めることで（対眼レンズ22）、確定とした。さらに、鼻茸・副鼻腔炎の内視鏡下鼻内副鼻腔手術の再発を指標として、①末梢血好酸球率が5％以上。CTにて篩骨洞優位の陰影が存在する。②喘息およびNSAIDs不耐症を合わせたAERD（N-ERD）の合併がある。これらの有無にて好酸球性副鼻腔炎の重症度を4つに分類している（図7-13）[7]。好酸球性副鼻腔炎の重症度が上がるにつれて術後の再発率が有意に上昇する。

　好酸球性副鼻腔炎の診断には副鼻腔単純CTが有用で、鼻茸の有無と篩骨洞優位の陰影が重要である（図7-14）[8]。病変が篩骨洞に優位であり嗅裂が閉鎖し、嗅覚障害を主症状とする。表7-17に一般的な慢性副鼻腔炎と好酸球性副鼻腔炎の差異を示す。

　慢性副鼻腔炎と喘息の合併は以前から指摘されており、難治性喘息との関連や喘息の悪化因子として慢性副鼻腔炎は注目され、この多くは好酸球性副鼻腔炎である。未治療の喘息患者では50〜75％の症例で副鼻腔単純X線に異常を示す。また、喘息患者の副鼻腔CTでは、健康人に比較して異常所見を認める率が有意に高い[9]。副鼻腔炎の合併率は、軽症に比べ重症喘息で有意に高く、鼻茸を有する慢性副鼻腔炎に喘息合併が多い[10]。さらに鼻茸合併率は、喘息が重症になるにつれて上昇する[9]。

　保存的治療法としては、経口ステロイド薬の内服が有効である。また、鼻茸切除と副鼻腔を単洞化する内視鏡下鼻内副鼻腔手術も有効である。しかし、手術療法も最終的には半数の症例で再発するが、一定の期間鼻呼吸はほぼ全例で改善する。経口ステロイド薬も中止すれ

表7-16　好酸球性副鼻腔炎の診断基準：臨床スコア[6]

項目	スコア
両側病変	3点
鼻茸あり	2点
篩骨洞優位の陰影	2点
末梢血好酸球比率 2＜　　≦5％ 5＜　　≦10％ 10＜	4点 8点 10点

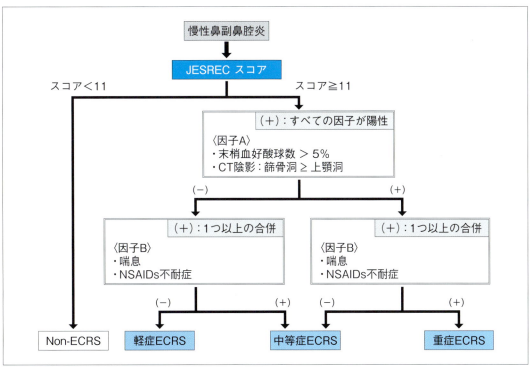

図 7-13　好酸球性副鼻腔炎分類のアルゴリズム

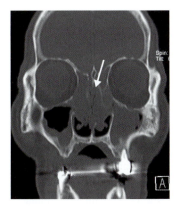

篩骨洞優位の陰影が認められ、嗅裂が閉鎖している（矢印）。

図 7-14　好酸球性副鼻腔炎の CT 像

ば病変は再燃する。鼻茸を伴う副鼻腔炎に対する手術療法は、メタ解析にて呼吸機能は有意に改善しないが[11]、喘息症状と QOL は有意に改善すると報告されている[12]（エビデンス A）。嗅覚障害を訴える喘息患者では、JESREC スコアが 11 点を超える場合には耳鼻咽喉科専門医に紹介する（エビデンス C）。

　2020 年から抗 IL-4 Rα 抗体（デュピルマブ）が、鼻茸スコア 5 を超える大きな鼻茸を伴う慢性副鼻腔炎に対して保険適用が認められた。鼻茸を有する慢性副鼻腔炎に関する治験では、著明で有意な鼻茸スコアの減少と自覚症状の改善を認めた[13]。ほぼ 80〜90％ の対象症例が好酸球性副鼻腔炎である[14]。治験に参加した日本人も欧米人と同様にデュピルマブの効果が認められ、手術できない症例や術後再発複数例に対して導入可能である[15,16]。抗 IgE 抗

表7-17 好酸球性副鼻腔炎と一般的慢性副鼻腔炎の対比[2]

	好酸球性副鼻腔炎	一般的な慢性副鼻腔炎
好発年齢	成人以降	全年代で起こり得る
ポリープ	中鼻道、嗅裂 両側、多発	中鼻道 片側・両側、単発・多発
主要症状	嗅覚障害	鼻閉、鼻漏、頭痛
鼻汁の性状	ニカワ状、粘稠	粘性、膿性
病変部位	篩骨洞優位	上顎洞優位
細胞浸潤	末梢血および組織中好酸球優位	組織中好中球優位
合併症	喘息 NSAIDs不耐症	びまん性汎細気管支炎 気管支拡張症 慢性気管支炎（副鼻腔気管支炎）

体は鼻茸を伴う重症喘息に使用された国内での経験[17]と、欧米での臨床研究結果[18]が報告されている。

[参考文献]

1) Fokkens WJ, Lund VJ, Hopkins C, et al. European Position Paper on Rhinosinusitis and Nasal Polyps 2020. *Rhinology*. 2020; 58 (Suppl S29): 1-464.
2) Fujieda S, Imoto Y, Kato Y, et al. Eosinophilic chronic rhinosinusitis. *Allergol Int*. 2019; 68: 403-12.
3) Rosenfeld RM, Andes D, Bhattacharyya N, et al. Clinical practice guideline: adult sinusitis. *Otolaryngol Head Neck Surg*. 2007; 137 (3 Suppl): S1-31.
4) Yamada T, Fujieda S, Mori S, et al. Macrolide treatment decreased the size of nasal polyps and IL-8 levels in nasal lavage. *Am J Rhinol*. 2000; 14: 143-8.
5) 春名眞一，鴻 信義，柳 清，他．好酸球性副鼻腔炎．耳展．2001；44：195-201.
6) Asano K, Ueki S, Tamari M, et al. Adult-onset eosinophilic airway diseases. *Allergy*. 2020; 75: 3087-99.
7) Tokunaga T, Sakashita M, Haruna T, et al. Novel scoring system and algorithm for classifying chronic rhinosinusitis: the JESREC Study. *Allergy*. 2015; 70: 995-1003.
8) Sakuma Y, Ishitoya J, Komatsu M, et al. New clinical diagnostic criteria for eosinophilic chronic rhinosinusitis. *Auris Nasus Larynx*. 2011; 38: 583-8.
9) Yoshimura K, Kawata R, Haruna S, et al. Clinical epidemiological study of 553 patients with chronic rhinosinusitis in Japan. *Allergol Int*. 2011; 60: 491-6.
10) Laidlaw TM, Mullol J, Woessner KM, et al. Rhinosinusitis with Nasal Polyps and Asthma. *J Allergy Clin Immunol Pract*. 2021; 9: 1133-41.
11) Cao Y, Hong H, Sun Y, et al. The effects of endoscopic sinus surgery on pulmonary function in chronic rhinosinusitis patients with asthma: a systematic review and meta-analysis. *Eur Arch Otorhinolaryngol*. 2019; 276: 1405-11.
12) Tanaka S, Hirota T, Kamijo A, et al. Lung functions of Japanese patients with chronic rhinosinusitis who underwent endoscopic sinus surgery. *Allergol Int*. 2014; 63: 27-35.
13) Bachert C, Han JK, Desrosiers M, et al. Efficacy and safety of dupilumab in patients with severe chronic rhinosinusitis with nasal polyps (LIBERTY NP SINUS-24 and LIBERTY NP SINUS-52): Results from two multicentre, randomised, double-blind, placebo-controlled, parallel-group phase 3 trials. *Lancet*. 2019; 394: 1638-50.

14) Matsunaga K, Katoh N, Fujieda S, et al. Dupilumab; Basic aspects and applications to allergic diseases. *Allergol Int.* 2020; 69: 187-96.
15) Fujieda S, Matsune S, Takeno S, et al. The Effect of Dupilumab on Intractable Chronic Rhinosinusitis with Nasal Polyps in Japan. *Laryngoscope.* 2021; 131: E1770-E1777.
16) Fujieda S, Matsune S, Takeno S, et al. Dupilumab efficacy in chronic rhinosinusitis with nasal polyps from SINUS-52 is unaffected by eosinophilic status. *Allergy.* 2021 May 16. doi: 10.1111/all.14906. Online ahead of print.
17) Hayashi H, Mitsui C, Nakatani E, et al. Omalizumab reduces cysteinyl leukotriene and 9α, 11β-prostaglandin F2 overproduction in aspirin-exacerbated respiratory disease. *J Allergy Clin Immunol.* 2016; 137: 1585-1587.e4.
18) Gevaert P, Omachi TA, Corren J, et al. Efficacy and safety of omalizumab in nasal polyposis: 2 randomized phase 3 trials. *J Allergy Clin Immunol.* 2020; 146: 595-605.

4）好酸球性中耳炎

　好酸球性中耳炎は、喘息や好酸球性副鼻腔炎に合併し、好酸球浸潤が著明なニカワ状（非常に粘稠）の中耳貯留液を特徴とする難治性の中耳炎である。中耳貯留液には、好酸球由来の組織障害性蛋白が高濃度に含まれる。発症年齢は 40～50 歳前後が多い。

　表 7-18 に診断基準を示す[1]。難聴と耳閉感を訴え、患者の QOL は著しく低下し、聾も来し得るため、早期の診断が必要である。適切な治療を行わないと難聴が増悪していく。治療法は、経口ステロイド薬が最も有用である。聴力検査の結果と血中好酸球数の変動をみながら、ステロイド量を調整していく。初期投与量は、プレドニン 0.5 mg/kg で開始する。また、中耳からのニカワ状貯留液を顕微鏡下に除去したら、ステロイド薬（商品名：ケナコルト）もしくはヘパリンを鼓室内に投与し、局所療法を主体にしていく（エビデンス C）。

　成人発症の喘息や NSAIDs（アスピリン）不耐症患者が、「耳が詰まった感じがする」、「喘息が悪化すると耳が聞こえにくい」と訴えることから、耳鼻咽喉科への紹介後に、疾患判明につながることが多い（エビデンス C）[2]。

　最近は難治性喘息に対して、生物学的製剤が保険適用になったため、好酸球性中耳炎合併

表 7-18　好酸球性中耳炎の診断基準[1]

大項目
・好酸球優位な中耳貯留液が存在する滲出性中耳炎/慢性中耳炎。

小項目
・にかわ状の中耳貯留液
・中耳炎に対する従来の治療に抵抗
・気管支喘息の合併
・鼻茸の合併

確実例：大項目＋2 つ以上の小項目
好酸球性肉芽腫性多発血管炎と好酸球増多症が除外できること

の難治性喘息患者において、抗IL-4 Rα抗体（デュピルマブ）[3]、抗IL-5抗体（メポリズマブ）[4]、抗IL-5 Rα抗体（ベンラリズマブ）[5]の投与によって、中耳貯留液の改善を含めた臨床像の改善が認められている。今後、保険適用の拡大が望まれる。

[参考文献]
1) Iino Y, Tomioka-Matsutani S, Matsubara A, et al. Diagnostic criteria of eosinophilic otitis media, a newly recognized middle ear disease. *Auris Nasus Larynx*. 2011; 38: 456-61.
2) Kanazawa H, Yoshida N, Yamamoto H, et al. Risk factors associated with severity of eosinophilic otitis media. *Auris Nasus Larynx*. 2014; 41: 513-7.
3) Iino Y, Sekine Y, Yoshida S, et al. Dupilumab therapy for patients with refractory eosinophilic otitis media associated with bronchial asthma. *Auris Nasus Larynx*. 2021; 48: 353-60.
4) Iino Y, Takahashi E, Ida S, et al. Clinical efficacy of anti-IL-5 monoclonal antibody mepolizumab in the treatment of eosinophilic otitis media. *Auris Nasus Larynx*. 2019; 46: 196-203.
5) Kagoshima H, Hori R, Kojima T, et al. Successful treatment of eosinophilic chronic rhinosinusitis and eosinophilic otitis media using the anti-IL-5 receptor monoclonal antibody benralizumab: A case report. *Respir Med Case Rep*. 2020; 30: 101135.

5）好酸球性多発血管炎性肉芽腫症
(eosinophilic granulomatosis with polyangiitis, EGPA)

(1) 概念：好酸球性多発血管炎性肉芽腫症（EGPA、旧称：Churg-Strauss Syndrome）は、喘息あるいは好酸球性副鼻腔炎を背景に発症する血管炎であり、細小血管に好酸球浸潤を伴う壊死性血管炎と肉芽腫性病変を認め、著明な末梢血好酸球数の増多を伴う[1〜3]。顕微鏡的多発血管炎、多発血管炎性肉芽腫症とともに抗好中球細胞質抗体（anti-neutrophil cytoplasmic antibody, ANCA）関連血管炎に分類される。

(2) 疫学：有病率は17.8/100万人、好発年齢は40〜50歳代であり、女性にやや多い。

(3) 臨床像：EGPAの典型的経過は以下の3相からなる。前駆期から血管炎期までは3-10年が多い。

- **前駆期**：喘息（ほぼ全例）あるいは好酸球性鼻副鼻腔炎の時期
- **好酸球増多期**：末梢血好酸球増多、好酸球性肺炎、喘息悪化の時期
- **血管炎期**：諸臓器の好酸球浸潤を伴う血管炎

先行する喘息は好酸球増多の目立つ成人発症の重症・難治性喘息であり、持続的気流閉塞を来しやすく、経口ステロイド薬を必要とする症例も多い。強いアトピー素因を有する症例は少ない。好酸球性副鼻腔炎をしばしば合併し、時に好酸球性中耳炎も伴う。好酸球増多期には、喘息増悪、好酸球性肺炎の合併、軽度の全身症状（微熱、疲労感）を認めることが多い。血管炎症状としては全身症状（発熱、体重減少、筋肉痛）に加え、多発性単神経炎（四肢末梢のしびれ、疼痛、麻痺）、消化管障害（腹痛、消化管出血）、皮膚症状（紫斑）、耳鼻・肺障害（副鼻腔炎、間質性肺炎、肺胞出血）、心臓障害（心不全、不整脈）、中枢神経障害などを認める[1〜3]。EGPAでは他のANCA関連血管炎に比して重度の腎病変は少ない。

検査所見として、著明な好酸球増多と軽度のCRP上昇に加え、LDHとCKの上昇、血清総IgE値著増、IgG$_4$高値、RF陽性、血小板数増加を認める。好酸球比率は30％以上のことが多く、総白血球数の増多も伴う。ANCA陽性率は、40％程度にとどまるが、ANCA陽性例では、陰性例に比して、腎病変、末梢神経病変が多く、心臓病変が少ない[4,5]。わが国ではANCA陽性・陰性にかかわらず多発性単神経炎の合併頻度が約90％と高い[6,7]。

(4) 診断：厚生労働省難治性血管炎調査研究班の診断基準（**表7-19**）が診断の助けになる[3]。好酸球増多が目立つ成人発症喘息、特に好酸球性鼻副鼻腔炎合併例では血管炎症状の出現に注意する。生命予後に関わる消化管・心障害を見逃さないことが重要である。ANCA陰性EGPAでは好酸球増多症候群、好酸球性白血病との鑑別が重要である。

(5) 治療：重症度、病勢、障害臓器を勘案し、ステロイド薬、免疫抑制薬により寛解導入し、その後、再発予防のため寛解維持療法を行う[3]。一般にステロイド薬に対する反応性は良好であり、軽症例ではステロイド薬のみで寛解導入が可能だが、ステロイド薬減薬中にし

表7-19　厚生労働省難治性血管炎分科会診断基準[3]

1. **主要臨床所見**
   (1) 喘息あるいはアレルギー性鼻炎
   (2) 好酸球増加
   (3) 血管炎による症状〔発熱（38℃以上、2週間以上）、体重減少（6か月以内に6kg以上）、多発性単神経炎、消化器出血、多関節痛（炎）、筋肉痛（筋力低下）、紫斑のいずれか1つ以上〕

2. **臨床経過の特徴**
   主要臨床所見（1）、（2）が先行し、（3）が発症する

3. **主要組織所見**
   (1) 周囲組織に著明な好酸球浸潤を伴う細小血管の肉芽腫性、またはフィブリノイド壊死性血管炎の存在
   (2) 血管外肉芽腫の存在

4. **診断のカテゴリー**
   (1) Definite
      (a) 主要臨床所見3項目を満たし、主要組織所見の1項目を満たす場合
      (b) 主要臨床項目3項目を満たし、臨床経過の特徴を示した場合
   (2) Probable
      (a) 主要臨床所見1項目および主要組織所見の1項目を満たす場合
      (b) 主要臨床所見3項目を満たすが、臨床経過の特徴を示さない場合

5. **参考となる検査所見**
   (1) 白血球増加（≧10,000/μL）
   (2) 血小板数増加（≧40万/μL）
   (3) 血清IgE増加（≧600 U/mL）
   (4) MPO-ANCA陽性
   (5) リウマトイド因子陽性
   (6) 肺浸潤陰影

ばしば再燃する[3]。心病変、重症肺病変、重症腎病変を有する症例には免疫抑制薬の併用が必要である。治療抵抗性の心・末梢神経障害には免疫グロブリン大量療法を考慮する[8]。寛解維持期にはメトトレキサートやアザチオプリンが併用される。近年、難治性・再発性EGPAに対する抗IL-5抗体（メポリズマブ）の有効性が示され[9]、わが国でも使用可能となった。しかし、メポリズマブの適応症例、投与のタイミングなどに関する情報は乏しく、今後の臨床経験の蓄積が望まれる。EGPAに対するリツキシマブの有効性も報告されているが[10]、わが国において保険適用はない。

[引用文献]

1) Jennette JC, Falk RJ, Bacon PA, et al. 2012 revised International Chapel Hill Consensus Conference Nomenclature of Vasculitides. *Arthritis Rheum*. 2013; 65: 1-11.
2) Furuta S, Iwamoto T, Nakajima H. Update on eosinophilic granulomatosis with polyangiitis. *Allergol Int*. 2019; 68: 430-6.
3) 血管炎症候群の診療ガイドライン（2017年改訂版）．磯部光章編．
https://www.j-circ.or.jp/old/guideline/pdf/JCS2017_isobe_h.pdf
4) Comarmond C, Pagnoux C, Khellaf M, et al. Eosinophilic granulomatosis with polyangiitis (Churg-Strauss): clinical characteristics and long-term followup of the 383 patients enrolled in the French Vasculitis Study Group cohort. *Arthritis Rheum*. 2013; 65: 270-81.
5) Chang HC, Chou PC, Lai CY, et al. Antineutrophil cytoplasmic antibodies and organ-specific manifestations in eosinophilic granulomatosis with polyangiitis: A systematic review and meta-analysis. *J Allergy Clin Immunol Pract*. 2021; 9: 445-52.e6.
6) Sada KE, Amano K, Uehara R, et al. A nationwide survey on the epidemiology and clinical features of eosinophilic granulomatosis with polyangiitis (Churg-Strauss) in Japan. *Mod Rheumatol*. 2014; 24: 640-4.
7) Saku A, Furuta S, Hiraguri M, et al. Longterm outcomes of 188 Japanese patients with eosinophilic granulomatosis with polyangiitis. *J Rheumatol*. 2018; 45: 1159-66.
8) Koike H, Akiyama K, Saito T, et al. Intravenous immunoglobulin for chronic residual peripheral neuropathy in eosinophilic granulomatosis with polyangiitis (Churg-Strauss syndrome): a multicenter, double-blind trial. *J Neurol*. 2015; 262: 752-9.
9) Wechsler ME, Akuthota P, Jayne D, et al. Mepolizumab or placebo for eosinophilic granulomatosis with polyangiitis. *N Engl J Med*. 2017; 376: 1921-32.
10) Akiyama M, Kaneko Y, Takeuchi T. Rituximab for the treatment of eosinophilic granulomatosis with polyangiitis: A systematic literature review. *Autoimmun Rev*. 2021; 20: 102737.

6）アレルギー性気管支肺アスペルギルス症（ABPA）・アレルギー性気管支肺真菌症（ABPM）

(1) 概念：アレルギー性気管支肺アスペルギルス症（ABPA）は、気道内に吸入され発芽・腐生したアスペルギルス属真菌に対するⅠ型・Ⅲ型アレルギー反応により発症する。真菌感染症と異なり菌体は気管支内粘液栓に限局し、気道・肺組織へは侵入しない。成人喘息患者に好発し、未治療のまま進行すれば末梢気管支狭窄を伴う囊胞性変化と軽度の線維化、慢性下気道感染を誘発し、最終的には慢性呼吸不全に至り得る。重症喘息の鑑別疾患として重要である。分生子が小さく（3μm）、かつ至適発芽温度が37〜42℃と高いアスペルギルス・フ

ミガーツス Aspergillus fumigatus は下気道に到達し発芽できるため ABPA を来しやすいが、スエヒロタケなど他の糸状菌によるアレルギー性気管支肺真菌症（ABPM）も報告されている[1]。ただし、カンジダは健常人でも口腔内に高頻度に常在し抗体陽性率もきわめて高いため偽診断の危険性が高く、原因真菌とみなすべきではない。

(2) 病態・病理：ABPA の病理学的変化として重要なのは、気管支内に形成される粘稠で好酸球に富む粘液栓（allergic mucin）であり、これが炎症によって脆弱化した気道壁を外側に圧排し、中枢性気管支拡張（central bronchiectasis）を形成する[2]。ABPA 患者特有の粘稠な粘液栓形成には ETosis（extracellular trap cell death）を来した好酸球から放出される extracellular trap が関与する[3]。

(3) 疫学と臨床像：海外の報告では ABPA の有病率は喘息患者の 2.5％で、重症喘息に限ると頻度はさらに高いとされる[4]。発症年齢中央値は従来 30 歳代とされていたが、わが国での全国調査では 57 歳で、50 歳以降の発症が 2/3 を占める[5,6]。男女比ではやや女性に多い。

(4) 診断：従来、Rosenberg らの基準[7]、International Society for Human and Animal Mycology の基準[8]が用いられてきたが、アスペルギルス以外の真菌による ABPM に適用できず、また臨床的に ABPA と思われても診断が困難な症例も多い。2019 年に日本医療研究開発機構 ABPM 研究班より 10 項目からなる新しい臨床診断基準が発表された（**表 7-20**）[9]。感度・特異度ともに従来の診断基準よりも優れていることが確認されている[10]。

(5) 治療：急性悪化期（浸潤影出現時）には経口ステロイド薬を用いる。中等量（プレドニゾロン 0.5 mg/kg）で開始し、血清総 IgE 値と胸部画像所見が改善すれば半減し、計 28 週を目安に中止する（エビデンス B）[11]。経口ステロイド薬減量あるいは中止後の再燃率は高く、わが国での全国調査では 48％であった[5]。そのため、しばしば経口ステロイド薬の継続投与を必要とするが、その際に非結核性抗酸菌や緑膿菌による慢性下気道感染症を合併しやすい。アゾール系抗真菌薬（イトラコナゾール、ボリコナゾール）は単独あるいは経口ステ

表 7-20　アレルギー性気管支肺真菌症（ABPM）の臨床診断基準[9]

1） 喘息の既往あるいは喘息様症状あり
2） 末梢血好酸球数（ピーク時）≧500/mm³
3） 血清総 IgE 値（ピーク時）≧417 IU/mL
4） 糸状菌に対する即時型皮膚反応あるいは特異的 IgE 陽性
5） 糸状菌に対する沈降抗体あるいは特異的 IgG 陽性
6） 喀痰・気管支洗浄液で糸状菌培養陽性
7） 粘液栓内の糸状菌染色陽性
8） CT で中枢性気管支拡張
9） 粘液栓喀出の既往あるいは CT・気管支鏡で中枢気管支内粘液栓あり
10） CT で粘液栓の濃度上昇（hyperattenuating mucoid impaction, HAM）

6 項目以上を満たす場合に、ABPM と診断する。
・項目 4）、5）、6）は同じ属の糸状菌について陽性の項目のみ合算できる（例：アスペルギルス・フミガータスに対する IgE 抗体と沈降抗体が陽性だが、培養ではペニシリウム属が検出された場合は 2 項目陽性と判定する）。
・項目 7）の粘液栓検体が得られず 5 項目を満たしている場合には、気管支鏡検査等で粘液栓を採取するように試みる。困難な場合は「ABPM 疑い」と判定する。

ロイド薬との併用で効果がある（エビデンスB）[12]。ただし、薬剤相互作用を生じる薬剤が多いこと、長期投与はアゾール耐性真菌出現のリスクがあることに注意する。再燃を繰り返す症例で抗IgE抗体、抗IL-5抗体、抗IL-5Rα抗体、抗IL-4Rα抗体、マクロライド少量長期療法、アムホテリシンB吸入療法が有効であったとの報告もあるが（エビデンスC）、現時点ではエビデンスに乏しい。住環境内での真菌曝露を減らす環境整備も重要である。

[参考文献]

1) Chowdhary A, Agarwal K, Kathuria S, et al. Allergic bronchopulmonary mycosis due to fungi other than Aspergillus: a global overview. *Crit Rev Microbiol*. 2014; 40: 30-48.
2) 蛇沢 晶, 田村厚久, 倉島篤行, 他. 手術例から見たアレルギー性気管支肺アスペルギルス症・真菌症の病理形態学的研究. *日呼吸会誌*. 1998；36：330-7.
3) Muniz VS, Silva JC, Braga YAV, et al. Eosinophils release extracellular DNA traps in response to Aspergillus fumigatus. *J Allergy Clin Immunol*. 2018; 141: 571-85.
4) Denning DW, Pleuvry A, Cole DC. Global burden of allergic bronchopulmonary aspergillosis with asthma and its complication chronic pulmonary aspergillosis in adults. *Med Mycol*. 2013; 51: 361-70.
5) Oguma T, Taniguchi M, Shimoda T, et al. Allergic bronchopulmonary aspergillosis in Japan: A nationwide survey. *Allergol Int*. 2018; 67: 79-84.
6) Asano K, Kamei K, Hebisawa A. Allergic bronchopulmonary mycosis - pathophysiology, histology, diagnosis, and treatment. *Asia Pac Allergy*. 2018; 8: e24.
7) Rosenberg M, Patterson R, Mintzer R, et al. Clinical and immunologic criteria for the diagnosis of allergic bronchopulmonary aspergillosis. *Ann Intern Med*. 1977; 86: 405-14.
8) Agarwal R, Chakrabarti A, Shah A, et al. Allergic bronchopulmonary aspergillosis: review of literature and proposal of new diagnostic and classification criteria. *Clin Exp Allergy*. 2013; 43: 850-73.
9) アレルギー性気管支肺真菌症研究班. アレルギー性気管支肺真菌症の診療の手引き. 医学書院, 2019.
10) Asano K, Hebisawa A, Ishiguro T, et al. New clinical diagnostic criteria for allergic bronchopulmonary aspergillosis/mycosis and its validation. *J Allergy Clin Immunol*. 2021; 147: 1261-1268.e5.
11) Agarwal R, Aggarwal AN, Dhooria S, et al. A randomised trial of glucocorticoids in acute-stage allergic bronchopulmonary aspergillosis complicating asthma. *Eur Respir J*. 2016; 47: 490-8.
12) Agarwal R, Dhooria S, Singh Sehgal I, et al. A randomized trial of itraconazole vs prednisolone in acute-stage allergic bronchopulmonary aspergillosis complicating asthma. *Chest*. 2018; 153: 656-64.

7）心不全

急性左心不全では、肺静脈圧の上昇に伴い、気道の浮腫、分泌過多および反応性収縮を来すと、起坐呼吸、咳嗽、喀痰喀出および喘鳴などの喘息急性増悪に類似したいわゆる"心臓喘息（cardiac asthma）"症状を呈する[1~2]。緊急時に喘息急性増悪と心臓喘息との鑑別は困難なことが多く、両者はしばしば合併する[1~2]。それぞれの確定診断は緊急時を脱した安定期に行う。しかし、安定期において慢性心不全はしばしば1秒量が低下し、気道過敏性を有することがある[3]。FeNOは喘息との比較では低値である[4]。

心不全の診断や治療はガイドラインに準じる[1]が、喘息と心不全合併例ではβ遮断薬の使用法が問題になる。β遮断薬の有益性が高いと判断された場合には、$β_1$選択性の高い薬剤を

選択することが望ましく[5]（エビデンス A）、中止しないほうがよいとされる[6]（エビデンス A）。ただし、適切な喘息管理がなされていても β 遮断薬使用は安全とはいえない[7]（エビデンス D）。抗コリン薬は心不全患者の呼吸困難や呼吸機能を改善させる[8]（エビデンス B）。アミノフィリンやテオフィリン製剤は、心臓喘息やうっ血性心不全に保険適用はあるが、心不全患者ではテオフィリンのクリアランスが低下しているため血中濃度上昇に注意が必要であり、ガイドラインに選択薬剤としての記載はない[1]。また、全身性ステロイド薬や $β_2$ 刺激薬は、心不全を発症あるいは悪化させることがある。

[参考文献]

1) 日本循環器学会／日本心不全学会合同ガイドライン，急性・慢性心不全診療ガイドライン（2017年改訂版）．2017.
https://www.j-circ.or.jp/old/guideline/pdf/JCS2017_tsutsui_h.pdf
2) Kahn MH. Cardiac Asthma. *Bull N Y Acad Med*. 1927; 3: 632-42.
3) Nishimura Y, Maeda H, Yokoyama M, et al. Bronchial hyperreactivity in patients with mitral valve disease. *Chest*. 1990; 98: 1085-90.
4) Nishimura Y, Yu Y, Kotani Y, et al. Bronchial hyperresponsiveness and exhaled nitric oxide in patients with cardiac disease. *Respiration*. 2001; 68: 41-5.
5) Morales DR, Jackson C, Lipworth BJ, et al. Adverse respiratory effect of acute β-blocker exposure in asthma: a systematic review and meta-analysis of randomized controlled trials. *Chest*. 2014; 145: 779-86.
6) Bond RA, Spina D, Parra S, et al. Getting to the heart of asthma: can "beta blockers" be useful to treat asthma? *Pharmacol Ther*. 2007; 115: 360-74.
7) Salpeter S, Ormiston T, Salpeter E. Cardioselective beta-blockers for reversible airway disease. *Cochrane Database Syst Rev*. 2002; (1): CD002992.
8) Kindman LA, Vagelos RH, Willson K, et al. Abnormalities of pulmonary function in patients with congestive heart failure, and reversal with ipratropium bromide. *Am J Cardiol*. 1994; 73: 258-62.

8）胃食道逆流症（gastroesophageal reflux disease, GERD）

胃食道逆流症（GERD）は、胃酸や胃内容物が食道へ逆流することで食道粘膜傷害や食道外症状を生じる疾患である[1]。日本での有病率は約 6.5〜14.6％であり、近年増加傾向にある[1,2]（エビデンス C）。GERD が関与する気道関連の食道外症状として慢性咳嗽や喘息の頻度が高いことが報告されている[1]。疫学的には、喘息は GERD の有病率が高く、また GERD 症状があると喘息の有病率が高いことが報告されている[3,4]（エビデンス C）。しかし、その因果関係については不明である[3]。（エビデンス A）。GERD 合併喘息は非合併例に比べ喘息コントロールが不良である[5]。GERD 合併喘息に対する PPI 投与（胃酸分泌抑制療法）は、GERD 症状保有例では喘息コントロール改善効果を認めるが[6,7]、非保有例では無効である[5,8]（エビデンス B）。現時点では、GERD 合併自体が喘息コントロール不良の原因ではなく、あくまでも GERD による咳嗽症状が喘息コントロール不良と誤って判断される場合が多いと考えられている[8]。

[参考文献]

1) 日本消化器病学会．胃食道逆流症（GERD）診療ガイドライン　2015（改訂第2版）．2015. https://www.jsge.or.jp/files/uploads/gerd2_re.pdf
2) Fujiwara Y, Arakawa T. Epidemiology and clinical characteristics of GERD in the Japanese population. *J Gastroenterol*. 2009; 44: 518-34.
3) Havemann BD, Henderson CA, El-Serag HB. The association between gastro-oesophageal reflux disease and asthma: a systematic review. *Gut*. 2007; 56: 1654-64.
4) Broers C, Tack J, Pauwels A. Review article: gastro-oesophageal reflux disease in asthma and chronic obstructive pulmonary disease. *Aliment Pharmacol Ther*. 2018 47: 176-91.
5) DiMango E, Holbrook JT, Simpson E, et al. Effects of asymptomatic proximal and distal gastroesophageal reflux on asthma severity. *Am J Respir Crit Care Med*. 2009; 180: 809-16.
6) Kiljander TO, Junghard O, Beckman O, et al. Effect of esomeprazole 40 mg once or twice daily on asthma: a randomized, placebo-controlled study. *Am J Respir Crit Care Med*. 2010; 181: 1042-8.
7) Chan WW, Chiou E, Obstein KL, et al. The efficacy of proton pump inhibitors for the treatment of asthma in adults: a meta-analysis. *Arch Intern Med*. 2011; 171: 620-9.
8) American Lung Association Asthma Clinical Research Centers, Mastronarde JG, Anthonisen NR, et al. Efficacy of esomeprazole for treatment of poorly controlled asthma. *N Engl J Med*. 2009; 360: 1487-99.

7-10　職業性喘息

(1) 定義：職業性喘息とは特定の労働環境で特定の職業性物質に曝露されることにより発症する喘息と定義される。既存の喘息が職業性曝露によって増悪する喘息は「作業増悪性喘息」という。両者を合わせて「作業関連喘息」と呼ぶ。職業性喘息は感作物質による「感作物質誘発職業性喘息」と刺激物質による「刺激物質誘発職業性喘息」からなる（図7-15）[1,2]（エビデンスA）。高濃度刺激物質の単回吸入曝露後、数時間以内に喘息症状が生じて、数か月間も持続する状態を反応性気道機能不全症候群（reactive airways dysfunction syndrome, RADS）と呼び、刺激物質誘発職業性喘息に含まれる[1]。

(2) 有病率：報告によるばらつきが大きいが、成人発症喘息のうち職業性喘息は10～15％程度とされる[1,3,4]。有病率の高い職業は塗装業、パンや麺製造業、看護師、化学物質を扱う仕事、動物や植物を扱う仕事、溶接業、食品加工業、木材加工業などである（表7-21）[5]（エビデンスC）。感作物質は、タンパク質などの高分子量物質と化学物質などの低分子量物質に大別される。リスク因子は原因物質への高濃度・高頻度曝露、アトピー素因、喫煙である。

(3) 診断：問診を十分に行う。アレルギー性鼻炎や結膜炎の先行が多い。質問票も有用である。補助診断（環境誘発試験）には就労日と休日を含む連続したPEF測定が有用で、1日4回、4週間測定する[6]（エビデンスB）。気道過敏性試験は就労最終日と10～14日間の休日後で行い、20％以上の改善により診断する。喀痰中好酸球、FeNOなども組み合わせて診断する[7,8]。感作性物質誘発職業性喘息ではプリックテストや血清特異的IgE抗体の検出を試みる[1]（図7-15）。ただし、低分子量物質による感作ではIgE抗体の関与が不明なことも多い。

7 種々の側面

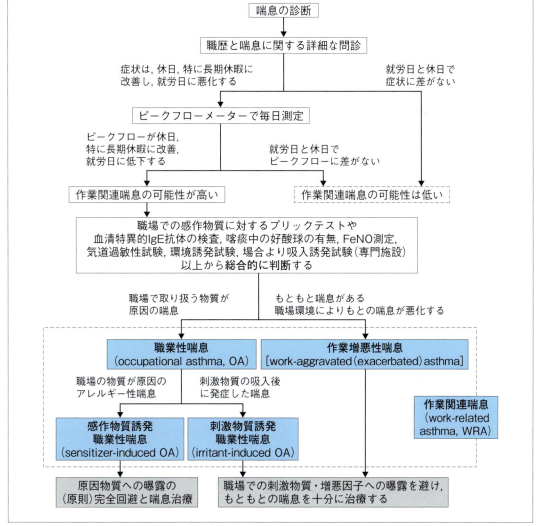

図 7-15 職業性喘息の診断アルゴリズム（文献 4 より一部改変して引用）

抗原吸入誘発試験（専門施設）が行われることもある。

(4) 治療・管理： 感作物質誘発職業性喘息では原因物質からの回避が基本である（図 7-15）。また、早期に治療介入を行う（エビデンス B）。重症喘息では抗 IgE 抗体製剤も用いられる。原因物質が特定され、アレルゲン液の入手可能な場合はアレルゲン免疫療法が有効な場合もある[1]。刺激物質誘発職業性喘息と作業増悪性喘息においては職場環境の改善および作業員への防護具の装着により原因物質の低減を図り、十分な薬物治療も行う（図 7-15）。職業性喘息ではアレルゲンの完全回避を行っても、非特異的気道過敏性は持続し、症状や呼吸機能低下は数年にわたって残存し得る。喘息が寛解するのは 3 分の 1 に限られる[9]。診断時の呼吸機能、原因物質への曝露期間、診断時の年齢が予後規定因子となる[10]。早期診断、早期治療と対策が重要である。

(5) 予防： 作業環境管理では吸入物質の完全除去を優先するが、感作性のない代替物質への

201

表 7-21 職業性喘息の原因物質と主な職業[5]

	原因物質	主な職業
感作物質 / 高分子量物質	動物の毛、ふけ、尿タンパク	獣医師、畜産業、実験動物取扱者、調教師
	人のふけ	化粧品会社の美容担当者、理容師
	海産物（魚、貝、エビ、カニ、いわし粉塵）	エビ、カニ食品業者、いりこ製造業者
	小麦粉、シリアル、そば粉	製パン・製麺業者、シリアル食品製造業者
	コーヒー豆	コーヒー豆取扱者
	蜂蜜	シリアル食品製造業者
	酵素（洗剤、アミラーゼ、リパーゼ、プロテアーゼ、凝乳酵素）	洗剤製造業者、製薬業者、薬剤師、製パン業者、クリーニング業者、清酒醸造業者、チーズ製造業者
	天然ゴム（ラテックス）	医療従事者、ゴム手袋使用者
	キノコ胞子、花粉	ビニールハウス内作業者、生花業者
	トリコフィトン	柔道整復師
感作物質 / 低分子量物質	薬剤粉塵（高分子量物質の薬剤の場合もあり）	薬剤師、製薬会社従業員
	精製緑茶成分（エピガロカテキンガレート）	製茶業者
	イソシアネート（トルエンジイソシアネート（TDI）、ジフェニルメタンジイソシアネート（MDI）、ヘキサメチレンジイソシアネート（HDI））	塗装業者、ポリウレタン製造業者、自動車修理工
	木材粉塵、米杉（プリカト酸）	製材業者、大工、家具製造業者
	メタクリル酸メチル、シアノアクリル酸、アクリル酸	プラスチック・接着剤使用者、歯科技工士、ネイリスト、補聴器製造業者、製版業者
	無水フタル酸、トリメリット酸無水物	エポキシ樹脂・耐熱性樹脂製造業者
	過硫酸塩、パラフェニレンジアミン	美容師、理容師、毛皮染色業者
	ローダミン、シカゴ酸	染料工場従業員
	金属（プラチナ、クロム、ニッケル、亜鉛、タングステン、コバルト）	溶接工、金属メッキ取扱者、セメント製造業者、白金酸素センサー製造業者、超硬合金製造業者
	松脂（フラックス）	はんだ付け作業従事者
刺激物質	煙、刺激性蒸気、ガス、ヒューム、塩素、アンモニア、酢酸、オゾン	消防士

変更や作業部位の完全密封化、換気システムの改善、配置転換を行って、曝露軽減に努める[11]。作業管理では呼吸保護器具などを用いてアレルゲン曝露を回避、軽減する。防護具の適正な装着、定期的な取り換えが必要である。職業性喘息のスクリーニングやサーベイラン

スには、質問票、呼吸機能検査、プリックテスト、抗原特異的IgE抗体測定などを行い、対策に役立てる。原因物質の特定や、環境改善、薬物治療などについて不明な場合は専門家へのコンサルテーションが推奨される。

[参考文献]

1) Tarlo SM, Balmes J, Balkissoon R, et al. Diagnosis and management of work-related asthma:American College Of Chest Physicians Consensus Statement. *Chest*. 2008; 134(3 Suppl): 1S-41S.
2) Henneberger PK, Redlich CA, Callahan DB, et al. An official american thoracic society statement:work-exacerbated asthma. *Am J Respir Crit Care Med*. 2011; 184: 368-78.
3) Dykewicz MS. Occupational asthma: current concepts in pathogenesis, diagnosis, and management. *J Allergy Clin Immunol*. 2009; 123: 519-28.
4) 日本職業・環境アレルギー学会. 職業性アレルギー疾患診療ガイドライン 2016. 協和企画, 東京, 2016, p1-54.
5) 石塚　全. 職業性アレルギー. 新臨床内科学　第10版. 矢﨑義雄　監修, 医学書院, 東京, 2020, p1695-8.
6) Anees W, Gannon PF, Huggins V, et al. Effect of peak expiratory flow data quantity on diagnostic sensitivity and specificity in occupational asthma. *Eur Respir J*. 2004; 23: 730-4.
7) Tarlo SM, Lemiere C. Occupational asthma. *N Engl J Med*. 2014; 370: 640-9.
8) Beretta C, Rifflart C, Evrard G, et al. Assessment of eosinophilic airway inflammation as a contribution to the diagnosis of occupational asthma. *Allergy*. 2018; 73: 206-13.
9) Rachiotis G, Savani R, Brant A, et al. Outcome of occupational asthma after cessation of exposure: a systematic review. *Thorax*. 2007; 62: 147-52.
10) Maestrelli P, Schlünssen V, Mason P, et al. Contribution of host factors and workplace exposure to the outcome of occupational asthma. *Eur Respir Rev*. 2012; 21: 88-96.
11) 厚生労働省. 職場の安全サイト. http://anzeninfo.mhlw.go.jp/index.html

7-11　外科手術と喘息

コントロールされている喘息患者において術後呼吸器合併症の発生頻度は、適切な治療を行えば非喘息患者と差がない[1]（エビデンスC）。また、喘息患者では、周術期に気管支攣縮を認めたのは1.7%にすぎないとの報告もある[2]。しかし、周術期の気管支攣縮は生命を脅かす危険があるため、重症患者や、症状コントロールが不良な患者、最近の増悪歴のある患者、不可逆的気流閉塞のある患者では注意を要する[3]（エビデンスB）。FEV_1の低下した患者では、術後呼吸器合併症のリスクが増加するのでCOPD患者に準じて管理する[4]。

呼吸器合併症の頻度は、手術時の喘息の重症度や、手術の種類（胸部と上腹部でリスクが高い）、麻酔法（気管挿管や交感神経ブロックでリスクが高い）など多くの要因に左右される。成人では禁煙が必要であるが、小児においては副流煙が危険因子となる[5]。

1）術前の対応

(1) 喘息重症度の把握：病歴や臨床症状、身体所見、呼吸機能検査、PEF、動脈血ガス分析

所見などにより、喘息重症度およびコントロール状況を把握する。これまでの治療内容、手術歴、ラテックスアレルギーも詳細に問診する。喘息発症後のNSAIDs使用歴を確認する。

(2) 手術時期：手術は喘息増悪のない状態が続いている時期に行う。可能であれば手術前にFEV$_1$を予測値の80％以上に改善しておく。喘息の既往のある小児では、上気道炎症状が改善してから2～3週間以降に手術を延期する[5]。

(3) 薬物治療：治療で十分にコントロールされている場合には、手術直前までその治療を継続する。手術までに時間的に余裕があれば、ICSを開始したほうがよい（エビデンスD）。症状コントロールが不十分な場合や、FEV$_1$が予測値の80％未満の場合は、経口ステロイド薬を短期投与してよい（プレドニゾロン換算0.5 mg/kg/日、1週間以内）[6]。緊急を要する手術の場合は、術前・術中にステロイド薬を点滴静注する。術前6か月以内に全身性ステロイド薬を2週間以上投与した患者（経口ステロイド薬常用を含む）に対しては、副腎不全のリスクも考慮して、術前・術中にステロイド薬を点滴静注する[7]（エビデンスB）。投与量は術前にヒドロコルチゾン100 mg、術中も100 mgを8時間ごとに投与し、術後24時間以内に減量することが推奨されている[6]が、投与量や投与間隔については今後検討を要する。高用量ICS使用中で、周術期に吸入できない場合には、ステロイド薬の点滴静注へ切り替えて、吸入再開後、早期に減量・中止する。特に全身麻酔の場合には、術直前にSABA吸入を行う。

2）麻酔：麻酔薬や麻酔法は、患者の病態、手術の侵襲、設備やスタッフの状況なども考慮して選択する。

(1) 局所麻酔、脊髄くも膜下麻酔や硬膜外麻酔などの区域麻酔：区域麻酔を用いることは、挿管を避けるために有用であるが、リドカインなど局所麻酔薬の血中濃度上昇が喘息の増悪予防に有効であるとの報告もある[8,9]。しかし、広範な交感神経ブロックによる気管支収縮には注意を要する。局所麻酔の併用による十分な鎮痛は、術後の痛みなどのストレスによる喘息増悪を予防する効果もある。一方、局所麻酔単独で手術を行う場合には、不穏や痛みにより喉頭痙攣が誘発され得るので注意する。

(2) 全身麻酔：気管挿管の操作や気管チューブは、気管支収縮の誘因となるため、可能ならば喘息患者には気管挿管を避ける。挿管する場合は気管支拡張作用のある麻酔薬を用いる。導入時には浅麻酔を避け、麻酔深度を深くして挿管する。吸入気の加湿、脱水の回避（術前輸液）、挿管直前のリドカイン静注も考慮する。上気道確保のためにラリンジアルマスクなどを使用してもよいが、誤嚥の危険や喘息増悪時の陽圧換気が困難であることを考慮し、すぐに気管挿管できる準備をしておく。導入後は、麻酔深度を十分に深く維持する。

(3) 麻酔薬および麻酔関連薬：揮発性吸入麻酔薬は気管支平滑筋弛緩作用があり、気道抵抗を下げて、auto-PEEPを低下させる[10]。現在主流であるセボフルラン、デスフルラン、イソフルランのうち、デスフルランとイソフルランは上気道刺激性があるため咳き込みやすい。喘息患者ではセボフルランが第1選択となる（エビデンスD）。静脈麻酔薬としてチオペンタールナトリウムとチアミラールナトリウムは気管支収縮作用があるため重症喘息患者には

禁忌である。プロポフォールは気管支拡張作用があり喘息患者の麻酔導入に使用されるが、気管支攣縮を誘発した報告があるため注意を要する。ミダゾラムとケタミンは安全に使用できる。ケタミンは気管支拡張薬と同等の作用がある[11]が、気道分泌物を増加させるのでアトロピンを使用するなどの工夫を要する。デクスメデトミジンは抗不安作用だけでなく鎮痛作用も有する鎮静薬で、鎮静中でも刺激によって容易に覚醒し、自然睡眠に類似した脳波を示す。局所麻酔下での手術の鎮静や術後の人工呼吸管理に有用である[10]が、喘息患者でのデータは乏しい。麻薬性鎮痛薬ではレミフェンタニルが使用されるが、フェンタニルは添付文書上で喘息患者に使用禁忌である。筋弛緩薬ロクロニウムは使用可能だが気管支攣縮の報告があり、拮抗薬のスガマデクスもワゴスチグミンよりは安全であるが、アナフィラキシーショックや気管支攣縮の副作用があるので慎重な投与が望まれる。

3）術中の急性増悪（発作）への対応： 第6章「急性増悪（発作）への対応（成人）」に準ずる。全身麻酔下に呼吸モニターを完備して人工呼吸している場合、気道内圧の上昇や胸壁コンプライアンスの低下、カプノメータの波形の変化などを見逃さないようにする。用手換気にて呼気でバッグが膨らまなければ気道狭窄は重症である。セボフルランの濃度を上げて麻酔を深くして、SABAを気管チューブから吸入させる。また、I：E比を延長させるなど呼吸モードを工夫する。

4）術後管理： 気管吸引は深麻酔下で行う。浅麻酔状態での抜管は避けて、完全覚醒を確認後に抜管する。SABAを吸入させ、ステロイド薬を十分に使用しても覚醒途中で再増悪する場合は深麻酔状態に戻し、そのまま抜管してマスクホールド下に覚醒させるか、深麻酔下にラリンジアルマスクなどに入れ替えて覚醒させるが、誤嚥に注意する。AERD（NSAIDs過敏喘息、N-ERD、アスピリン喘息）が否定できない場合には、術後鎮痛にNSAIDsを使用してはならない。モルヒネはヒスタミン遊離による気管支収縮を惹起する可能性があり、添付文書上では喘息発作中は使用禁忌となっているが、使用する場合には他のオピオイドと同様に慎重に投与する。

[参考文献]

1) Erdogen T, Goksel O, Kirkil G, et.al. Is the Perioperative Period No Longer a Problem for Adult Asthmatics under Control? - OPERA Study. *Turk Thorac J*. 2020; 21: 140-4.
2) Warner DO, Warner MA, Barnes RD, et al. Perioperative respiratory complications in patients with asthma. *Anesthesiology*. 1996; 85: 460-7.
3) Woods BD, Sladen RN. Perioperative considerations for the patient with asthma and bronchospasm. *Br J Anaesth*. 2009; 103 Suppl 1: i57-65.
4) Smatana GW, Lawrence VA, Cornell JE, et al. Preoperative pulmonary risk stratification for noncardiothoracic surgery: systemic review for the American College of Physicians. *Ann Intern Med*. 2006; 144: 581-95.
5) von Ungern-Sternberg BS, Boda K, Chambers NA, et al. Risk assessment for respiratory complications in paediatric anaesthesia: a prospective cohort study. *Lancet*. 2010; 376: 773-83.
6) Expert Panel Report 3: Guideline for the Diagnosis and Management of Asthma- Full Report 2007. U.S Department of Health and Human Services. Section 4: 365.

http://www.nhlbi.nih.gov/files/docs/guidelines/asthgdln.pdf
7) Wakim JH, Sledge KC. Anesthetic implications for patients receiving exogenous corticosteroids. *AANA J*. 2006; 74: 133-9.
8) 笠羽敏治．喘息患者への硬膜外麻酔の利用．日臨麻会誌．2010；30：151-7.
9) Burburan SM, Xisto DG, Rocco PR. Anaesthetic management in asthma. *Minerva Anesthesiol*. 2007; 73: 357-65.
10) Leatherman J. Mechanical Ventilation for Severe Asthma. *Chest*. 2015; 1671-80.
11) Tiwari A, Guglani V, Jat KR. Ketamine versus aminophylline for acute asthma in children: A randomized, controlled trial. *Ann Thorac Med*. 2016; 11: 283-88.

7-12　咳喘息・慢性咳嗽

　わが国の一般人口において、遷延性（3週から8週間持続）・慢性（8週間以上持続）咳嗽の頻度は喘息合併例で32.3％、非合併例でも9.5％と高い[1]。長引く咳を訴える患者では、まず肺がんや間質性肺疾患などの明らかな呼吸器疾患を除外し、その上で狭義の慢性咳嗽の原因疾患の診断・治療を行う。狭義の慢性咳嗽の主な原因疾患は、①咳喘息、②胃食道逆流症（GERD）、③副鼻腔気管支症候群、④アトピー咳嗽であり、各疾患に対する数日から数週間の特異的治療への反応を診断の補助とする。ただし、各疾患は併存することが多い点にも留意する。

①咳喘息：咳喘息は、喘鳴や呼吸困難を伴わず、乾性咳嗽を唯一の症状として気管支拡張薬が有効な疾患である。喘息性の咳嗽は非喘息性咳嗽に比し、相対的に夜間優位の傾向があり[2]、咳嗽での覚醒を伴うこともある。冷気・温度変化、受動喫煙、会話、運動、飲酒、精神的緊張、低気圧などが誘因となる。咳喘息の基本的病態は、気管支平滑筋収縮に対する咳嗽反応の亢進[3]や、中枢気道から末梢気道に及ぶ好酸球性気道炎症に伴う気道過敏性亢進であるが、咳受容体感受性亢進の関与も近年重要視されている（後述）。呼気中一酸化窒素濃度（FeNO）の上昇は咳喘息を示唆するが、検査の特異度は高いものの感度が低い（偽陰性が少なくない）ことに留意する[4,5]。一部の咳喘息例では経過中喘鳴が出現し典型的喘息へ移行する。気管支拡張薬であるβ_2刺激薬は治療的診断に用いられ、同薬が有効で本症と診断されればICSを中心とする治療を行う。LTRA、LAMA[6]（エビデンスC）や、抗トロンボキサン薬を含め、概ね喘息治療薬は、咳喘息の治療にも有用である。難治例では短期間、経口ステロイド薬を併用する。ICSの粒子径の差に伴う鎮咳効果の差も報告されている[7]。

②GERD：GERDは多くの呼吸器疾患の難治化に関わり、遷延性・慢性咳嗽や痰症状にも寄与する[8]。GERによる咳嗽は、胃酸や胃内容物の逆流が下部食道の迷走神経受容体を刺激し反射性に咳嗽を惹起するreflex theoryと逆流内容物（ガスを含む）が咽喉頭や下気道を直接刺激するreflux theoryで説明され、カプサイシン咳感受性は亢進する。診断には、食生活習慣を含めた病歴、FSSGなどの問診票が有用である[9]（本章7-9「8）胃食

道逆流症」参照）。上部消化管内視鏡は、食道粘膜に異常を認めない GERD 患者が多いため感度は低い。PPI が第 1 選択薬であるが、メタ解析では酸逆流例での有効性に留まる。最近は非酸の逆流や消化管運動不全の関与も示されており、これらの関与が大きい例では、消化管機能改善薬の併用が必要となる。

③副鼻腔気管支症候群：副鼻腔気管支症候群は慢性咳嗽の原因疾患であるが、咳嗽の多くは咳払いの反復である。下咽頭の知覚神経終末に対する刺激や、後鼻漏の気管への流入による刺激で咳嗽反射経路が働くとされる。治療は後鼻漏の原因となる副鼻腔炎を中心に、アレルギー性鼻炎、慢性鼻咽頭炎などに対する特異的治療である。

④アトピー咳嗽：アトピー咳嗽の基本病態は、カプサイシン咳受容体感受性亢進で、気管支拡張薬が無効な非喘息性好酸球性気道炎症である。アトピー咳嗽では典型的喘息への移行はない。喉のイガイガ感を伴うことが多く、ヒスタミン H_1 受容体拮抗薬が第 1 選択薬であるが、ICS も有効である。

咳嗽の難治化に関わる機序や個体の特性については未解明な点が多い。健常人では気道径の変化はカプサイシン咳感受性に影響しない[10]（エビデンス C）が、喘息例では気道の狭窄に伴いカプサイシン咳感受性が亢進する報告[10,11]（エビデンス C）もある。また、喘息例のカプサイシン咳感受性亢進は喘息の重症化に寄与する[12]（エビデンス C）など、一部の喘息例でもカプサイシン咳感受性亢進が病態に優位に寄与し得ると想定される。近年、難治性慢性咳嗽の病態を説明する cough hypersensitivity syndrome の概念が提唱され、中枢・末梢神経系に作用する neuromodulator（ガバペンチンなど）の有用性が相次いで報告されている。主に知覚神経 C 線維に発現する ATP 受容体である P2X3 受容体に対する阻害薬は難治性慢性咳嗽に有用[13]（エビデンス A）とされ、近い将来には実地臨床で使用可能になると思われる。想定される原因疾患に対して十分なアプローチをとっても残る難治性慢性咳嗽に対して有用性が期待される。

[参考文献]

1) Matsumoto H, Izuhara Y, Niimi A, et al. Risks and Cough-Aggravating Factors in Prolonged Cough. Epidemiological Observations from the Nagahama Cohort Study. *Ann Am Thorac Soc*. 2017; 14: 698-705.
2) Fukuhara A, Saito J, Birring SS, et al. Clinical Characteristics of Cough Frequency Patterns in Patients with and without Asthma. *J Allergy Clin Immunol Pract*. 2020; 8: 654-61.
3) Ohkura N, Fujimura M, Hara J, et al. Methacholine-induced cough as an indicator of bronchodilator-responsive cough. *Pulm Pharmacol Ther*. 2020; 64: 101962.
4) Kanemitsu Y, Matsumoto H, Osman N, et al. "Cold air" and/or "talking" as cough triggers, a sign for the diagnosis of cough variant asthma. *Respir Investig*. 2016; 54: 413-8.
5) Asano T, Takemura M, Fukumitsu K, et al. Diagnostic utility of fractional exhaled nitric oxide in prolonged and chronic cough according to atopic status. *Allergol Int*. 2017; 66: 334-50.
6) Fukumitsu K, Kanemitsu Y, Asano T, et al. Tiotropium Attenuates Refractory Cough and Capsaicin Cough Reflex Sensitivity in Patients with Asthma. *J Allergy Clin Immunol Pract*. 2018; 6: 1613-20.e1612.
7) Sugawara H, Saito A, Yokoyama S, et al. Comparison of therapeutic effects of inhaled corticosteroids

8) Morimoto C, Matsumoto H, Nagasaki T, et al. Gastroesophageal reflux disease is a risk factor for sputum production in the general population: the Nagahama study. *Respir Res.* 2021; 22: 6.
9) Kurokawa R, Kanemitsu Y, Fukumitsu K, et al. The diagnostic utility of the frequency scale for the symptoms of gastroesphageal reflux disease questionnaire (FSSG) for patients with subacute/chronic cough. *J Asthma.* 2020 Aug 12: 1-10. doi: 10.1080/02770903.2020.1805750. Online ahead of print.
10) Fujimura M, Sakamoto S, Kamio Y, et al. Effects of methacholine induced bronchoconstriction and procaterol induced bronchodilation on cough receptor sensitivity to inhaled capsaicin and tartaric acid. *Thorax.* 1992; 47: 441-5.
11) Satia I, Badri H, Woodhead M, et al. The interaction between bronchoconstriction and cough in asthma. *Thorax.* 2017; 72: 1144-6.
12) Kanemitsu Y, Fukumitsu K, Kurokawa R, et al. Increased Capsaicin Sensitivity in Patients with Severe Asthma Is Associated with Worse Clinical Outcome. *Am J Respir Crit Care Med.* 2020; 201: 1068-77.
13) Smith JA, Kitt MM, Morice AH, et al. Gefapixant, a P2X3 receptor antagonist, for the treatment of refractory or unexplained chronic cough: a randomised, double-blind, controlled, parallel-group, phase 2b trial. *Lancet Respir Med.* 2020; 8: 775-85.

7-13　予防接種

　喘息などの慢性呼吸器疾患患者は呼吸器感染症で基礎疾患が増悪し、時に重症化する。呼吸器感染症には、ワクチンで予防できる疾患（vaccine preventable diseases, VPD）も含まれ、必要なワクチン接種により当該感染症を予防することは、基礎疾患の増悪や合併症予防に有用と考えられる。

1）ステロイド薬の治療を受けている場合の注意点：喘息患者へのワクチン接種時の注意事項として、ステロイド薬治療を受けている患者が挙げられるが、次の事項に該当する場合は、生ワクチン接種が禁忌となるほどの免疫抑制状態にはならない[1]（エビデンス D）。
　①治療期間が 14 日以内である。
　②低〜中等量の全身性ステロイド薬投与（プレドニゾン換算で 20 mg/日 未満）である。
　③短期作用性薬剤では 2 週間以上の長期隔日投与である。
　④漸減療法中の生理的用量による補充療法である。
　⑤局所投与（塗布・点鼻・点眼）、吸入、関節内など。
　一方、14 日以上のプレドニゾン換算 2 mg/kg/日または 20 mg/日以上の場合は、終了後 1 か月間は生ワクチン接種を延期すべきとなっている[1]。

2）インフルエンザワクチン：インフルエンザは喘息患者における急性増悪に影響することが知られており、近年のシステマティックレビュー[2]によると、インフルエンザワクチン接種は急性増悪による緊急受診や入院を 59〜78％予防する可能性が示されている。米国では、中等症以上の喘息患者はインフルエンザ罹患による重症の合併症を来す可能性が高いハ

イリスク群とされ、毎年接種を受けるべきとされている[3]（エビデンス D）。なお、米国小児科学会は「鶏卵アレルギーがあっても通常通りインフルエンザワクチン接種が可能であり、ワクチン接種前に鶏卵アレルギーの有無を確認する必要はない」としている[4]。

3）23 価肺炎球菌多糖体ワクチン：侵襲性肺炎球菌感染症（invasive pneumococcal disease, IPD）に関する 2〜49 歳の喘息患者 635 人を対象とした調査[5]によると、喘息患者における IPD のリスクはオッズ比 2.4（95％信頼区間；1.9〜3.1）と報告され、小児や高齢者の喘息患者にとって肺炎球菌性肺炎は急性増悪のリスクと考えられている。国内では、2014 年 10 月から 65 歳以上の高齢者、および 60 歳以上 65 歳未満の者であっても心臓、腎臓もしくは喘息など呼吸器の機能に自己の身辺の日常生活活動が極度に制限される程度の障害を有する者、およびヒト免疫不全ウイルスにより免疫の機能に日常生活がほとんど不可能な程度の障害を有する者には定期接種が開始されている。

4）新型コロナウイルス感染症に対するワクチン：新型コロナウイルス感染症に対する有効な予防手段としてワクチンに期待が寄せられている。しかし、これらのワクチンは従来のワクチンとは異なる技術を用いて開発・製造されており、副反応については執筆現時点において不明な点も多い。ワクチン接種に際しては常にその益と害のバランスを考えることが必要であり、副反応に対する過度な懸念や対応は社会に大きな損失と負担をもたらす。そこで令和 3 年 3 月、日本アレルギー学会 COVID-19 ワクチンに関するアナウンスメント WG では、新型コロナウイルスワクチン接種に伴う副反応のうち、特に重度の過敏反応（アナフィラキシーなど）を起こし得る危険因子、管理、診断および治療について現時点の情報を整理し、適切にワクチン接種を行うための指針「新型コロナウイルスワクチン接種にともなう重度の過敏症（アナフィラキシー等）の管理・診断・治療」を作成した[6]。

なお、最新の副反応に関する情報については、厚生労働省、医薬品医療機器総合機構（Pharmaceuticals and Medical Devices Agency, PMDA）、ワクチンメーカーなどからの通知を確認いただき、適切に使用していただきたい。

［参考文献］

1) National Center for Immunization and Respiratory Diseases. General Recommendations on Immunization. Recommendations of the Advisory Committee on Immunization Practices (ACIP). *MMWR Recomm Rep*. 2011; 60: 1-60.
2) Vasileiou E, Sheikh A, Butler C, et al. Effectiveness of Influenza Vaccines in Asthma: A Systematic Review and Meta-Analysis. *Clin Infect Dis*. 2017; 65: 1388-95.
3) GINA: Global strategy for asthma management and prevention. 2020. https://ginasthma.org/ [last accessed 15 March 2021].
4) Committee On Infectious D. Recommendations for Prevention and Control of Influenza in Children, 2019-2020. *Pediatrics*. 2019; 144: e20192478.
5) Talbot TR, Hartert TV, Mitchel E, et al. Asthma as a risk factor for invasive pneumococcal disease. *N Engl J Med*. 2005; 352: 2082-90.
6) 新型コロナウイルスワクチン接種にともなう重度の過敏症（アナフィラキシー等）の管理・診断・治療. https://www.jsaweb.jp/uploads/files/JSA2021COVID-19 ワクチン_アナウンスメント_210312 改訂.pdf

7-14　心身医学的側面

　12世紀の医学書（Maimonides著「treatise on asthma」）に記載されているように、喘息と心理的因子が密接に関係することは古くから知られている。現在では、「精神障害の診断・統計マニュアル」（Diagnostic and Statistical Manual of Mental Disorders IV, DSM-IV）に基づいた各種精神障害が、重症度に応じて種々に喘息と関係することが明らかになっている[1]。今後も、喘息と心理的因子の関係に関した研究が発展するとともに、喘息管理・治療における心理的側面がますます重要となると思われる。

1）喘息と心理的因子の相関関係

　喘息を含むアトピー性疾患と心理的因子間の方向性に焦点を当てたメタ解析では、心理的因子には病因と結果の双方向性が存在することが示されている[2]。すなわち、喘息患者では心理的因子と身体的喘息症状が互いに影響を及ぼし合っており、心理的因子が喘息の発症や症状に影響を及ぼしたり、逆に喘息に罹患していること自体が患者の心理的因子に影響したりするが、両者の方向性が明らかな場合もある。若年成人を対象とした20年間に渡るコホート研究では、喘息の存在がその後のパニック障害を予測し得たのに対してその逆は予測できなかった。これは喘息の存在が心理的因子に影響を及ぼしていることを示している[3]。一方、WHOによる16種類の精神障害診断面接とその後の喘息発症に関する調査では、双極性障害、パニック障害、不安神経症、特定の恐怖症、心的外傷後ストレス障害、摂食障害、アルコール乱用の7種類の精神障害が喘息発症に関与していることが報告されており[4]、心理的因子が喘息発症に影響を与えていることを表している。

2）うつ・不安障害と喘息

　うつと不安障害は喘息治療・管理の実臨床面で問題となることが多い。近年の欧州の検討では、うつないしは不安障害は喘息患者の8ないし4分の1に認められると報告され、喘息の管理・治療の際には頻回に認められる精神的な問題である。診断方法の違いもあり明確には判断できないが、日本においては、多くてもその半分程度の罹患率と考えられる。喘息コントロールとうつ・不安障害の関係は、全体的には横断・縦断的相関が認められるが、喘息コントロールと無関係な一群も存在することに注意すべきである[5,6]。

3）心理学的要因から捉えた喘息診断・治療

　喘息の診断・治療の際は、身体的側面からのアプローチの他に個々の症例ごとの心理的因子の検討が重要である。心理的因子を把握するための調査票が開発され[7]、主要な5領域（ライフスタイルの乱れ、情動の影響、性格・行動上の問題、日常生活のQOL、家族関係及び生活歴）に関する情報を得ることができる。

　前述のように、心理的ストレスが喘息の発症や悪化の原因になっている場合も多く存在し、表7-22に示すような状況が先行して認められる。想像力が乏しく、心的葛藤の言語化や情動を感じ、言語表現することが困難であるような状態、すなわち自己感情の認知や表現

が障害されるアレキシサイミアが存在すると心理的ストレスへの不適当な反応が起こり、喘息の重症化、場合によっては喘息死に到ることもあり、注意すべきである。一方、中等～重症（最重症）持続型喘息で症状が慢性的に存在する場合、強い心理的苦痛、社会的機能障害を生じ、心身医学的治療の対象例になる場合がある。睡眠障害、対人関係の障害、学業・仕事の業績低下、うつ、不安障害などを来すことが多い。また、喘息コントロールが不良で、うつなどの症状が強い症例の一部には、心理的因子により治療行為に対するアドヒアランスが低下し、結果的に喘息コントロールの悪化につながっていることもある[5]。

患者-医師関係において重要視されていることであるが、「傾聴、受容、共感、支持」の態度を常に心がけて日常の診察を行うことが大切である。実際、喘息患者に対して感謝の気持ち、すなわち「患者さんから自分たち医師が学ぶことができる」ということを表すことにより、喘息症状の改善をもたらすことが、各種論文データベースを用いた介入研究の解析において明らかとなっている[8]。喘息に対して行われている主な心身医学的治療を表7-23に示すが、患者の心理的な状態がはなはだしい場合は、心理職や精神科医・心療内科医に相談し、チーム医療の導入を検討することも必要である。

表7-22　喘息の発症・増悪に影響する心理的因子

1）ライフイベント：進学、就職、退職、転居、結婚、離婚、出産、近親者の病気や死など
2）日常生活のストレス：家庭、職場、学校での対人関係の問題、勉学や仕事の負担など
3）性格傾向：神経質、アレキシサイミア
4）不安、緊張、怒り、うつなど

表7-23　喘息に対する主な心身医学的治療

1）薬物療法（通常の喘息治療薬に向精神薬を併用）
2）自律訓練法[9]：自然治癒力やホメオスタシスを活性化させる心身調整法
3）認知行動療法[10]：患者の認知・思考パターンに注目させ、そう考える根拠・理由を問い、他の思考の可能性を探り不適応状態を改善させる治療法
4）バイオフィードバック法：生体内の変化や反応を知覚しやすい情報に置き換えて、変化や反応を自己コントロールする治療法
5）家族療法：家族は有機的に関係し、全体として一連の機能を果たしていると考え、家族を集めて行う心理療法

[参考文献]

1) Goodwin RD, Jacobi F, Thefeld W. Mental disorders and asthma in the community. *Arch Gen Psychiatry*. 2003; 60: 1125-30.
2) Chida Y, Hamer M, Steptoe A. A bidirectional relationship between psychosocial factors and atopic disorders: a systematic review and meta-analysis. *Psychosom Med*. 2008; 70: 102-16.
3) Hasler G, Gergen PJ, Kleinbaum DG, et.al. Asthma and panic in young adults: a 20-year prospective community study. *Am J Respir Crit Care Med*. 2005; 171: 1224-30.
4) Alonso J, De Jonge P, Lim CC, et.al. Association between mental disorders and subsequent adult onset asthma. *J Psychiatr Res*. 2014; 59: 179-88.

5) Seino Y, Hasegawa T, Koya T, et.al. A cluster analysis of bronchial asthma patients with depressive symptoms. *Int Med*. 2018; 58: 1967-75.
6) Sastre J, Crespo A, Fernandez-Sanchez A, et.al. Anxiety, depression, and asthma control: Changes after standardized treatment. *J Allergy Clinical Immunol In Practice*. 2018; 6: 1953-9.
7) 久保千春，千田要一．心身相関の最近の考え方．久保千春，中井吉英，野添新一，編．現代診療内科学．永井書店，2003，117-9.
8) Boggiss AL, Consedine NS, Brenton-Peters JM, et.al. A systematic review of gratitude interventions: Effects on physical health and health behaviors. *J Psychosom Res*. 2020; 135: 110165.
9) Stetter F, Kupper S. Autogenic training: a meta-analysis of clinical outcome studies. *Appl Psychophysiol Biofeedback*. 2002; 27: 45-98.
10) Yorke J, Fleming SL, Shuldham C. Psychological interventions for adults with asthma: a systematic review. *Respir Med*. 2007; 101: 1-14.

7-15　災害時の喘息診療

　日本は自然災害の多い国である。自然災害時には、喘息、糖尿病、虚血性心疾患などの慢性疾患の増悪が引き起こされる可能性がある[1]。特に、自然災害が喘息に与える影響については、第一に医療システムの崩壊に伴う患者への抗喘息薬の供給遮断、第二に感染症の蔓延、寒冷曝露、大気汚染などの物理的ストレス、第三に災害による精神的ストレス、などが考えられている。東日本大震災での福島県における調査では、抗喘息薬（特にICS）の供給が途絶えた患者で喘息急性増悪が有意に増加し、抗喘息薬を継続できた場合でも災害に対する不安の強い患者で有意に喘息の悪化が認められた[2]。

　そこで、災害時においては、①抗喘息薬の供給体制の維持、②患者の精神的不安への対応が重要である。発災後比較的早期に現場に駆けつける災害派遣医療スタッフには、必ずしもアレルギー疾患や呼吸器疾患を専門とする医師が含まれていないため、日本アレルギー学会は、日本アレルギー協会と共同で、「災害派遣医療スタッフ向けのアレルギー疾患対応マニュアル」を作成した（図7-16）[3]。これにより、抗喘息薬処方を円滑にするとともに患者の精神的不安軽減が期待される。

　一方、発災時には多くの人々が避難所で過ごすことを余儀なくされ、環境の変化や災害後の粉塵、ライフラインが復旧しないなどにより症状が悪化しやすいことや、非常事態において行政の適切な対応や周囲の理解が受けられない状況も予想される[4]。治療薬を含め災害用備蓄について、患者指導の一環として日頃から話し合い、災害に備えることも重要である。日本小児アレルギー学会[5]では「災害時のこどものアレルギー疾患対応パンフレット」および「災害派遣医療スタッフ向けのアレルギー児対応マニュアル」、日本小児臨床アレルギー学会では「アレルギー疾患のこどものための『災害の備え』パンフレット」を作成しており、アレルギーポータルからダウンロード可能である（https://allergyportal.jp）。

【成人】喘息への対応

喘息発作時の対応

- 発作強度にあわせた治療
- 必要によって酸素投与 (SpO₂ 95%程度を目標に)
- 中発作以上では全身ステロイド薬の投与

発作強度	所見		対応			
	呼吸困難	SpO_2	酸素吸入	β_2刺激薬吸入	補液 ステロイド投与	追加治療
小発作	苦しいが横になれる	96%以上	－	吸入pMDI(1-2パフ) 20分おき2回反復可[1]	－	－
中発作	苦しくて横になれない	91～95%	要	ネブライザー吸入[2] 20～30分間隔	アミノフィリン点滴[3] ステロイド投与[4]	アドレナリン皮下注[5] 抗コリン薬吸入
大発作 呼吸不全	苦しくて動けない 会話困難	90%以下	要	ネブライザー吸入[2] (20～30分間隔)	アミノフィリン点滴[3] ステロイド投与[4]	アドレナリン皮下注[5] 抗コリン薬吸入 (医療機関への搬送考慮)

1. 小発作の場合、以前よりシムビコートを使用していた場合はシムビコート吸入でも可
2. ネブライザーが無い場合はpMDIで代用可:20～30分おきに反復する。可能なら脈拍を130回/分以下に保つようにモニターする。
3. アミノフィリン6mg/kg(max 1筒250mg)を等張補液200～250mLに入れ、1時間程度で点滴投与する。既に徐放性テオフィリン製剤を服用している場合には、アミノフィリンを半量とする。初回点滴に引き続き持続点滴を行う場合には、アミノフィリン250mg(1筒)を5～7時間で点滴する。副作用(頭痛、吐き気、動悸、期外収縮など)が出現したら投与を中止する。
4. アスピリン喘息が疑われる場合は、デキサメタゾンあるいはベタメタゾン4～8mgを点滴静注、または経口プレドニゾロン0.5mg/kg/日(max 60mg)。そうでない場合は、ヒドロコルチゾン200～500mg、またはメチルプレドニゾロン40～125mgのいずれでもよい。以後必要に応じ、デキサメタゾンまたはベタメタゾン4～8mgを6時間ごとに、あるいはヒドロコルチゾン100～200mgまたはメチルプレドニゾン40～80mgを4～6時間ごと点滴静注、または経口プレドニゾロン0.5mg/kg/日(max 60mg)。
5. 0.1%アドレナリン(ボスミン):0.1～0.3mL皮下注射20～30分間隔で反復可。脈拍は130/分以下にとどめる。虚血性心疾患、緑内障[開放隅角(単性)緑内障は可]、甲状腺機能亢進症では禁忌、高血圧の存在下では血圧、心電図モニターが必要。併用禁忌薬剤に注意。

喘息発作後の対応

- 帰宅の目安：喘鳴消失、呼吸困難なし (%PEF ≧ 80%、SpO₂ > 95%) が1時間以上続けば帰宅可能
- 従来の長期管理の治療内容をステップアップして継続する
- 経口ステロイド薬の追加ないし増量を1～2週間を基準に考慮する

吸入ステロイド薬 用量対応表

吸入ステロイド薬

ドライパウダー定量吸入器(DPI)	低用量	中用量	高用量
フルタイドディスカス50	1回1～2吸入 1日2回	1回4吸入 1日2回	1回8吸入 1日2回
フルタイドディスカス100	1回1吸入 1日2回	1回2吸入 1日2回	1回4吸入 1日2回
フルタイドディスカス200	×	1回1吸入 1日2回	1回2吸入 1日2回
パルミコート100μgタービュヘイラー	1回1～2吸入 1日2回	1回4吸入 1日2回	1回8吸入 1日2回
パルミコート200μgタービュヘイラー	1回1吸入 1日2回	1回2吸入 1日2回	1回4吸入 1日2回
アズマネックス100μgツイストヘラー	1回1吸入 1日2回	1回2吸入 1日2回	1回4吸入 1日2回
アズマネックス200μgツイストヘラー	×	1回1吸入 1日2回	1回2吸入 1日2回
加圧式定量吸入器(pMDI)	**低用量**	**中用量**	**高用量**
フルタイドエアゾール50	1回1～2吸入 1日2回	1回4吸入 1日2回	1回8吸入 1日2回
フルタイドエアゾール100	1回1吸入 1日2回	1回2吸入 1日2回	1回4吸入 1日2回
キュバール50エアゾール	1回1～2吸入 1日2回	1回4吸入 1日2回	1回8吸入 1日2回
キュバール100エアゾール	1回1吸入 1日2回	1回2吸入 1日2回	1回4吸入 1日2回
オルベスコ50	1回2～4吸入 1日1回	1回8吸入 1日1回	1回8吸入 1日2回
オルベスコ100	1回1～2吸入 1日1回	1回4吸入 1日1回	1回4吸入 1日2回
オルベスコ200	1回1吸入 1日1回	1回2吸入 1日1回	1回2吸入 1日2回
吸入液	**低用量**	**中用量**	**高用量**
パルミコート吸入液0.25mg	1回2アンプル 1日1回	1回2アンプル 1日2回 1回4アンプル 1日1回	1回4アンプル 1日2回
パルミコート吸入液0.5mg	1回1アンプル 1日1回	1回1アンプル 1日2回 1回2アンプル 1日1回	1回2アンプル 1日2回

吸入ステロイド薬＋長時間作用性β_2刺激薬

ドライパウダー定量吸入器 (DPI)	低用量	中用量	高用量
アドエア100ディスカス	1回1吸入 1日2回	×	×
アドエア250ディスカス	×	1回1吸入 1日2回	×
アドエア500ディスカス	×	×	1回1吸入 1日2回
シムビコートタービュヘイラー	1回1吸入 1日2回	1回2吸入 1日2回	1回4吸入 1日2回
レルベア100エリプタ	1回1吸入 1日1回	1回1吸入 1日1回	×
レルベア200エリプタ	×	1回1吸入 1日1回	1回1吸入 1日1回
加圧式定量吸入器(pMDI)	**低用量**	**中用量**	**高用量**
アドエア50エアゾール	1回2吸入 1日2回	×	×
アドエア125エアゾール	×	1回2吸入 1日2回	×
アドエア250エアゾール	×	×	1回2吸入 1日2回
フルティフォーム50エアゾール	1回2吸入 1日2回	×	×
フルティフォーム125エアゾール	×	1回2吸入 1日2回	1回4吸入 1日2回

【成人】喘息

【小児】喘息への対応

喘息発作時の対応

- 発作強度に合わせた治療
- 必要によって酸素投与 (SpO₂ 95%以上を目標に)
- 基本はβ_2 刺激薬吸入 (吸入手技に注意、20分毎に評価)

発作強度	所見		対応		
	呼吸困難	SpO_2	酸素吸入	β_2刺激薬吸入	補液[2] ステロイド投与[3]
小発作	なし～軽度	96%以上	－	単回吸入 or 内服[4]	－
中発作	あり	92～95%	要	反復吸入 3回まで20分間隔	β_2刺激薬吸入に不応時
大発作 呼吸不全	強い発作のサイン[1]	91%以下	要	反復3回まで (20分間隔)	β_2刺激薬吸入と同時に (医療機関へ搬送考慮)

1. 強い発作のサイン：チアノーゼ、意識レベル低下、強い肩呼吸や陥没呼吸、横になれない、話すのが苦しい
2. 初期輸液 (ソリタT1、ソルデム1、生食など)：乳幼児 50～100mL/時間、学童 100～150mL/時間
3. プレドニン 0.5～1mg/kg/日 分2～3 あるいは デカドロンエリキシル or リンデロンシロップ 0.5mL/kg/日 分2
4. 内服β_2刺激薬 (6歳以上)：メプチンミニ (25μg) or プリカニール (2mg) 1錠/回

乳幼児における吸入

- ネブライザーがあれば、β_2刺激薬 [メプチン吸入ユニット (0.3mL) 1A or ベネトリン吸入液 0.3mL] + インタール吸入液 1A (or 生食2mL) を吸入
- ネブライザーがなければ、図のように紙コップなどで工夫してエアー製剤 (メプチンエアやサルタノールエア等) を吸入する

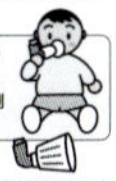

喘息発作後の対応

- 帰宅の目安 (喘鳴・呼吸困難の消失、SpO₂ ≧ 97%) をクリアしたら、帰宅時の処方をする
- 帰宅後の注意を伝える

帰宅時の処方

β_2刺激薬	発作が再燃した時のために 3～4日分処方	●吸入薬:朝夕 1吸入ずつ(自宅や避難所では1日4回まで) ●内服薬:朝夕 1錠ずつ ●貼付薬(ホクナリンテープ等): 1日1回24時間貼付 3歳未満 0.5mg、3～9歳未満 1mg、9歳以上 2mg ＊貼付薬と内服薬は併用しない、吸入薬の頓用は内服薬あるいは貼付薬使用中にも可
ステロイド内服	発作再燃の可能性がある場合、3日分処方	●プレドニン 0.5～1mg/kg/日(上限 30mg/日) 分2～3 ●デカドロンエリキシル or リンデロンシロップ 0.5mL/kg/日(上限 15mL/日) 分2
吸入ステロイド薬		●既に処方されている場合 → 製剤毎に力価が異なるため「吸入ステロイド薬 用量対応表」を参考に処方する ●電動ネブライザーを使用していたが、災害等で使用できなくなった場合 → 乳幼児ではエアー製剤に、学童以上ではエアー製剤 or ドライパウダーに変更

吸入ステロイド薬 用量対応表

吸入ステロイド薬

ドライパウダー定量吸入器 (DPI)	低用量	中用量	高用量
フルタイドディスカス50	1回1吸入 1日2回	1回2吸入 1日2回	1回4吸入 1日2回
フルタイドディスカス100	×	1回1吸入 1日2回	1回2吸入 1日2回
フルタイドディスカス200	×	×	1回1吸入 1日2回
パルミコート100μg タービュヘイラー	1回1吸入 1日2回	1回2吸入 1日2回	1回4吸入 1日2回
パルミコート200μg タービュヘイラー	×	1回1吸入 1日2回	1回2吸入 1日2回
アズマネックス100μgツイストヘラー*	×	1回1吸入 1日2回	1回2吸入 1日2回
アズマネックス200μgツイストヘラー*	×	×	1回1吸入 1日2回
加圧噴霧式定量吸入器 (pMDI)	**低用量**	**中用量**	**高用量**
フルタイドエアゾール50	1回1吸入 1日2回	1回2吸入 1日2回	1回4吸入 1日2回
フルタイドエアゾール100	×	1回1吸入 1日2回	1回2吸入 1日2回
キュバール50エアゾール	1回1吸入 1日2回	1回2吸入 1日2回	1回4吸入 1日2回
キュバール100エアゾール	×	1回1吸入 1日2回	1回2吸入 1日2回
オルベスコ50	1回2吸入 1日1回	1回4吸入 1日1回	1回8吸入 1日1回
オルベスコ100	1回1吸入 1日1回	1回2吸入 1日1回	1回4吸入 1日1回
オルベスコ200	×	1回1吸入 1日1回	1回2吸入 1日1回
吸入液	**低用量**	**中用量**	**高用量**
パルミコート吸入液0.25mg	1回1アンプル 1日1回	1回1アンプル 1日2回	1回2アンプル 1日2回
パルミコート吸入液0.5mg	×	1回1アンプル 1日1回	1回1アンプル 1日2回

*小児における適応なし

吸入ステロイド薬＋長時間作用性β_2刺激薬

ドライパウダー定量吸入器 (DPI)	低用量	中用量	高用量
アドエア100ディスカス	×	1回1吸入 1日2回	×
アドエア250ディスカス*	×	×	1回1吸入 1日2回
シムビコートタービュヘイラー*	×	1回1吸入 1日2回	1回2吸入 1日2回
加圧噴霧式定量吸入器 (pMDI)	**低用量**	**中用量**	**高用量**
アドエア50エアゾール	1回1吸入 1日2回	1回2吸入 1日2回	×
アドエア125エアゾール*	×	×	1回2吸入 1日2回

*小児における適応なし

災害派遣医療スタッフ向け アレルギー児対応マニュアル (日本小児アレルギー学会) より

【小児】喘息

図 7-16 災害派遣医療スタッフ向けアレルギー疾患対応マニュアル

[参考文献]

1) Noji EK. Progress in disaster management. *Lancet.* 1994; 343: 1239-40.
2) Fukuhara A, Sato S, Uematsu M, et al. Impacts of the 3/11 disaster in fukushima on asthma control. *Am J Respir Crit Care Med.* 2012; 186: 1309-10.
3) 災害時の対応,支援活動に関するワーキンググループ編.災害派遣医療スタッフ向けアレルギー疾患対応マニュアル.日本アレルギー学会,2017,p2-3.
4) 三浦克志,渡邊庸平,山岡明子.特集 東日本大震災とアレルギー疾患 現地活動報告 小児科から 大災害時での小児アレルギーの患者の状況と支援活動.アレルギー・免疫.2012;19:518-25.
5) Katsunuma T, Adachi Y, Miura K, et al. Care of children with allergic diseases following major disasters. *Pediatr Allergy Immunol.* 2016; 27: 425.

7-16　COVID-19への対応

1）COVID-19と喘息との関連

　SARS-CoV（severe acute respiratory syndrome coronavirus）-2ウイルスが気道上皮に感染する際には気道上皮細胞上のACE（angiotensin converting enzyme）2受容体にウイルス表面のS蛋白が結合し細胞内に侵入する。ウイルス表面のS蛋白を開裂し活性化させる酵素のTMPRSS（transmembrane protease serine）2も気道上皮細胞には発現している。気道上皮におけるACE2遺伝子発現は加齢、男性、喫煙にて発現が上昇することが知られている[1]。一方、喘息患者ではACE2発現が減少しTMPRSS2発現が増加することが報告されており、2型サイトカイン（IL-4、IL-13）や好酸球がCOVID-19感染を抑制する可能性が指摘されてきた[1,2]（エビデンスC）。喘息コントロール不良患者でもACE2は低い傾向を示す[1]が、重症喘息患者の誘発喀痰中では、高齢者、男性、アフリカ系人種でACE2発現が増加する傾向が示されている[3]。さらには、高用量ICSの使用患者ではACE2、TMPRSS2が有意に低いことも示されている[3]（エビデンスC）。

　喘息患者は健常者と比べてウイルス感染時のIFN-α産生能が低下するなど抗ウイルス免疫応答が不十分なことから、一般的に呼吸器系ウイルス感染により症状が増悪する。ところが、COVID-19疫学的調査によると、喘息患者はCOVID-19に罹患しにくく[4,5]（エビデンスC）、特に末梢血好酸球数が高い患者ではCOVID-19感染時の入院率や致死率も低いとされている[6,7]（エビデンスC）。喘息患者がCOVID-19に感染した際には、入院30日後の人工呼吸器使用率やICU入室率が高くなるが致死率は上昇しない[8]（エビデンスC）。ただし、16歳以上の重症喘息患者では非重症喘息患者と比べ致死率が上昇するという報告もあり、重症喘息患者ではCOVID-19感染が悪化しやすい可能性もある[9]（エビデンスC）。また、経口ステロイド薬（OCS）非連用例では死亡リスクを高めないが、OCS連用例でわずかにリスクが高いとの報告[10]や、韓国[11]と英国[12]から非アトピー型喘息患者での重症化のリスクが報告されている。一方、COVID-19蔓延期において、喘息増悪による入院患者数は明らかに減少している。これはマスク着用率の上昇と社会的距離を保つ生活習慣が影響して、ウイルス

気道性感染が少なくなるために喘息増悪も減少していると考えられる[5]。また禁煙、服薬アドヒアランスの向上などの生活習慣の変化も多分に影響していると考えられる[5]。

2）COVID-19 蔓延下における喘息診療に関して

　診察時の注意点として、医療従事者はサージカルマスクを着用し、患者の体温やCOVID-19患者との接触歴を確認してから診察を開始する。手指や聴診器などの消毒はそのつど頻繁に行うべきである。咽頭観察時や強制呼気時に患者の呼気や咳嗽を直接浴びないように留意すべきである。また、スパイロメトリー、誘発喀痰検査、内視鏡検査などはCOVID-19感染が疑われる際には原則として施行すべきではない[13]。

　ICS、アレルゲン免疫療法、生物学的製剤を含めた通常の喘息治療はSARS-CoV-2感染に抑制的に作用する可能性があると推測されるため、COVID-19蔓延期においてもきちんと継続することが推奨される[2,13]。50歳以上の重症喘息患者では、入院2週間以内にICSを開始すると致死率が減少すると報告されている[2]。ただし、治療薬のネブライザーによる吸入はウイルス拡散の危険があるため推奨しない[13]（エビデンスD）。COVID-19ワクチンに関しては、喘息が安定していれば接種による副反応が生じやすいことはない。

[参考文献]

1) Kimura H, Francisco D, Conway M, et al. Type 2 inflammation modulates ACE2 and TMPRSS2 in airway epithelial cells. *J Allergy Clin Immunol*. 2020; 146: 80-88.e8.
2) Liu S, Zhi Y, Ying S. COVID-19 and Asthma: Reflection During the Pandemic. *Clin Rev Allergy Immunol*. 2020; 59: 78-88.
3) Wark PAB, Pathinayake PS, Kaiko G, et al. ACE2 expression is elevated in airway epithelial cells from older and male healthy individuals but reduced in asthma. *Respirology*. 2021; 26: 442-51.
4) Sunjaya AP, Allida SM, Di Tanna GL, et al. Asthma and risk of infection, hospitalisation, ICU admission and mortality from COVID-19: Systematic review and meta-analysis. *J Asthma*. 2021; 1-22.
5) Hojo M, Terada-Hirashima J, Sugiyama H. COVID-19 and bronchial asthma: current perspectives. *Glob Health Med*. 2021; 3: 67-72.
6) Ho KS, Howell D, Rogers L, et al. The Relationship Between Asthma, Eosinophilia, and Outcomes in COVID-19 Infection. *Ann Allergy Asthma Immunol*. 2021; 127: 42-8.
7) Ferastraoaru D, Hudes G, Jerschow E, et al. Eosinophilia in Asthma Patients Is Protective Against Severe COVID-19 Illness. *J Allergy Clin Immunol Pract*. 2021; 9: 1152-1162.e3.
8) Guan WJ, Liang WH, Shi Y, et al. Chronic respiratory diseases and the outcomes of COVID-19: A nationwide retrospective cohort study of 39,420 cases. *J Allergy Clin Immunol Pract*. 2021; 9: 2645-2655.e14.
9) Bloom CI, Drake TM, Docherty AB, et al. Risk of adverse outcomes in patients with underlying respiratory conditions admitted to hospital with COVID-19: a national, multicentre prospective cohort study using the ISARIC WHO Clinical Characterisation Protocol UK. *Lancet Respir Med*. 2021; 9: 699-711.
10) Williamson EJ, Walker AJ, Bhaskaran K, et al. Factors associated with COVID-19-related death using OpenSAFELY. *Nature*. 2020; 584: 430-6.
11) Yang JM, Koh HY, Moon SY, et al. Allergic disorders and susceptibility to and severity of COVID-19: A nationwide cohort study. *J Allergy Clin Immunol*. 2020; 146: 790-8.
12) Zhu Z, Hasegawa K, Ma B, et al. Association of asthma and its genetic predisposition with the risk of severe COVID-19. *J Allergy Clin Immunol*. 2020; 146: 327-329.e4.

13) Global Initiative for Asthma (GINA). Global strategy for asthma management and prevention: NHLBI/WHO Workshop report: *National Heart, Lung and Blood Institute. National Institutes of Health*, updated 2020. http://www.ginasthma.com/ (accessed December 24, 2020)

7-17 重症心身障害児（者）の喘息診療

　重症心身障害児（者）〔以下、重症児（者）〕は、基礎疾患の多様性や複合する合併症のために喘鳴を呈することが多い。気道の慢性炎症性疾患である喘息は、喘鳴の鑑別疾患の中で重要な疾患の一つであり、重症児（者）においても適切に治療が行われるべきである。

　しかし、重症児（者）は呼吸機能検査の協力が得られにくく、他の気道症状を来す原因が多岐にわたり、喘息の診断が困難な場合も多い。また、気管切開や人工呼吸管理中の患者では、回路に接続できるスペーサーを用いたpMDI製剤により投薬を実施するなど、治療においても重症児（者）の喘息診療は、非重症児（者）とは異なる点がさまざまに存在する[1,2]。

　そこで、日本小児アレルギー学会 小児気管支喘息治療・ガイドライン作成委員会では、重症児（者）の喘息診療における注意点をまとめた。詳細については、日本小児アレルギー学会ホームページ『小児気管支喘息治療・管理ガイドライン2020Web版（PDF）』内のJPGL2012補遺1「重症心身障害児（者）の気管支喘息診療における注意点」（https://www.jspaci.jp/journal/asthma2020/）を参照されたい。

[参考文献]

1) 細木興亜, 長尾みづほ, 藤澤隆夫, 宇理須厚雄. 重症心身障がい児（者）と気管支喘息. 日小ア誌. 2010；24：675-84.
2) 細木興亜, 長尾みづほ, 藤澤隆夫. 重症心身障がい児（者）における喘息の診断. 日小児呼吸器会誌 2011；22：50-4.

8 主な喘息治療薬一覧

> 医薬品の情報は頻繁に更新されるため、必要に応じて医薬品の最新の添付文書や製造販売企業などが提供する医療従事者向け情報サイトなどを確認されたい。

●吸入用ステロイド薬●

DPI：ドライパウダー　速く深く吸う
pMDI：加圧式定量吸入器（ミストタイプ）　ゆっくり深く吸う

一般名・商品名等	剤形・用法	備　　考
［ベクロメタゾンプロピオン酸エステル beclometasone dipropionate］ キュバール Qvar（大日本住友） 　pMDI	50エアゾール（7 mg 50 μg/回、100回）、100エアゾール（15 mg 100 μg/回、100回）。アダプター付：1回100 μgを1日2回吸入。1日最大用量 800 μg ＊小児に対して 1回50 μgを1日2回吸入。1日最大用量 200 μg	適応：気管支喘息 副作用：鼻出血、コルチゾール減少、咳、尿糖、悪心、γ-GTP上昇など
［フルチカゾンプロピオン酸エステル fluticasone propionate］ フルタイド Flutide（グラクソ・スミスクライン） 　DPI、pMDI	ディスカス（50 μg、100 μg、200 μg）、50 μgエアゾール（8.83 mg 50 μg/回、120回）、100 μgエアゾール（11.67 mg 100 μg/回、60回）。1回100 μgを1日2回吸入。1日最大用量 800 μg ＊小児に対して （200 μg製品は除く）1回50 μgを1日2回吸入。1日最大用量 200 μg	適応：気管支喘息 副作用：アナフィラキシー、口腔および咽喉頭症状、嗄声、口腔および呼吸器カンジダ症、悪心、腹痛、鼻炎、胸痛など

8 主な喘息治療薬一覧

●吸入用ステロイド薬●

一般名・商品名等	剤形・用法	備　　考
[ブデソニド] [budesonide] パルミコート Pulmicort（アストラゼネカ） DPI	100 µgタービュヘイラー（11.2 mg 100 µg/回）、200 µgタービュヘイラー（11.2 mg 200 µg/回、22.4 mg 200 µg/回）：1回100〜400 µgを1日2回吸入。1日最大用量1,600 µg 吸入液：0.5 mgを1日2回または1 mgを1日1回吸入。1日最大用量2 mg ＊小児に対して 1回100〜200 µgを1日2回 吸入。1日最大用量800 µg、1日1回100 µgまで減量可 吸入液（0.25 mg、0.5 mg 2 mL）：1回0.25 mgを1日2回吸入または1回0.5 mgを1日1回吸入。1日最大用量1 mg	適応：気管支喘息 副作用：咽喉頭症状、発疹、蕁麻疹、口腔内カンジダ症、嗄声など
[シクレソニド] [ciclesonide] オルベスコ Alvesco（帝人ファーマ） pMDI	50 µgインヘラー（5.6 mg 50 µg/回）、100 µgインヘラー（5.6 mg 100 µg/回、11.2 mg 100 µg/回）、200 µgインヘラー（11.2 mg 200 µg/回）。1回100〜400 µgを1日1回吸入。1日最大用量1回400 µgを1日2回（朝夜） ＊小児に対して 1回100〜200 µgを1日1回 吸入。50 µg 1日1回まで減量可	適応：気管支喘息 副作用：呼吸困難、嗄声、発疹など
[モメタゾンフランカルボン酸エステル] [mometasone furoate] アズマネックス Asmanex（オルガノン） DPI	100 µgツイストヘラー（100 µg/回、60回）、200 µgツイストヘラー（200 µg/回、60回）。1回100 µgを1日2回吸入。1日最大用量800 µg	適応：気管支喘息 副作用：アナフィラキシー、口腔カンジダ症、嗄声、咽喉頭症状など

219

●吸入用ステロイド薬●

一般名・商品名等	剤形・用法	備考
[フルチカゾンフランカルボン酸エステル fluticasone furoate] アニュイティ Arnuity（グラクソ・スミスクライン） DPI 	100μgエリプタ（100μg、30回） 200μgエリプタ（200μg、30回） 100エリプタを1日1回吸入。症状に応じて200エリプタを1日1回吸入。	適応：気管支喘息 副作用：アナフィラキシー、口腔咽頭カンジダ症など

●吸入用ステロイド薬・β_2刺激薬配合剤●

一般名・商品名等	剤形・用法	備考
[サルメテロールキシナホ酸塩・フルチカゾンプロピオン酸エステル配合] アドエア Adoair（グラクソ・スミスクライン） DPI、pMDI 	（フルチカゾンプロピオン酸エステルとして） ディスカス100μg、250μg、500μg （サルメテロール各50μg含有）、エアゾール50μg、125μg、250μg（サルメテロール各25μg含有）。1回100μgを1日2回吸入。1回250μgまたは500μgを1日2回吸入可 ＊小児に対して 1回50μg（サルメテロールとして25μg）を1日2回吸入。1回100μg（サルメテロールとして50μg）を1日2回吸入可	適応：気管支喘息 250ディスカス、125エアゾール：慢性閉塞性肺疾患 副作用：ショック、アナフィラキシー、血清カリウム値低下、口腔及び呼吸器カンジダ症など
[ブデソニド・ホルモテロールフマル酸塩水和物配合] シムビコート Symbicort（アストラゼネカ） DPI 	（ブデソニドとして） タービュヘイラー160μg（ホルモテロール4.5μg含有） 維持療法：1回1吸入を1日2回吸入。1日最大用量1回4吸入1日2回 SMART療法：発作発現時に頓用吸入可。長期管理と発作治療を合わせて1日8吸入まで。一時的に1日合計12吸入（ブデソニドとして1,920μg、ホルモテロールフマル酸塩水和物として54μg）まで増量可（1日8吸入を超える場合は速やかに医療機関を受診するよう患者に説明する）	適応：気管支喘息 慢性閉塞性肺疾患：1回2吸入1日2回 副作用：アナフィラキシー、重篤な血清カリウム値の低下、嗄声、口腔カンジダ症、頭痛など

●吸入用ステロイド薬・β_2刺激薬配合剤●

一般名・商品名等	剤形・用法	備考
［フルチカゾンプロピオン酸エステル・ホルモテロールフマル酸塩水和物配合］ **フルティフォーム** Flutiform（杏林） pMDI	フルチカゾンプロピオン酸エステルとして） 50エアゾール（50μg、ホルモテロール5μg含有）、125エアゾール（125μg、ホルモテロール5μg含有）。1回2吸入を1日2回吸入。125エアゾール：1回2〜4吸入を1日2回吸入可	適応：気管支喘息 副作用：ショック、アナフィラキシー、重篤な血清カリウム値低下、肺炎
［フルチカゾンフランカルボン酸エステル・ビランテロールトリフェニル酢酸塩配合］ **レルベア** Relvar（グラクソ・スミスクライン） DPI	（フルチカゾンフランカルボン酸エステルとして） 100エリプタ（100μg、ビランテロール25μg含有）、200エリプタ（200μg、ビランテロール25μg含有）。 100エリプタ：1回1吸入を1日1回吸入。症状に応じて200エリプタ：1回1吸入を1日1回吸入可	適応：気管支喘息 慢性閉塞性肺疾患：レルベア100 1回1吸入を1日1回吸入 副作用：アナフィラキシー、口腔咽頭カンジダ症、発声障害
［インダカテロール酢酸塩・モメタゾンフランカルボン酸エステル配合］ **アテキュラ** Atectura（ノバルティス） DPI	（モメタゾンフランカルボン酸エステルとして） 吸入用カプセル低用量（80μg、インダカテロール150μg含有）、吸入用カプセル中用量（160μg、インダカテロール150μg含有）、吸入用カプセル高用量（320μg、インダカテロール150μg含有）。 低用量1カプセルを1日1回、専用器具（ブリーズヘラー）を用いて吸入。症状に応じて中用量、高用量1カプセルを1日1回吸入	適応：気管支喘息 副作用：アナフィラキシー、重篤な血清K値の低下、心房細動、発声障害、口腔咽頭痛、筋痙縮、カンジダ症

●吸入用ステロイド薬・抗コリン薬・β₂刺激薬配合剤●

一般名・商品名等	剤形・用法	備考
［フルチカゾンフランカルボン酸エステル・ウメクリジニウム臭化物・ビランテロールトリフェニル酢酸塩配合］ テリルジー Trelegy（グラクソ・スミスクライン） DPI 	（フルチカゾンフランカルボン酸エステルとして） 100エリプタ（100 μg、ウメクリジニウム 62.5 μg、ビランテロール 25 μg 含有）、200エリプタ（200 μg、ウメクリジニウム 62.5 μg、ビランテロール 25 μg 含有）。 100エリプタ：1回1吸入を1日1回吸入。症状に応じて200エリプタ：1回1吸入を1日1回吸入可	適応：気管支喘息 慢性閉塞性肺疾患：テリルジー100　1回1吸入を1日1回吸入 副作用：アナフィラキシー、肺炎、心房細動、口腔咽頭カンジダ症、上気道感染、頭痛、頻脈、発声障害、咳嗽、口内乾燥、関節痛
［インダカテロール酢酸塩・グリコピロニウム臭化物・モメタゾンフランカルボン酸エステル配合］ エナジア Enerzair（ノバルティス） DPI 	（モメタゾンフランカルボン酸エステルとして） 吸入用カプセル中用量（80 μg、インダカテロール 150 μg、グリコピロニウム 50 μg 含有）、吸入用カプセル高用量（160 μg、インダカテロール 150 μg、グリコピロニウム 50 μg 含有）。 中用量1カプセルを1日1回、専用器具（ブリーズヘラー）を用いて吸入。症状に応じて高用量1カプセルを1日1回吸入	適応：気管支喘息 副作用：アナフィラキシー、重篤な血清K値の低下、心房細動、発声障害、口腔咽頭痛、筋痙縮、カンジダ症

●抗IgE抗体製剤●

一般名・商品名等	剤形・用法	備考
［オマリズマブ omalizumab］ ゾレア Xolair（ノバルティス）	成人又は6歳以上の小児：1回75～600 mg、2又は4週毎、皮下注。成人、小児ともに1回あたりの投与量と投与間隔は初回投与前の血清総IgE値と体重に基づき、投与量換算表により設定	適応：気管支喘息（既存治療によっても喘息症状をコントロールできない難治の患者に限る）、季節性アレルギー性鼻炎（既存治療で不十分な重症又は最重症患者に限る）、特発性の慢性蕁麻疹（既存治療で不十分な患者に限る：1回300 mg、4週毎、皮下注） 副作用：ショック、アナフィラキシーなど 禁忌：本剤過敏症

●抗IL-5抗体製剤・抗IL-5受容体α鎖抗体製剤●

一般名・商品名等	剤形・用法	備考
［メポリズマブ mepolizumab］ ヌーカラ Nucala（グラクソ・スミスクライン）	成人又は12歳以上の小児：1回100 mg、4週毎、皮下注、6歳以上12歳未満：1回40 mg、4週毎、皮下注	適応：気管支喘息（既存治療で喘息症状をコントロールできない難治の患者に限る）、好酸球性多発血管炎性肉芽腫症（EGPA、既存治療で効果不十分な場合：1回300 mg、4週毎、皮下注） 副作用：アナフィラキシーなど 禁忌：本剤過敏症
［ベンラリズマブ Benralizumab］ ファセンラ Fasenra（アストラゼネカ）	成人：1回30 mgを初回、4週後、8週後に皮下注、以降8週間隔で皮下注	適応：気管支喘息（既存治療によっても喘息症状をコントロールできない難治の患者に限る） 副作用：重篤な過敏症など． 禁忌：本剤過敏症

●抗IL-4/13受容体α鎖抗体製剤●

一般名・商品名等	剤形・用法	備考
［デュピルマブ Dupilumab］ デュピクセント Dupixent（サノフィ）	成人又は12歳以上の小児：初回600 mg、皮下注、その後1回300 mg、2週間隔で皮下注	適応：気管支喘息（既存治療によっても喘息症状をコントロールできない難治の患者に限る）、既存治療で効果不十分なアトピー性皮膚炎、鼻茸を伴う慢性副鼻腔炎（既存治療で効果不十分な患者に限る：1回300 mg、2週間隔で皮下注、症状安定後は4週間隔も可） 副作用：重大な過敏症、結膜炎、単純ヘルペス、眼瞼炎、好酸球増加症など 禁忌：本剤過敏症

●副腎皮質ステロイド●

一般名・商品名等	剤形・用法	備考
［ヒドロコルチゾンコハク酸エステルナトリウム hydrocortisone sodium succinate］ ソル・コーテフ Solu-Cortef（ファイザー） サクシゾン Saxizon（大正薬品工業-テバ）	注（100 mg、250 mg、500 mg/ソル・コーテフ。100 mg、300 mg/サクシゾン）：1回50〜100 mgを1日1〜4回静注、点滴静注、筋注など ＊小児に対して 通常、5〜7 mg/kgをゆっくり投与する	適応：急性副腎皮質機能不全、甲状腺中毒症、エリテマトーデス、気管支喘息、喘息発作重積状態、アナフィラキシーショックなど 副作用：ショック、感染症、続発性副腎皮質機能不全、骨粗鬆症、胃腸穿孔、消化管出血、消化性潰瘍、ミオパチー、うつ状態など 禁忌：本剤過敏症。感染症のある関節腔内または腱周囲、動揺関節の関節腔内投与。（ソル・コーテフのみ）生ワクチン又は弱毒生ワクチン投与 注意：ソル・コーテフの1000 mg注射剤には気管支喘息の保険適応がなく、かつ、防腐剤としてパラオキシ安息香酸プロピル、パラオキシ安息香酸メチルが含まれている
［プレドニゾロン prednisolone］ プレドニゾロン Prednisolone（各社） プレドニン Predonine（塩野義）	錠（1 mg、5 mg）、散（1％）：1日5〜60 mgを1〜4回分服	適応：慢性副腎皮質機能不全、関節リウマチ・若年性関節リウマチ、エリテマトーデス、ネフローゼ、気管支喘息、中毒疹、紫斑病、湿疹・皮膚炎群など 副作用：誘発感染症、感染症の増悪、続発性副腎皮質機能不全など 禁忌：本剤過敏症
［プレドニゾロンコハク酸エステルナトリウム prednisolone sodium succinate］ 水溶性プレドニン（塩野義）	水溶性注（10 mg、20 mg、50 mg）：1回10〜50 mgを3〜6時間毎静注・筋注/1回20〜100 mgを1日2回点滴静注/1回4〜30 mgを関節・腱鞘内・軟組織内注（投与間隔2週以上）/1回0.1〜0.4 mgずつ4 mgまで皮内注	適応：プレドニゾロン参照 副作用：ショック、アナフィラキシー、誘発感染症など 禁忌：本剤過敏症、感染症のある関節腔内、滑液嚢内、腱鞘内または腱周囲、動揺関節の関節腔内

●副腎皮質ステロイド●

一般名・商品名等	剤形・用法	備　　考
[メチルプレドニゾロン methylprednisolone] メドロール Medrol（ファイザー）	錠（2 mg、4 mg）：1日 4～48 mg を 1～4 回分服	適応：プレドニゾロン参照、および気管支喘息重積発作 副作用：感染症、続発性副腎皮質機能不全、骨粗鬆症など 禁忌：本剤過敏症、生ワクチンまたは弱毒性ワクチン投与
[メチルプレドニゾロンコハク酸エステルナトリウム methylprednisolone sodium succinate] ソル・メドロール Solu-Medrol（ファイザー）	注（40 mg、125 mg、500 mg、1000 mg）：初回量 40～125 mg を静注または点滴静注。40～80 mg を 4～6 時間毎追加可 ＊小児に対して 1.0～1.5 mg/kg を静注または点滴静注。1.0～1.5 mg/kg を 4～6 時間毎追加可	適応：急性循環不全（出血性ショック、感染性ショック）、腎臓移植に伴う免疫反応の抑制、気管支喘息。 警告：緊急時に十分対応できる医療施設、十分な知識・経験をもつ医師のもと、適切と判断される症例にのみ実施すること。患者選択は併用薬剤の添付文書を参照し、患者・家族へ十分な説明を行い同意を得た上で投与すること。血清クレアチニン高値の敗血症症候群および感染性ショックに大量投与で死亡率増加 副作用：ショック、心停止、循環性虚脱、不整脈、感染症など 禁忌：本剤過敏症、生ワクチンまたは弱毒性ワクチン投与
[トリアムシノロンアセトニド triamcinolone acetonide] ケナコルト-A Kenacort-A（ブリストル）	筋注用（40 mg 1 mL）：1回 20～80 mg を 1～2 週おき筋注 関節・皮内用（50 mg 5 mL）：1回 2～40 mg を投与間隔 2 週以上で関節注、1回 0.2～1 mg を 10 mg まで週 1 回局所皮内注	適応など：プレドニゾロン参照 禁忌：本剤過敏症など

●副腎皮質ステロイド●

一般名・商品名等	剤形・用法	備考
[デキサメタゾン dexamethasone] オルガドロン Orgadrone（共和クリティケア） デカドロン Decadron（アスペン、日医工）	錠（0.5 mg、4 mg）、エリキシル（0.01%）：1日0.5～8 mgを1～4回分服 ＊小児に対して 1日0.15～4 mgを1～4回分服 注〔0.5 mL、1 mL、5 mL（デキサメタゾンリン酸エステルナトリウムとして5 mg/mL）/オルガドロン。0.5 mL、1 mL、2 mL（デキサメタゾンリン酸エステルナトリウムとして4 mg/mL）/デカドロン〕：デキサメタゾンリン酸エステルナトリウムとして1.65～6.6 mgを3～6時間ごと静注、または1.65～8.3 mgを1日1～2回点滴静注	適応：プレドニゾロン参照 警告：緊急時に十分対応できる医療施設、十分な知識・経験をもつ医師のもと、適切と判断される症例にのみ実施すること。患者選択は併用薬剤の添付文書を参照し、患者・家族へ十分な説明を行い同意を得た上で投与すること 副作用：ショック、アナフィラキシー、誘発感染症、感染症の増悪など 禁忌：本剤過敏症、感染症のある関節腔内、滑液嚢内、腱鞘内または腱周囲、動揺関節の関節腔内
[ベタメタゾン betamethasone] リンデロン Rinderon（塩野義）	錠（0.5 mg）、散（0.1%）、シロップ（0.1 mg/mL）：1日0.5～8 mgを1～4回分服 ＊小児に対して 1日0.15～4 mgを1～4回分服 坐剤（0.5 mg、1 mg）：初期1日0.5～2 mgを1～2回分割 注〔（リン酸塩）0.4% 4 mg/mL（0.5 mL、1 mL、5 mL）〕：1回2～8 mgを3～6時間毎静注、筋注。1回2～10 mgを1日1～2回点滴静注。1回1～5 mgを関節腔内注入、投与間隔2週間以上 注〔（リン酸塩）2% 20 mg/mL（1 mL、5 mL）〕：1回0.5～4 mg/kg静注 懸濁注〔（酢酸塩）2 mg、（リン酸塩）0.66 mg各0.5 mL〕：1回0.2～1 mLを筋注。1回0.1～1.5 mLを関節腔内注入、投与間隔2週間以上	適応：プレドニゾロン参照（2%注）出血性ショックにおける救急、または術中・術後のショック 副作用：ショック、アナフィラキシー、誘発感染症など 禁忌：本剤過敏症、感染症のある関節腔内、滑液嚢内、腱鞘内または腱周囲、動揺関節の関節腔内

8 主な喘息治療薬一覧

●気管支拡張薬●

一般名・商品名等	剤形・用法	備考
キサンチン誘導体 [テオフィリン徐放製剤 theophylline] テオドール Theodur（田辺三菱） テオロング Theolong（エーザイ） スロービッド Slo-bid（サンド-日本ジェネリック） ユニフィル LA Uniphyl LA（大塚） ユニコン、テオフィリン徐放ドライシロップ小児用20％「日医工」 Unicon（日医工）	（テオドール、テオロング） 錠（50 mg、100 mg、200 mg）：1回 200 mg を1日2回内服（朝・就寝前） ＊小児に対して 1回 100～200 mg を1日2回 内服（朝・就寝前） （ユニフィル LA、ユニコン） 錠（100 mg、200 mg、400 mg）：1回 400 mg を1日1回内服（夕食後） （スロービッド） カプセル（50 mg、100 mg、200 mg）：1回 200 mg を1日2回内服（朝・就寝前） ＊小児に対して 1回 100～200 mg を1日2回 内服（朝・就寝前） （テオドール） 顆粒（20％ 200 mg/g） （テオロング） 顆粒（50％ 500 mg/g） （スロービッド） 顆粒（20 ％ 200 mg/g）：1回 200 mg を1日2回内服（朝・就寝前） ＊小児に対して 1回 100～200 mg を1日2回 内服（朝・就寝前） （テオドール） シロップ（20 mg/mL）、ドライシロップ（20％ 200 mg/g）、 （テオフィリン徐放ドライシロップ小児用20％「日医工」） ドライシロップ（20％ 200 mg/g）：1回 4～8 mg/kg を1日2回内服 ＊成人の気管支喘息に対して 1回 400 mg、1日1回内服（就寝前）可能。ただしテオロング、スロービッドは除く	適応： （テオドール、テオロング、スロービッド） 気管支喘息、喘息性気管支炎、慢性気管支炎、肺気腫 （ユニフィル、ユニコン） 気管支喘息、慢性気管支炎、肺気腫 副作用：痙攣、意識障害、急性脳症、横紋筋融解症、消化管出血、赤芽球癆、アナフィラキシーショック、肝機能障害、黄疸、頻呼吸、高血糖症、過敏症、不眠、動悸など 禁忌：本剤・キサンチン系薬への重篤な副作用既往歴

●気管支拡張薬●

一般名・商品名等	剤形・用法	備考
[アミノフィリン aminophylline] ネオフィリン Neophyllin (エーザイ、エーザイ-サンノーバ)	末（原末）、錠（100 mg）：1日300〜400 mg を3〜4回分服 ＊小児に対して 1回2〜4 mg/kg を1日3〜4回内服 注（250 mg 10 mL）、点滴用バッグ（250 mg 250 mL）：1回250 mg を1日1〜2回、5〜10分かけて緩徐に静注または点滴静注 ＊小児に対して 1回3〜4 mg/kg を静注、投与間隔8時間以上。1日最高用量12 mg/kg	適応：気管支喘息、喘息性気管支炎、閉塞性肺疾患、肺性心、うっ血性心不全など 副作用：テオフィリン参照＋好酸球増多、鼻出血、口や舌周囲のしびれ
交感神経刺激薬 [サルメテロールキシナホ酸塩 salmeterol xinafoate] セレベント Serevent（グラクソ・スミスクライン） DPI	ディスカス（50 μg）：1回50 μg を1日2回吸入（朝、就寝前） ＊小児に対して 1回25 μg を1日2回吸入（朝、就寝前）。1回50 μg まで増量可	適応：気管支喘息、慢性閉塞性肺疾患（慢性気管支炎、肺気腫） 副作用：重篤な血清カリウム値の低下、ショック、アナフィラキシー、心悸亢進、振戦、頭痛、咳など 禁忌：本剤過敏症 特徴：1回の吸入で気管支拡張効果が12時間以上持続する（長時間作用型吸入β_2刺激薬） 注意：本剤は吸入ステロイド薬等の抗炎症効果を有する薬剤を併用して使用すること

●気管支拡張薬●

一般名・商品名等	剤形・用法	備考
[サルブタモール硫酸塩 salbutamol sulfate] ベネトリン Venetlin（グラクソ・スミスクライン） サルタノールインヘラー100μg Sultanol Inhaler 100μg （グラクソ・スミスクライン）	（サルブタモールとして） 錠（2 mg）、シロップ（0.4 mg/mL＊製造・グラクソ・スミスクライン）：1回4 mgを1日3回内服。 症状が激しい場合は1回8 mgを1日3回内服 吸入液（0.5%）：1回1.5〜2.5 mg吸入 インヘラー（0.16% 13.5 mL。1回噴霧100μg、1缶噴霧回数　約200回）：1回2吸入（200μg） ＊小児に対して 錠、シロップ：1日0.3 mg/kgを3回分服。吸入液：1回0.5〜1.5 mg吸入。 インヘラー、エアゾール：1回1吸入 （100μg）	適応：気管支喘息、小児喘息、肺気腫、急性・慢性気管支炎、肺結核 副作用：重篤な血清カリウム値の低下、心悸亢進、頭痛、振戦、めまい、悪心、過敏症状など 禁忌：本剤過敏症
[ツロブテロール塩酸塩 tulobuterol hydrochloride] ホクナリン Hokunalin（マイランEPD） ホクナリンテープ Hokunalin Tape（マイランEPD） ベラチン Berachin（田辺三菱-田辺）	錠（1 mg）、ドライシロップ（0.1% 1 mg/g）：1回1 mgを1日2回内服 テープ（0.5 mg、1 mg、2 mg）：1回2 mgを1日1回胸部、背部、上腕部に貼付（マルホも販売） ＊小児に対して 錠（1 mg）、ドライシロップ（0.1% 1 mg/g）：1日0.04 mg/kgを2回分服 （ホクナリン） テープ（0.5 mg、1 mg、2 mg）：0.5〜3歳未満は0.5 mg、3〜9歳未満は1 mg、9歳以上は2 mgを1日1回胸部、背部、上腕部に貼付	適応： （内服）気管支喘息、慢性気管支炎、急性気管支炎、喘息性気管支炎、肺気腫、珪肺症、塵肺症 （テープ）気管支喘息、急性・慢性気管支炎、肺気腫 副作用：アナフィラキシー、重篤な血清カリウム値の低下、心悸亢進、顔面紅潮、振戦、頭痛、悪心・嘔吐など 禁忌：本剤過敏症 特徴：テープは1回の貼付で気管支拡張効果が24時間以上持続する（長時間作用型貼付β₂刺激薬）

●気管支拡張薬●

一般名・商品名等	剤形・用法	備考
[プロカテロール塩酸塩水和物 procaterol hydrochloride] メプチン Meptin（大塚） 　pMDI	顆粒（0.01 % 100 μg/g）、錠（50 μg）、ミニ錠（25 μg）、シロップ（5 μg/mL）、ドライシロップ（0.005 % 50 μg）：1回50 μg を1日1～2回内服 吸入液（0.01 % 30 mL。ユニット 0.01 % 0.3 mL、0.5 mL）：1回30～50 μg 吸入 エアー（0.0143 % 5 mL。1吸入 10 μg）、キッドエアー（0.0143 % 2.5 mL。1吸入 5 μg）、クリックヘラー（2.0 mg/キット。1吸入 10 μg）スイングヘラー（1吸入 10 μg）：1回20 μg 吸入。原則1日4回まで ＊小児に対して 顆粒、錠、ミニ錠、シロップ、ドライシロップ：6歳未満1回1.25 μg/kg を1日2～3回、6歳以上1回25 μg を1日1～2回内服 吸入液（ユニット）：1回10～30 μg 吸入 エアー、キッドエアー、クリックヘラー、スイングヘラー：1回10 μg 吸入。原則1日4回まで	適応：気管支喘息、慢性気管支炎、肺気腫、急性気管支炎（錠、ミニ錠、顆粒、シロップのみ）、喘息様気管支炎（ミニ錠、顆粒、シロップのみ） 副作用：ショック、アナフィラキシー、重篤な血清カリウム値の低下、動悸、頻脈、上室性期外収縮、めまい、不眠、振戦など 禁忌：本剤過敏症
[フェノテロール臭化水素酸塩 fenoterol hydrobromide] ベロテック Berotec（日本ベーリンガー） 　pMDI	錠（2.5 mg）、シロップ（0.5 mg/mL）：1回2.5 mg を1日3回内服 エロゾル100（0.2 % 10 mL）：1回2吸入（0.2 mg）。吸入後2～5分で効果不十分の場合はさらに1～2吸収する。それ以上の場合は6時間間隔をあける。1日4回まで ＊小児に対して 錠（2.5 mg）、シロップ（0.5 mg/mL）：1日0.375 mg/kg（0.75 mL/kg）を3回分服	適応： （錠、エロゾル）気管支喘息、慢性気管支炎、肺気腫、塵肺症 （シロップ）気管支喘息、喘息性気管支炎、急性気管支炎 副作用：重篤な血清カリウム値の低下、動悸、頻脈、振戦、頭痛、嘔気、発疹、倦怠感など 禁忌：カテコラミン投与中、本剤過敏症 警告：（エロゾル）使用方法について十分に理解し、過量投与のおそれのないことが確認されている場合、他のβ₂刺激吸入薬が無効の場合、小児へは他のβ₂刺激吸入薬が無効な場合で入院中など医師の厳重な管理・監督下に限る

8 主な喘息治療薬一覧

●気管支拡張薬●

一般名・商品名等	剤形・用法	備考
[クレンブテロール塩酸塩 clenbuterol hydrochloride] スピロペント Spiropent（帝人ファーマ） SMI	顆粒（0.002％ 20 μg/g）、錠（10 μg）：1回20 μgを1日2回内服（朝、就寝前）。頓用の場合は1回20 μg ＊小児に対して 5歳以上の小児には1回0.3 μg/kgを1日2回内服（朝、就寝前）。頓用の場合は1回0.3 μg/kg	適応：気管支喘息、慢性気管支炎、肺気腫、急性気管支炎に基づく諸症状 副作用：重篤な血清カリウム値の低下、振戦、動悸、頭痛、めまい、嘔気、食欲不振、発疹など 禁忌：下部尿路閉塞、本剤過敏症
[アドレナリン adrenaline] ボスミン Bosmin（第一三共） アドレナリン注0.1％シリンジ「テルモ」（テルモ）	液（0.1％）：5～10倍に希釈し、1回0.3 mg以内にて吸入（ボスミン）注（1 mg 1 mL）、（アドレナリン注0.1％シリンジ）注（0.1％ 1 mL）：1回0.2～1 mgを皮下注または筋注。1回0.25 mg以下静注	適応：気管支喘息、百日咳などに伴う気管支痙攣など 副作用：重篤な血清カリウム値の低下、心悸亢進、不整脈、頭痛、発疹、悪心・嘔吐など 禁忌：ハロゲン含有吸入麻酔薬、ブチロフェノン・フェノチアジン系薬、α遮断薬、カテコラミン製剤、アドレナリン作動薬。狭隅角や前房が浅く眼圧上昇

副交感神経遮断薬

一般名・商品名等	剤形・用法	備考
[イプラトロピウム臭化物水和物製剤 ipratropium bromide] アトロベントエロゾル20 μg Atrovent Metered Aerosol 20 μg（帝人ファーマ）	エロゾル（4.20 mg/10 mL。20 μg/噴射。200回噴射可能）：1回1～2噴射を1日3～4回（無水物として20～40 μg）	適応：気管支喘息、慢性気管支炎、肺気腫 副作用：アナフィラキシー、上室性頻脈、心房細動、頭痛、振戦、嘔気、心悸亢進、発疹、口内乾燥など 禁忌：本剤・アトロピン過敏症、緑内障、前立腺肥大
[チオトロピウム臭化物水和物 tiotropium bromide hydrate] スピリーバ 1.25 μg レスピマット60吸入 Spiriva 1.25 μg Respimat 60puffs スピリーバ 2.5 μg レスピマット60吸入 Spiriva 2.5 μg Respimat 60puffs（日本ベーリンガー） SMI	レスピマット60（チオトロピウム 1.25 μg、2.5 μg）：1回2吸入を1日1回吸入	適応：下記疾患の気道閉塞性障害に基づく諸症状の緩解 慢性閉塞性肺疾患（慢性気管支炎、肺気腫：2.5 μg製剤のみ）、気管支喘息（重症持続型の患者に限る） 副作用：心不全、心房細動、期外収縮、イレウス、閉塞隅角緑内障、アナフィラキシーなど 禁忌：閉塞隅角緑内障、前立腺肥大等による排尿障害、アトロピン過敏症

●抗アレルギー薬●

一般名・商品名等	剤形・用法	備　　考
ロイコトリエン受容体拮抗薬		
[プランルカスト水和物 pranlukast hydrate] オノン Onon（小野）	カプセル（112.5 mg）：1日450 mgを2回分服（朝・夕食後） ドライシロップ（10% 100 mg/g）：1日7 mg/kgを2回分服（朝・夕食後）、用時懸濁。1日最高用量10 mg/kg、450 mg/日まで	適応：気管支喘息、アレルギー性鼻炎 副作用：ショック、アナフィラキシー、白血球減少、血小板減少、肝機能障害、間質性肺炎、好酸球肺炎、横紋筋融解症など
[モンテルカストナトリウム montelukast sodium] シングレア Singulair（MSD） キプレス Kipres（杏林）	錠（5 mg、10 mg）：1回10 mgを1日1回内服（就寝前） ＊小児に対して チュアブル錠（5 mg）：6歳以上の小児に1回5 mg、1日1回内服（就寝前）。口中で溶解またはかみ砕いて服用 細粒（4 mg）：1歳以上6歳未満に1回4 mg、1日1回内服（就寝前）	適応：気管支喘息、アレルギー性鼻炎 副作用：アナフィラキシー、血管浮腫、肝機能障害、劇症肝炎、肝炎、黄疸、中毒性表皮壊死融解症、皮膚粘膜眼症候群、多形紅斑、血小板減少、皮疹、瘙痒感、頭痛、傾眠、易刺激感、情緒不安定。痙攣。消化不良、下痢、腹痛。AST・ALT・Al-P・γ-GTP・総ビリルビン上昇。口渇。尿潜血、血尿、尿糖。浮腫。筋痙攣を含む筋痛、挫傷など 禁忌：本剤過敏症
メディエーター遊離抑制薬		
[クロモグリク酸ナトリウム sodium cromoglicate] インタール Intal（サノフィ）	カプセル（20 mg）：1回20 mgを1日3～4回吸入 吸入液（1% 2 mL）：1回1Aを1日3～4回吸入（電動式ネブライザーを用いる） エアロゾル（2% 10 mL、1噴霧中1 mg。吸入用噴霧器あり）：1回2噴霧1日4回吸入	適応：気管支喘息、アレルギー性鼻炎 副作用：（気管支喘息に用いた場合）咽喉頭部刺激感、PIE症候群、気管支痙攣、過敏症状
トロンボキサンA₂合成阻害薬		
[オザグレル塩酸塩水和物 ozagrel hydrochloride hydrate] ドメナン Domenan（キッセイ）	錠（100 mg、200 mg）：1日400 mgを2回分服（朝・就寝前）	適応：気管支喘息 副作用：発疹、瘙痒感、嘔吐、腹痛、食欲不振、肝障害、心悸亢進、出血傾向、頭痛など 相互作用：血小板機能抑制薬との併用（本剤作用↑） 禁忌：小児など。本剤過敏症

●抗アレルギー薬●

一般名・商品名等	剤形・用法	備　　　考
トロンボキサン A₂ 拮抗薬 ［セラトロダスト 　seratrodast］ ブロニカ Bronica（武田）	顆粒(10% 100 mg/g)、錠(40 mg、80 mg)：1回 80 mg を 1日1回内服（夕食後） ＊高齢者は低用量から開始	適応：気管支喘息 相互作用：溶血性貧血が報告されている薬剤（溶血性貧血↑）。アスピリン（本剤の非結合型濃度↑） 注意：定期的に肝機能検査を行い、異常がみられた場合には中止すること。 副作用：劇症肝炎、肝障害。発疹。悪心、食欲不振。貧血、好酸球増多。眠気、頭痛。動悸、倦怠感など
Th2 サイトカイン阻害薬 ［スプラタストトシル酸塩 　suplatast tosilate］ アイピーディ IPD（大鵬）	カプセル（50 mg、100 mg）：1回 100 mg を 1日3回内服（食後） ドライシロップ（5% 50 mg/g）：1回 3 mg/kg、1日2回内服、用時溶解。 ＊小児に対して 1回あたり 3～5歳未満 37.5 mg、5～11歳未満 75 mg、11歳以上 100 mg、1日最大用量 300 mg	適応：気管支喘息、アトピー性皮膚炎、アレルギー性鼻炎（ドライシロップは気管支喘息のみ） 副作用：嘔気、嘔吐、胃部不快感、発疹、瘙痒感など 禁忌：本剤過敏症

●漢方製剤●

一般名・商品名等	剤形・用法	備　考
五虎湯 ツムラ顆粒（TJ-95）、クラシエ細粒（KB-95、EK-95）	キョウニン 4.0 マオウ 4.0 ソウハクヒ 3.0 カンゾウ 2.0 （ツ 7.5 g、ク 6 g）	適応：咳、気管支喘息
柴朴湯 ツムラ顆粒（TJ-96）、クラシエ細粒（EK-96）	サイコ 7.0 ハンゲ 6.0 ブクリョウ 5.0 オウゴン 3.0 ニンジン 3.0 コウボク 3.0 タイソウ 3.0 ソヨウ 2.0 カンゾウ 2.0 ショウキョウ 1.0 （ツ 7.5 g、小 7.5 g）	適応：小児喘息、気管支喘息、気管支炎、咳、不安神経症 ［気分がふさいで、咽喉、食道部に異物感があり、ときに動悸、めまい、嘔気などを伴うものの諸症］
小青竜湯 ツムラ顆粒（TJ-19）、小太郎細粒（N19）、クラシエ細粒（EK-19）、錠（EKT-19）	ハンゲ 6.0 カンゾウ 3.0 ケイヒ 3.0 シャクヤク 3.0 ゴミシ 3.0 サイシン 3.0 マオウ 3.0 カンキョウ 3.0 （ツ 9 g、小 7.5 g、ク 6 g または 18 錠）	適応：気管支炎、気管支喘息、鼻水、水様の痰を伴う咳、鼻炎 禁忌：アルドステロン症など
麦門冬湯 ツムラ顆粒（TJ-29）、小太郎細粒（N29）　バクモンドウ 10.0	ハンゲ 5.0 コウベイ 5.0 タイソウ 3.0 カンゾウ 2.0 ニンジン 2.0 （ツ 9 g、小 15 g）	適応：痰の切れにくい咳、気管支炎、気管支喘息 ［こみあげてくるような強い咳をして、顔が赤くなるものの諸症］
麻黄湯 ツムラ顆粒（TJ-27）、小太郎細粒（N27）、クラシエ細粒（KB-27、EK-27）	キョウニン 5.0 マオウ 5.0 ケイヒ 4.0 カンゾウ 1.5 （ツ 7.5 g、小 6 g、ク 6 g）	適応：感冒、関節リウマチ、喘息、乳児の鼻閉塞、哺乳困難、インフルエンザ（初期） ［悪寒、発熱、頭痛、腰痛があり、自然に汗の出ないものの諸症］
麻杏甘石湯 ツムラ顆粒（TJ-55）、小太郎細粒（N55）	セッコウ 10.0 キョウニン 4.0 マオウ 4.0 カンゾウ 2.0 （ツ 7.5 g、小 6 g）	適応：小児喘息、気管支喘息 ［咳嗽が激しく、発作時に頭部に発汗して喘鳴を伴い、咽喉が乾くものの諸症］

注1　用法、用量は各メーカーにより異なる。
　　　ツムラ：1日7.5 g（基本的に）、2〜3回に分割、食前または食間に服用（この他に1日9 g、1日10.5 g、1日15 g、1日18 gの処方がある）
　　　小太郎：1日6 g（基本的に）、2〜3回に分割、食前または食間に服用（この他に1日7.5 g、1日9 g、1日12 g、1日15 g、1日27 gの処方がある）
　　　クラシエ：1日6 g（基本的に）、2〜3回に分割、食前または食間に服用（この他に1日7.5 g、1日8.1 gの処方がある）
注2　各メーカーにより処方内容・適用症が多少異なる。
注3　組成・容量・（1日用量）欄中の略語は以下の通りである。
　　　ツ……ツムラ
　　　小……小太郎
　　　ク……クラシエ

主なステロイドの特徴

ステロイド	生物学的半減期（時間）	血中半減期（時間）	糖質コルチコイド作用	鉱質コルチコイド作用	概算等価投与量（mg）
コルチゾール	8〜12	1.2〜1.5	1	1	20
コルチゾン		1.2〜1.5	0.8	0.8	25
プレドニゾロン	12〜36	2.5	4	0.8	5
メチルプレドニゾロン		2.8〜3.3	5	0.5	4
トリアムシノロン		3〜5	4〜5	<0.01	4
デキサメタゾン	36〜72	3.5〜5	25〜30	<0.01	0.5〜0.75
ベタメタゾン		3.3〜5.0	25〜30	<0.01	0.5〜0.75

※ AERD（NSAIDs過敏喘息、N-ERD、アスピリン喘息）の患者では、コハク酸エステル型のステロイドの投与により、悪化する可能性があるため、使用しない。
　コハク酸エステル型ステロイド注射剤：ヒドロコルチゾンコハク酸エステルナトリウム（ソル・コーテフ®、サクシゾン®）
　　　　　　　　　　　　　　　　　プレドニゾロンコハク酸エステルナトリウム（水溶性プレドニン®）
　　　　　　　　　　　　　　　　　メチルプレドニゾロンコハク酸エステルナトリウム（ソル・メドロール®）
リン酸エステル型ステロイドは比較的安全に使える。
　リン酸エステル型ステロイド注射剤：リン酸ベタメタゾン（リンデロン®）
　　　　　　　　　　　　　　　　　デキサメタゾン（デカドロン®）

ステロイド薬の副作用

●特に注意すべき副作用	●その他頻度の高い副作用
・感染症の誘発・増悪 ・骨粗鬆症と易骨折 ・大腿骨頭無腐性壊死 ・低身長 ・動脈硬化性病変 ・副腎不全、離脱症候群 ・消化性潰瘍、消化管出血・穿孔 ・糖尿病の誘発・増悪 ・精神症状	・異常脂肪沈着（満月様顔貌、中心性肥満、野牛肩） ・多毛、皮下出血、痤瘡、皮膚線条、皮膚萎縮、眼球突出、発汗異常 ・後嚢白内障、緑内障 ・浮腫、高血圧、うっ血性心不全、不整脈 ・ステロイド・ミオパチー ・月経異常 ・白血球増多 ・膵炎、肝機能障害 ・低カリウム血症

索 引

和文索引

あ

アクションプラン　78, 80, 81, 123, 124
アストグラフ法　7, 58, 59, 65
アスピリン　3, 42, 43, 66, 100, 110, 116, 125, 126, 129, 158, 160, 190, 193, 205
アスピリン喘息（aspirin-exacerbated respiratory disease, AERD, N-ERD, NSAIDs過敏喘息）　3, 43, 66, 100, 110, 116, 125, 126, 129, 158, 205
アスピリン耐性維持療法（アスピリン減感作）　160
アスピリン不耐症　42
アスペルギルス　55, 116, 196
アスリート　42, 161, 162, 163, 165
アセチルコリン　53, 54, 58, 59, 65, 98
アセトアミノフェン　158
アセトアルデヒド　38
悪化因子　14, 16, 43, 165, 190
アドヒアランス　10, 11, 32, 40, 45, 53, 67, 73, 77, 78, 79, 84, 88, 94, 98, 99, 100, 107, 112, 114, 123, 134, 136, 153, 154, 175, 181, 211, 215
アトピー咳嗽　206, 207
アトピー型喘息　3, 7, 11, 13, 36, 38, 51, 54, 107, 170, 172, 214
アトピー性皮膚炎　6, 7, 36, 37, 66, 83, 102
アトピー素因　4, 5, 6, 7, 14, 36, 39, 167, 194, 200
アドレナリン　41, 54, 97, 129, 159
アトロピン　205
アナフィラキシー　122, 205, 209
アナフィラキシーショック　56, 205
アミノフィリン　126, 127, 144, 146, 147, 149, 153, 199
アルコール　3, 40, 41, 43, 210
アルゴリズム　5, 6
アレキシサイミア　211
アレルギー性炎症　38, 65
アレルギー性気管支肺アスペルギルス症（allergic bronchopulmonary aspergillosis, ABPA）　16, 116, 196, 197
アレルギー性気管支肺真菌症（allergic bronchopulmonary mycosis, ABPM）　55, 56, 66, 196, 197
アレルギー性鼻炎　4, 6, 7, 33, 39, 41, 42, 45, 55, 65, 83, 100, 101, 107, 109, 110, 111, 114, 121, 122, 138, 179, 186, 187, 200, 207

アレルゲン　3, 4, 7, 9, 12, 13, 14, 16, 36, 37, 39, 40, 41, 42, 43, 45, 51, 52, 53, 54, 55, 56, 61, 72, 103, 107, 110, 121, 122, 123, 132, 138, 170, 172, 186, 187, 201
アレルゲン免疫療法（allergen immunotherapy）　12, 39, 43, 55, 103, 121, 122, 187, 201
アンジオテンシン変換酵素阻害薬などによる咳　6
アンブロキソール塩酸塩　103

い

息切れ　3, 4, 39, 83, 123, 162
閾値　11, 56, 58, 60, 65, 158, 166
異型狭心症様胸痛　158
意識障害　9, 14, 44, 149
意識レベル　142
胃食道逆流症（gastroesophageal reflux disease, GERD）　16, 40, 42, 107, 172, 180, 199, 206
イソフルラン　204
イソプロテレノール　31, 144, 149, 150
I型アレルギー　56, 186, 196
一次予防　36
1秒率（FEV$_1$%）　10, 57, 62, 66, 179, 180
1秒量（FEV$_1$）　6, 9, 10, 12, 40, 57, 59, 62, 65, 67, 161, 167, 168, 198
一過性初期喘鳴群（transient early wheezers）　170
一酸化窒素　2, 10, 11, 18, 40, 55, 62, 111, 206
遺伝　3, 36, 37, 38, 44, 66, 167
遺伝因子（ジェノタイプ）　3
遺伝子　3, 14, 36, 37, 38, 98, 167, 174, 214
遺伝子多型　3
イトラコナゾール　197
インデカテロール酢酸塩（indacaterol acelate, IND）　96, 98, 99, 100, 164
インフルエンザウイルス　41, 43
インフルエンザワクチン　41, 43, 208, 209

う

うっ血性心不全　6, 61, 153, 199
うつ病　181
ウメクリジニウム臭化物（umeclidinium bromide, UMEC）　98, 99, 100
運動　3, 14, 15, 41, 45, 53, 65, 72, 83, 97, 100, 110, 135, 161, 162, 163, 165, 206
運動負荷試験　65
運動誘発気管支収縮（exercise-induced bronchospasm、exercise-induced bronchoconstriction, EIB）　161
運動誘発アナフィラキシー　161
運動誘発性喉頭機能異常　161
運動誘発性過換気　161
運動誘発喘息（exercise-induced asthma, EIA）　42, 100, 110, 161

え

液性因子　2
エフェドリン　164
炎症細胞　2, 37, 50, 51, 53, 54, 94, 186
炎症細胞浸潤　37, 50, 186
炎症性メディエーター　51, 161
エンドタイプ　3, 66
エンドトキシン　53

お

嘔気　127, 146, 158
嘔吐　101, 132, 146
悪心　101, 132
オゾン　39, 43
オピオイド　205
オマリズマブ　74, 77, 101, 110, 132, 159, 168, 185
オロダテロール　164

か

咳嗽　6, 14, 15, 16, 17, 39, 53, 120, 123, 135, 142, 161, 172, 174, 188, 198, 199, 206, 207, 215
化学物質　53, 200
過換気　6, 9, 40, 42, 60, 65
過換気症候群　6
拡散能　181
喀痰　6, 7, 10, 11, 40, 51, 55, 62, 65, 66, 67, 114, 120, 123, 124, 168, 170, 188, 198, 214, 215
喀痰細胞診　65
喀痰中好酸球　2, 10, 11, 40, 62, 65, 114, 200
過小診断（under-diagnosis）　4
家族歴　4, 7, 14, 36, 39
カットオフ　7, 10, 61, 62, 65, 180
過敏性肺炎　16
カプノメータ　205
合併症　6, 11, 32, 44, 67, 83, 94, 114, 120, 134, 141, 143, 148, 149, 166, 175, 181, 183, 186, 203, 208, 216
花粉　56, 83, 107, 122, 186
カルボシステイン　103
過労　107
寛解　6, 12, 24, 45, 57, 130, 175, 195, 196, 201
環境アレルゲン　7, 36, 51, 72
環境再生保全機構　43, 92
環境整備　44, 61, 78, 81, 82, 134, 136, 170, 183, 198
感作物質　36, 200, 201
カンジダ　97, 197
間質性肺疾患　206
患者教育　71, 72, 73, 74, 78, 79, 80, 81, 82, 99, 134, 181
感染症　15, 16, 37, 38, 43, 44, 45, 76, 97, 99, 167, 196, 197, 208, 209, 212
漢方薬　102, 158

陥没呼吸　143, 150
顔面紅潮　158

き

気温　43, 163
気管気管支軟化症　15, 16
気管、気管の圧迫（腫瘍など）　16
気管支炎　15, 16, 38, 39, 170
気管支拡張作用　98, 100, 101, 110, 146, 204, 205
気管支拡張症　16, 115
気管支拡張薬　9, 16, 57, 58, 59, 66, 67, 72, 97, 98, 205, 206, 207
気管支結核　6, 115
気管支サーモプラスティ（bronchial thermoplasty, BT, 気管支熱形成術）　120
気管支収縮薬　58
気管支内異物　15, 16
気管支熱形成術（bronchial thermoplasty, BT, 気管支サーモプラスティ）　51, 110, 114, 120
気管支肺胞洗浄液（bronchoalveolar lavage fluid, BALF）　13, 50
気管挿管　40, 45, 203, 204
気管内腫瘍　6
気管軟化症　6, 115
期間有症率　24, 25, 26
気胸　5, 6, 148
危険因子　3, 32, 35, 36, 37, 39, 40, 41, 44, 45, 107, 165, 186, 203, 209
起坐呼吸　143, 198
気象　43, 53
寄生虫感染　61
喫煙　4, 7, 10, 37, 38, 42, 44, 45, 55, 61, 65, 66, 97, 107, 114, 122, 138, 158, 167, 175, 179, 181, 184, 200, 206, 214
基底膜　13, 14, 50, 51, 54
気道異物　6
気道炎症　2, 3, 5, 7, 10, 11, 13, 14, 15, 16, 17, 31, 44, 50, 51, 52, 53, 54, 55, 57, 61, 62, 65, 67, 72, 100, 107, 123, 124, 130, 165, 204, 206, 207
気道可逆性検査　6, 10, 57, 58, 59
気道過敏性　2, 5, 6, 7, 9, 10, 11, 14, 15, 16, 24, 31, 37, 38, 39, 45, 54, 56, 57, 58, 60, 65, 94, 103, 111, 114, 121, 130, 162, 167, 175, 180, 198, 200, 201, 206
気道過敏性検査　7, 11, 15, 24, 58, 59
気道狭窄　2, 4, 7, 9, 10, 54, 60, 62, 65, 125, 127, 128, 148, 162, 172, 205
気道径　14, 37, 53, 207
気道構成細胞　2
気道収縮反応　7, 54
気道症状　158, 160, 216
気道上皮　2, 7, 11, 13, 37, 38, 50, 51, 52, 54, 97, 103, 162, 170, 214
気道の解剖学的異常　16

気道リモデリング　2, 12, 13, 14, 52, 53, 54, 57, 60, 65, 66, 72, 120, 123, 162, 167
機能的残気量（functional residual capacity, FRC）　60, 183
揮発性吸入麻酔薬　204
揮発性有機化合物（volatile organic compounds, VOC）　39
気道分泌亢進　14
嗅覚障害　158, 190, 191
吸気喘鳴（stridor）　4
救急外来　8, 101, 123, 127, 128, 132, 143, 186
急性細気管支炎　16
急性増悪　2, 3, 5, 8, 14, 16, 31, 32, 44, 46, 53, 55, 56, 57, 60, 61, 62, 65, 82, 94, 97, 108, 116, 123, 124, 125, 127, 128, 130, 132, 135, 141, 143, 148, 158, 170, 180, 198, 205, 208, 209, 212
吸入懸濁液　136, 137
吸入指導　3, 40, 72, 74, 75, 82, 84, 86, 88, 143, 153, 156, 181
吸入ステロイド薬（inhaled corticosteroid, ICS）　3, 40, 41, 45, 61, 66, 72, 86, 94, 96, 97, 98, 99, 131, 136, 137
吸入β₂刺激薬　6, 98, 131, 136, 137, 142
吸入補助具　80, 84, 88
吸入誘発試験　56, 201
吸入療法　86, 88, 89, 149, 150, 153, 154, 156, 198
狭心症　158
きょうだい　38, 81, 88
胸痛　39, 123, 158, 159
胸部X線　11, 61, 148, 180
胸部聴診　124
胸壁コンプライアンス　205
虚血性心疾患　98, 212
強制オシレーション法　65
去痰薬　103
気流制限　2, 5, 6, 9, 10, 14, 15, 37, 44, 53, 54, 57, 73, 130
気流閉塞　39, 54, 56, 57, 58, 60, 167, 179, 194, 203
禁煙　38, 42, 44, 122, 183, 203, 215
禁煙プログラム　41, 42

く

クラリスロマイシン　103
グリコピロニウム臭化物（glycopyrronium bromide, GLY）　98, 99, 100
クループ　16
クレオラ体　7, 51, 170
クレンブテロール塩酸塩　98, 132, 164
クロモグリク酸ナトリウム（disodium cromoglycate, DSCG）　132, 136, 137

け

経口ステロイド薬　3, 45, 66, 94, 111, 124, 127, 132, 166, 190, 193, 194, 197, 204, 206, 214

軽症間欠型　8, 83
軽症持続型　8, 16, 17, 83, 136
経皮的動脈血酸素飽和度（arterial oxygen saturation, SpO₂）　60
痙攣　101, 132, 144, 146, 204
外科手術　203
ケタミン　205
血液ガス　56, 60, 143, 144, 148, 149
血液検査　11, 56, 66, 124
血管拡張　50
血管新生　50
血管内皮細胞　51
月経　40, 41, 42
月経喘息　42
げっ歯類　41, 43
血漿コルチゾール値　11
血清カリウム　98
血清ペリオスチン　61, 101
解熱鎮痛薬　160
ゲノムワイド関連解析（genome-wide association study, GWAS）　36
ケモカイン　51, 52
下痢　132, 158
減感作療法　121

こ

抗IgE抗体　54, 56, 74, 101, 110, 132, 138, 184, 187, 198, 201
抗アレルギー薬　54, 58, 132, 136, 137
広域周波オシレーション法　65
好塩基球　50, 101
口渇　98
誤嚥　115, 124, 204, 205
誤嚥性肺炎　124
抗菌薬　101, 103, 116, 168, 188
口腔・咽頭カンジダ症　97
高血圧　24, 61, 94
抗好中球細胞質抗体（anti-neutrophil cytoplasmic antibody, ANCA）　194
抗コリン薬　58, 66, 98, 161, 199
黄砂　41, 43
好酸球　2, 3, 6, 7, 11, 13, 39, 40, 41, 42, 44, 45, 50, 51, 52, 53, 54, 55, 61, 62, 65, 66, 67, 101, 102, 103, 111, 114, 116, 120, 124, 132, 158, 160, 162, 167, 181, 186, 190, 191, 193, 194, 195, 197, 200, 206, 207, 214
好酸球顆粒タンパク　51, 66
好酸球性炎症　14, 53, 55, 62, 67, 162
好酸球性気道炎症　7, 11, 44, 53, 55, 67, 206, 207
好酸球性喘息　102, 111
好酸球性多発血管炎性肉芽腫症（eosinophilic granulomatosis with polyangitiis, EGPA）　66, 102, 116, 194
好酸球性中耳炎　158, 193, 194

好酸球性腸炎　158
好酸球性肺炎　194
好酸球性鼻茸　160
好酸球性鼻副鼻腔炎　158, 194, 195
好酸球性副鼻腔炎　3, 39, 41, 42, 44, 55, 188, 190, 191, 193, 194
好酸球増多　7, 40, 61, 195
好酸球比率　7, 10, 11, 55, 62, 114, 195
甲状腺機能亢進症　98
抗真菌薬　197
抗喘息薬　42, 94, 102, 212
好中球　2, 50, 51, 52, 53, 55, 67, 103, 124, 170, 188, 194
好中球性気道炎症　67
高張食塩水吸入　11, 55
抗TSLP抗体　103
喉頭炎　6
喉頭・気管・気管支軟化症　16
喉頭蓋炎　6
喉頭痙攣　204
抗ヒスタミン薬　41, 43
興奮　132, 142, 143
高齢者喘息　28, 179, 180, 181
呼気延長　4, 14, 141, 143
呼気中一酸化窒素濃度（fractional exhaled nitric oxide, FeNO）　2, 10, 11, 40, 55, 62, 111, 206
呼吸器感染症　37, 38, 40, 43, 45, 97, 208
呼吸器疾患　66, 183, 206, 208, 212
呼吸機能検査　6, 14, 15, 16, 24, 56, 66, 78, 80, 101, 124, 161, 162, 203, 216
呼吸困難　2, 5, 6, 8, 9, 13, 14, 15, 16, 17, 24, 54, 72, 123, 142, 161, 170, 175, 180, 183, 199, 206
呼吸性アシドーシス　148
呼吸性アルカローシス　183
呼吸抵抗（respiratory resistances, Rrs）　58, 59, 60, 65
呼吸停止　9, 60
呼吸不全　11, 14, 141, 142, 143, 148, 149, 150, 196
呼気流速　10, 57, 65
骨粗鬆症　94
コハク酸エステル型　159
個別対応プラン　80, 143
コラーゲン　51, 53
コルチゾール　11

さ

細気管支炎　15, 16, 38, 170
細菌　37, 38, 45, 124, 165
細菌叢の乱れ（dysbiosis）　38
在宅自己注射　74, 76, 77, 101, 102, 132
サイトカイン　2, 37, 50, 51, 52, 53, 94, 103, 132, 136, 137, 214
再発性多発軟骨炎　6
再燃　160, 191, 195, 197

柴朴湯　102
杯細胞　50, 54, 102, 170
作業増悪性喘息　200, 201
嗄声　97
サルコイドーシス　6, 16
サルブタモール　45, 132, 144, 164, 185
サルメテロールキシナホ酸塩（サルメテロール, SM）　86, 98, 164, 165, 185
三次予防　36
酸素吸入　129, 146
酸素投与　124, 144, 149, 150
酸素飽和度　56, 60

し

シアン化水素　38
ジェノタイプ（遺伝因子）　3
シクレソニド（CIC）　86, 96, 131, 136, 137, 185
刺激物質　52, 183, 200
刺激物質誘発職業性喘息　200, 201
自己管理計画書　127
自己効力感　78, 79, 80, 81
自己最良値　8, 10, 62, 107, 123, 124, 127, 128, 143
自己注射　41, 74, 76, 77, 101, 102, 132
篩骨洞優位　190
思春期　16, 26, 31, 45, 46, 79, 80, 81, 175, 176, 177
自然気胸　6
持続的気流閉塞　194
持続陽圧呼吸療法（continuous positive airway pressure, CPAP）　41, 42
自宅治療　127
質問票　9, 10, 24, 132, 200, 203
脂肪酸　39
縦隔気腫　5, 148
周術期　203, 204
重症持続型　8, 16, 17, 83, 98, 111, 138
重症心身障害　178, 216
重症度　7, 8, 9, 12, 16, 17, 32, 40, 44, 45, 54, 55, 56, 57, 65, 66, 83, 96, 112, 127, 132, 134, 136, 143, 150, 175, 178, 184, 187, 190, 195, 203, 204, 210
重積　32, 131
集中治療室　40
重篤　9, 16, 31, 32, 40, 44, 53, 56, 67, 97, 98, 127, 141, 158, 159
手術　4, 158, 160, 187, 188, 190, 191, 203, 204, 205
受動喫煙　4, 37, 38, 42, 45, 107, 138, 175, 206
腫瘍性疾患　15
消化管運動不全　207
小児期発症喘息　38
上皮下線維増生（基底膜部の肥厚）　50, 51
上皮細胞　2, 11, 13, 37, 38, 50, 51, 52, 54, 61, 66, 97, 214
静脈麻酔薬　204
除外措置（Therapeutic Use Exemptions, TUE）　162

職業性喘息　9, 36, 37, 43, 200, 201, 202
食品　4, 200
食物アレルギー　4, 36, 42
食欲不振　132
心因性咳嗽　6, 16
真菌　44, 52, 55, 66, 107, 186, 196, 197, 198
神経ブロック　203, 204
神経ペプチド　53
人工呼吸管理　144, 149, 150, 205, 216
人工呼吸器　214
人工乳　39
侵襲性肺炎球菌感染症（invasive pneumococcal diseases, IPD）209
浸潤影　197
心身医学的側面　42, 210
振戦　98, 125
心臓喘息（cardiac asrhma）198, 199
身体所見　3, 5, 143, 170, 203
心電図　11, 124, 180
心不全　7, 16, 61, 115, 180, 194, 198, 199
心療内科　211

す

水泡音　4, 5
睡眠時無呼吸　40, 41, 42, 165
睡眠障害　72, 141, 211
水溶性プレドニン　159
スガマデクス　205
頭痛　102, 146
ステップアップ　39, 82, 84, 88, 113, 128, 135, 170
ステップダウン　8, 84, 114, 135
ステロイド抵抗性　53, 66, 67, 153
ストレス　45, 53, 72, 165, 166, 204, 210, 211, 212
スパイロメトリー　9, 56, 57, 60, 62, 63, 114, 180, 215
スペーサー　84, 85, 87, 88, 89, 90, 91, 129, 146, 216

せ

生活の質（quality of life, QOL）82, 83, 94, 167
精神的問題　40, 42, 45, 138
成人発症喘息　36, 39, 41, 195, 200
声帯機能不全（vocal cord dysfunction, VCD）6, 15, 16, 115
生物学的製剤　3, 10, 11, 55, 66, 74, 76, 77, 96, 111, 114, 116, 120, 132, 137, 138, 139, 149, 166, 184, 193, 215
精密医療（precision medicine）3
世界アンチドーピング機構（World Anti-Doping Agency, WADA）162
咳　2, 3, 4, 5, 6, 14, 15, 16, 39, 40, 53, 54, 98, 120, 123, 135, 142, 161, 172, 174, 188, 198, 199, 204, 206, 207, 215
咳喘息　15, 16, 206

舌下免疫療法（sublingual immunotherapy, SLIT）121, 187
セボフルラン　204, 205
セルフモニタリング　80, 177
線維芽細胞　2, 51, 66
全身性血管炎　66, 115
全身性ステロイド薬　42, 44, 67, 102, 116, 123, 125, 127, 132, 135, 138, 146, 149, 150, 184, 199, 204, 208
喘息死　2, 3, 27, 28, 29, 30, 31, 32, 33, 34, 36, 44, 45, 46, 50, 53, 79, 94, 107, 129, 153, 156, 179, 211
喘息死亡率　27, 28, 29, 30, 31, 46
喘息日誌　9, 78, 79, 80, 81, 116, 132
選択的COX-2阻害薬　158
先天性心疾患　16
全肺気量（total lung capacity, TLC）60
喘鳴　2, 3, 4, 5, 9, 13, 14, 15, 16, 17, 24, 37, 38, 39, 54, 60, 61, 72, 123, 124, 125, 127, 132, 142, 143, 149, 161, 162, 170, 171, 172, 198, 206, 216
喘鳴性疾患　170
前立腺肥大　98

そ

増悪　3, 5, 6, 7, 8, 9, 10, 11, 14, 16, 31, 32, 36, 38, 39, 40, 41, 42, 43, 44, 46, 51, 53, 55, 56, 57, 60, 61, 62, 65, 67, 72, 73, 79, 82, 94, 96, 97, 98, 99, 100, 101, 102, 103, 107, 108, 111, 114, 116, 120, 122, 123, 124, 125, 127, 128, 129, 130, 132, 135, 136, 141, 142, 143, 146, 148, 153, 158, 159, 163, 166, 167, 168, 170, 180, 181, 183, 184, 186, 193, 194, 198, 200, 201, 204, 205, 208, 209, 212, 214, 215
増悪因子　3, 15, 36, 42, 72, 73, 82, 107, 114, 132, 134, 135
増悪治療ステップ1　8, 125, 126
増悪治療ステップ2　125, 126, 128, 129
増悪治療ステップ3　125, 126, 128
増悪治療ステップ4　8, 125, 126, 129
増悪予防　36, 41, 72, 79, 98
早産児・低出生体重児　37
即時型喘息反応　54
即時型皮膚反応　7, 56
組織構成細胞　51
ソル・コーテフ　159
ソル・メドロール　159

た

退院　57, 129, 150
大気汚染　4, 38, 39, 40, 41, 43, 167, 212
大血管の解剖学的異常　16
胎児　37, 38, 167, 183
耐性　160, 162, 198
脱顆粒　50
脱水　125, 204

ダニ　16, 37, 41, 42, 44, 56, 61, 62, 107, 121, 122, 139, 186, 187
タバコ　14, 38, 41, 172
段階的薬剤投与プラン　8
短時間作用性 β_2 刺激薬（short acting β_2 agonists, SABA）　6, 11, 31, 40, 44, 45, 46, 62, 79, 98, 108, 123, 124, 125, 127, 129, 130, 136, 158, 162, 163, 184, 204, 205
男女比　26, 158, 197

ち

チアノーゼ　143
チアミラール　204
遅発型喘息反応　54, 56
チオトロピウム臭化物水和物（チオトロピウム, TIO）　98, 185
チオペンタール　204
致死的　6, 31, 32, 123
窒素酸化物　38, 43
中枢性気管支拡張　197
中等症持続型　8, 16, 17, 121, 136, 175
長期管理薬　8, 10, 14, 17, 46, 72, 79, 94, 95, 97, 98, 102, 108, 110, 111, 112, 113, 114, 120, 123, 124, 127, 128, 132, 135, 141, 144, 162
長期入院療法　138
長期罹患　6, 8, 179
長時間作用性抗コリン薬（long acting muskarinic antagonist, LAMA）　66, 98, 99, 100, 108, 109, 110, 111, 112, 113, 162, 167, 176, 184, 206
長時間作用性 β_2 刺激薬（long acting β_2 agonist, LABA）　31, 32, 66, 67, 96, 97, 98, 99, 100, 101, 103, 108, 109, 110, 111, 112, 113, 114, 131, 132, 135, 136, 137, 138, 165, 167, 168, 176, 184
聴診　3, 4, 5, 6, 124, 149, 215
治療意欲　79, 80, 81
治療ステップ1　8, 17, 108, 136
治療ステップ2　17, 108, 110, 128, 129, 136, 175
治療ステップ3　17, 110, 112, 114, 136, 138, 170, 175
治療ステップ4　8, 17, 94, 110, 114, 138
治療目標　3, 78, 79, 80, 107
鎮静薬　127, 205

つ

ツロブテロール　98, 132

て

ディーゼル排気微粒子（diesel exhaust particles, DEP）　39
低酸素血症　146, 170, 183
低発育　12, 13, 107
テオフィリン　11, 54, 66, 67, 97, 101, 110, 127, 130, 132, 138, 168, 184, 185, 199

テオフィリン血中濃度　11, 127
テオフィリン徐放製剤（sustained released theophylline, SRT）　54, 66, 67, 97, 100, 110, 127, 184
デカドロン　159
デキサメタゾン　127, 129
笛声喘鳴　15
デクスメデトミジン　205
デスフルラン　204
デュピルマブ　74, 77, 102, 110, 111, 132, 138, 185, 191, 194
添加物　127, 159
点滴投与　127, 159
点鼻ステロイド薬　112

と

動悸　98, 101, 125, 127
糖代謝　175
疼痛　158, 194
糖尿病　24, 44, 94, 98, 212
動脈血酵素分圧（partial pressure of oxygen in arterial blood, PaO_2）　60
動脈血炭酸ガス分圧（partial pressure of arterial carbon dioxide, $PaCO_2$）　60
トリプル製剤（ICS/LAMA/LABA 配合剤）　99, 100, 110

な

内視鏡下副鼻腔手術　160
難治性喘息　66, 114, 138, 190, 193, 194

に

2型炎症　13, 15, 51, 53, 55, 61, 67, 114, 116, 166, 179
2型サイトカイン　2, 51, 52, 53, 214
ニコチン　38
二次予防　36
日内変動　2, 6, 9, 57, 65, 135
日本アレルギー学会標準法　7, 58, 59
日本アレルギー協会　76, 212
入院　32, 41, 42, 43, 44, 45, 67, 80, 94, 96, 101, 102, 111, 123, 128, 129, 130, 132, 138, 143, 144, 146, 148, 149, 150, 158, 167, 208, 214, 215
尿中 LTE_4　160
妊娠　37, 38, 39, 40, 41, 42, 97, 114, 122, 183, 184
認知症　153, 181

ね

ネブライザー　59, 65, 87, 89, 90, 96, 125, 129, 144, 152, 215
粘膜下腺過形成　50
粘膜下浮腫　50

の

能動喫煙　38
囊胞性細維症　16

は

パートナーシップ　71, 72, 73, 78, 79, 82
肺炎　16, 38, 41, 43, 97, 124, 148, 194, 209
肺炎球菌ワクチン　41, 43
肺炎クラミジア（*Chlamydophila pneumoniae*）
　　38
肺炎マイコプラズマ（*Mycoplasma pneumoniae*）
　　38
肺拡散能　181
肺癌　61
肺結核　16, 168
肺血栓塞栓症　6
配合剤　31, 72, 86, 96, 98, 99, 100, 108, 110, 123,
　　129, 131, 136, 137, 163, 181
肺塞栓症　16
肺動脈スリング　15
肺の低発育　12, 13, 107
肺病変　196
麦門冬湯　102
発症年齢　3, 26, 66, 158, 180, 193, 197
鼻茸　39, 102, 158, 160, 188, 190, 191, 192
鼻ポリープ　102, 187
パラベン　127
パリビズマブ　170
パルスオキシメータ　11, 60, 126, 150
反復性誤嚥　115

ひ

非アトピー型　3, 14, 16, 32, 36, 50, 53, 66, 170,
　　172, 214
非アトピー型喘息　3, 36, 66, 172, 214
非アトピー型喘鳴群（non-atopic wheezers）
　　170
ピークフロー（PEF）　9, 10, 56, 57, 62, 72, 73,
　　177
ピークフローメーター　72, 73
鼻炎　7, 12, 33, 39, 41, 42, 45, 55, 65, 100, 101, 107,
　　110, 111, 114, 121, 122, 138, 179, 186, 187, 200,
　　207
皮下気腫　5, 148
皮下免疫療法（subcutaneous immunotherapy,
　　SCIT）　121
非結核抗酸菌症（non-tuberculous mycobacterial
　　infection, NTM症）　97
鼻汁　158, 188
ヒスタミン　50, 51, 53, 54, 56, 65, 101, 112, 205,
　　207
ヒスタミン H_2 受容体拮抗薬　101
ヒスタミン H_1 受容体拮抗薬　112, 207

ビタミン D　40, 43
鼻中隔彎曲　187
非特異的気道過敏性　162, 201
ヒドロコルチゾン　127, 129, 147, 185, 204
鼻副鼻腔炎　158, 160, 172, 194, 195
鼻閉　158, 186, 188
肥満　3, 37, 40, 41, 42, 44, 45, 66, 94, 107, 138, 165,
　　166, 175, 179
びまん性汎細気管支炎　6
病因アレルゲン　56, 121
病型　3, 13, 16, 32, 170, 179, 180, 187
表現型（フェノタイプ）　3, 16, 36, 37, 54, 66
病態生理　13, 49, 50, 79, 80, 81, 170, 177
病態評価　55, 56, 61
ヒョウヒダニ　16, 61
ビランテロールトリフェニル酢酸塩（vilanterol
　　trifenatate, VI）　96, 98, 99, 100, 164, 165, 185
ピレン　38
頻呼吸　124
頻脈　98, 101, 132

ふ

不安障害　44, 210, 211
フィブロネクチン　51, 52
フェノタイプ　3, 16, 54, 66, 166, 169, 170
フェノテロール　31, 164
フェンタニル　205
副作用　2, 3, 32, 76, 82, 84, 94, 97, 98, 101, 102,
　　107, 108, 109, 110, 111, 112, 114, 122, 125, 126,
　　127, 130, 131, 132, 138, 146, 149, 150, 160, 205
腹式呼吸　80
副腎皮質　94, 97, 129
腹痛　158, 194
副鼻腔炎　3, 4, 6, 16, 39, 40, 41, 42, 44, 45, 55, 102,
　　138, 158, 160, 172, 179, 188, 190, 191, 192, 193,
　　194, 195, 207
副鼻腔気管支症候群　188, 206, 207
副流煙　42, 203
浮腫　5, 14, 50, 53, 127, 198
不整脈　132, 149, 194
不耐症　41, 42, 158, 160, 190, 193
ブデソニド（BUD）　96, 118, 127, 129, 131, 136,
　　137, 185
フドステイン　103
不眠　132
浮遊粒子状物質、浮遊粒子物質（suspended
　　particulate matter, SPM）　38, 43
プランルカスト水和物　100, 131
プリックテスト　56, 61, 200, 203
フルチカゾンフランカルボン酸エステル
　　（fluticasone furoate, FF）　96
フルチカゾンプロピオン酸エステル（フルチカゾ
　　ン，fluticasone propionate, FP）　96, 131, 185

プレドニゾロン　111, 124, 127, 129, 159, 185, 197, 204
フローチャート　15, 84, 85, 114
フローボリューム曲線　9, 57, 62, 63, 64
プロカテロール塩酸塩　59, 98, 132, 164
プロスタグランジン　94
プロテアーゼ活性　37
プロポフォール　205

へ

平滑筋細胞　2
平滑筋弛緩因子　54
米国重症喘息研究プログラム（Severe Asthma Research Program, SARP）　66, 67
閉塞性換気障害　3, 57, 58, 60
併存　31, 46, 111, 116, 167, 179, 180, 181, 206
閉塞性細気管支炎　16
ベクロメタゾンプロピオン酸エステル（ベクロメタゾン，BDP）　96, 131, 185
ベタメタゾン　125, 127, 129
ペット　4, 43, 56, 186
ペリオスチン　52, 61, 66, 101
ベンゾピレン　38
変動性　2, 5, 6, 10, 53
変動性気流制限　6
ベンラリズマブ　74, 101, 102, 111, 185, 194

ほ

歩行不能　127
ホルモテロール　98, 99, 108, 127, 129, 131, 137, 164, 165, 185
ホルモテロールフマル酸塩（formoterol fumarate, FM）　98

ま

マグネシウム　39
マクロファージ　13, 52
マクロライド系抗菌薬　101, 103, 116, 168, 188
マクロライド少量長期療法　197
麻酔薬　204
マスク　31, 41, 43, 84, 86, 87, 88, 89, 90, 162, 204, 205, 214
マスト細胞　2, 13, 50, 51, 52, 53, 54, 101, 158, 159
末梢気道病変　9
末梢血好酸球　3, 10, 11, 55, 61, 67, 101, 102, 103, 111, 114, 120, 132, 167, 181, 190, 194, 214
マブテロール塩酸塩　98
慢性咳嗽　15, 199, 206, 207
慢性副鼻腔炎　44, 102, 188, 190, 191

み

ミダゾラム　205

む

無気肺　148
ムスカリン　98
ムチン　52, 53
胸苦しさ　2, 3, 4, 5, 72, 125, 162

め

迷走神経刺激症状　6
迷走神経反射　6, 53, 54
メタコリン　58, 59, 65
メチルプレドニゾロン　127, 129
メポリズマブ　74, 77, 101, 102, 111, 132, 138, 185, 194, 196
免疫グロブリン　196
免疫抑制薬　116, 195

も

モメタゾンフランカルボン酸エステル（モメタゾン，MF）　96, 97, 98, 99, 100, 185
モルヒネ　205
問診　3, 4, 6, 15, 41, 43, 56, 158, 161, 188, 200, 204, 206
モンテルカストナトリウム　100, 132, 185

や

夜間症状　8, 62

ゆ

誘導型 NO 合成酵素（iNOS）　11, 62
誘発因子　9
輸液　149, 204

よ

予測値　2, 8, 9, 127, 128, 143, 204
予防接種　208

ら

雷雨　43
ライノウイルス　37, 38, 43, 170
ラテックス　204
ラリンジアルマスク　204, 205

り

リドカイン　204
リモデリング　2, 12, 13, 37, 38, 52, 53, 54, 56, 60, 65, 66, 72, 94, 107, 120, 123, 162, 167
硫酸塩　127, 132
粒子状物質（particular matte, PM）　38
緑内障　98
リン酸エステル型　159
リンデロン　159
リンパ球　2, 13, 50, 51, 52, 53, 186

れ

冷気　4, 14, 53, 172, 206
レミフェンタニル　205

ろ

ロイコトリエン　13, 50, 51, 94, 100, 131, 136, 137, 168
ロイコトリエン受容体拮抗薬（leukotriene receptor antagonist, LTRA）　41, 58, 66, 95, 100, 131, 136, 137, 168
労作時呼吸困難　123
ロクロニウム　205

わ

ワクチン　41, 43, 208, 209, 215
ワゴスチグミン　205

欧文索引

A

ABPA（allergic bronchopulmonary aspergillosis, アレルギー性気管支肺アスペルギルス症）　16, 116, 196, 197
ABPM（allergic bronchopulmonary mycosis, アレルギー性気管支肺真菌症）　196, 197
ACO（Asthma-COPD Overlap）　7, 42, 56, 61, 167, 181
ACQ（Asthma Control Questionnaire）　9, 10, 156
ACT（Asthma Control Test）　9, 10, 78, 132
ADAM33（a disintegrin and metalloprotease 33）　54
ADCC（antibody-dependent-cellular-cytotoxicity, 抗体依存性細胞傷害）　101, 111
AERD（aspirin-exacerbated respiratory disease, アスピリン喘息, NSAIDs過敏喘息, N-ERD）　3, 43, 66, 100, 125, 129, 158, 159, 160, 190, 205
AHQ-33, Japan（Asthma Health Questionnaire-33, Japan）　81, 83
ANCA（anti-neutrophil cytoplasmic antibody, 抗好中球細胞質抗体）　194, 195
AQLQ（Asthma Quality of Life Questionnaire）　81
ATS（American Thoracic Society）　7, 18, 19, 24, 25, 26, 65, 161
ATS-DLD（American Thoracic Society for Division of Lung Diseases）　24, 25

B

BALF（bronchoalveolar lavage fluid, 気管支肺胞洗浄液）　13, 50, 62, 170
BDP（ベクロメタゾンプロピオン酸エステル：ベクロメタゾン）　86, 96, 131, 136, 137
BIS（budesonide inhalation suspension, ブデソニド吸入懸濁液）　96, 97, 136, 137
BMI（body mass index）　37, 44, 165, 166
BMRC（British Medical Research Council, 英国医学研究協議会）　24
BNP（brain natriuretic hormone, 脳性ナトリウム利尿ホルモン）　180
BT（bronchial thermoplasty, 気管支サーモプラスティ, 気管支熱形成術）　110, 111, 114, 116, 120
BUD（budesonide, ブデソニド）　67, 86, 96, 97, 98, 99, 108, 123, 131, 136, 137
B細胞　13, 51, 52
βアドレナリン受容体　54
β遮断薬　40, 43, 115, 198, 199

C

CD4$^+$　50, 51
Chlamydophila pneumoniae（肺炎クラミジア）　38
CIC（ciclesonide, シクレソニド）　86, 96, 131, 136, 137
COPD（chronic obstructive pulmonary disease, 慢性閉塞性肺疾患）　4, 6, 7, 10, 40, 42, 44, 54, 55, 57, 58, 60, 61, 76, 107, 115, 167, 181, 203
COVID-19　10, 30, 43, 45, 126, 209, 214, 215
COX-1 阻害薬　158
COX-2 阻害薬　158
CPAP 治療（continuous positive airway pressure, 持続陽圧呼吸療法）　41, 42
CRP（C-reactive protein, C 反応性タンパク）　124, 194
CRTH2（chemoattractant receptor-homologous molecule expressed on Th2 cells, プロスタグランジン D$_2$ 受容体）　103
CysLTs（cysteinyl leukotriene, システイニルロイコトリエン）　100

D

DC（dendritic cell, 樹状細胞）　52
DEP（diesel exhaust particles, ディーゼル排気微粒子）　39
DPI（dry powder inhaler, ドライパウダー定量吸入器）　75, 86, 87, 89, 96, 97, 98, 99, 137
DSCG（disodium cromoglycate, クロモグリク酸ナトリウム）　54, 132, 136, 137, 146, 160, 162, 163
dysbiosis（細菌叢の乱れ）　38

E

ECP（eosinophil cationic protein, 好酸球塩基性タンパク）　50, 66
ECRHS（European Community Respiratory Health Survey）　24, 25
EDN（eosinophil derived neorotoxin, 血清好酸球由来神経毒）　66
EGPA（eosinophilic granulomatosis with polyangiitis, 好酸球性多発血管炎性肉芽腫症）　66, 102, 116, 194, 195, 196
EIA（exercise-induced asthma, 運動誘発喘息）　42, 100, 110, 161
EIB（exercise-induced bronchospasm、exercise-induced bronchoconstriction, 運動誘発気管支収縮）　161, 162, 163
eotaxin　51, 52
ERS（European Respiraroty Society, 欧州呼吸器学会）　7, 65, 170
ETosis（extracellular trap cell death, 好酸球の脱顆粒を伴う細胞死）　197

F

FDA（Food and Drug Administration, 米国食品医薬品局）　31, 97, 99, 100, 120
FeNO（fractional exhaled nitric oxide, 呼気中一酸化窒素濃度）　2, 6, 7, 10, 11, 40, 55, 62, 65, 67, 78, 80, 101, 102, 111, 114, 134, 180, 181, 198, 200, 206
FEV$_1$（forced expiratory volume in 1 second, 1 秒量）　6, 7, 8, 9, 10, 13, 19, 40, 57, 58, 59, 60, 62, 111, 112, 114, 121, 122, 203, 204
FEV$_1$%（1 秒率）　9, 10, 57, 58
FF（fluticasone furoate, フルチカゾンフランカルボン酸エステル）　96, 98, 99, 100
FM（formoterol fumarate, ホルモテロールフマル酸塩）　86, 98, 99, 108, 123, 131, 137
FP（フルチカゾンプロピオン酸エステル，フルチカゾン）　67, 86, 96, 98, 100, 131, 136, 137
FRC（functional residual capacity, 機能的残気量）　183
FVC（forced vital capacity, 努力肺活量）　9, 10, 44, 57, 62, 64

G

GERD（gastroesophageal reflux disease, 胃食道逆流症）　42, 107, 199, 206, 207
GINA（Global Initiative for Asthma）　114, 120, 121
GLY（glycopyrronium bromide, グリコピロニウム臭化物）　98, 99, 100
GM-CSF（granulocyte macrophage colony-stimulating factor, 顆粒球マクロファージコロニー刺激因子）　50, 52
GWAS（genome-wide association study, ゲノムワイド関連解析）　36, 38, 167

H

heterogeneous　44
HLA（human leukocyte antigen, ヒト白血球抗原）　36, 167
HRCT（high-resolution computed tomography, 高分解能 CT）　61

I

ICD（International Statistical Classification of Diseases and Related Health Ploblems、疾病および関連保健問題の国際統計分類）　27
ICS（inhaled corticosteroid, 吸入ステロイド薬）　3, 10, 11, 12, 31, 32, 40, 42, 44, 46, 54, 55, 65, 67, 84, 89, 90, 94, 96, 97, 98, 99, 100, 101, 102, 103, 110, 111, 112, 113, 114, 121, 122, 123, 124, 131, 132, 135, 136, 137, 138, 153, 162, 163, 167, 168, 170, 181, 184, 204, 206, 207, 212, 214, 215

ICU（intensive care unit，集中治療室） 40, 129, 214
IFN（interferon，インターフェロン） 53, 214
IgE 抗体　3, 7, 11, 13, 16, 36, 51, 53, 54, 55, 56, 61, 74, 101, 110, 132, 137, 138, 172, 184, 187, 198, 200, 201, 203
IgE 値　7, 55, 61, 101, 110, 114, 120, 132, 166, 195, 197
IL-13　13, 37, 50, 51, 52, 61, 66, 74, 102, 132, 137, 138, 168, 214
IL-17　52, 53
IL1RL1　36
IL33　36
IL-33　37, 38, 52, 53, 68, 103
IL-4　10, 11, 13, 37, 50, 51, 52, 55, 61, 74, 102, 110, 111, 131, 135, 137, 168, 184, 191, 194, 198, 214
IL-5　10, 11, 37, 50, 51, 52, 55, 74, 101, 108, 110, 132, 137, 138, 168, 184, 192, 193, 194, 196, 198
ILC2（group 2 innate lymphoid cell, 2 型自然リンパ球）　13, 37, 50, 51, 52, 53, 67, 158
ILC3（group 3 innate lymphoid cell, 3 型自然リンパ球）　52, 53
IND（indacaterol acelete，インダカテロール酢酸塩）　96, 98, 99, 100
IPD（invasive pneumococcal disease，侵襲性肺炎球菌感染症）　209
ISAAC（International Study of Asthma and Allergies in Childhood）　24, 25, 26
IUATLD（International Union Against Tuberculosis and Lung Disease）　24

J

JADA（Japan Anti-Doping Agency，日本アンチ・ドーピング機構）　162
JESREC（Japanese Epidemiological Survey of Refractory Eosinophilic Chronic Rhinosinusitis Study）　190, 191
JPAC（Japanese Pediatric Asthma Control Program，小児喘息重症度判定・コントロールテスト）　78, 132

L

LAA（low attenuation area，低吸収領域）　61
LABA（long-acting β_2 agonists，長時間作用性 β_2 刺激薬）　31, 32, 66, 67, 96, 97, 98, 99, 100, 101, 103, 108, 109, 110, 111, 112, 113, 114, 131, 132, 135, 136, 137, 138, 165, 167, 168, 176, 184
LAMA（long-acting muskarinic antagonist，長時間作用性抗コリン薬）　66, 98, 99, 100, 108, 109, 110, 111, 112, 113, 162, 167, 176, 184, 206
LDH（lactic dehydrogenation enzyme，乳酸脱水素酵素）　195

LTRA（leukotriene receptor antagonists，ロイコトリエン受容体拮抗薬）　42, 54, 67, 100, 101, 110, 112, 131, 132, 136, 137, 160, 162, 163, 170, 176, 184, 206

M

M2 受容体　54
MBP（major basic protein）　50, 52
MDI（ジフェニルメタンジイソシアネート）　31, 46, 75, 84, 88, 96, 98, 127, 129, 130, 146, 216
MF（モメタゾンフランカルボン酸エステル：モメタゾン）　96, 98, 99, 100
MMP（matrix metalloproteinase）　52
mRNA　50
Mycoplasma pneumoniae（肺炎マイコプラズマ）　38

N

N-ERD（NSAIDs exacerbated respiratory disease）　3, 43, 66, 100, 124, 125, 129, 158, 159, 160, 190, 205
NHLBI（National Heart, Lung, and Blood Institute, 米国立心・肺・血液研究所）　216
NSAIDs（non-steroidal antiinflammatory drugs，非ステロイド性抗炎症薬）　3, 40, 41, 43, 66, 100, 110, 114, 116, 125, 129, 158, 160, 190, 193, 204, 205
NSAIDs 過敏喘息　3, 43, 66, 100, 107, 115, 124, 129, 158, 205
NSAIDs 不耐症　41, 160, 190
NTM（non-tuberculousis mycobacteria, 非結核抗酸菌）　97

O

ORMDL3　36, 38

P

PaCO$_2$（partial pressure of arterial carbon dioxide，動脈血炭酸ガス分圧）　9, 60, 143, 144, 148, 149
PAE（pediatric allergy educator，小児アレルギーエデュケーター）　80
PAF（platelet-activating factor，血小板活性化因子）　53
PaO$_2$（partial pressure of oxygen in arterial blood，動脈血酸素分圧）　9, 60, 143
PC$_{20}$　58, 59, 60, 65
PEEP（positive end-expiratory pressure，呼気終末陽圧）　148, 204
PEF（peak expiratory flow，ピークフロー，最大呼気流量）　2, 6, 7, 8, 9, 10, 42, 56, 57, 62, 65, 73, 78, 79, 80, 81, 111, 112, 114, 123, 124, 127, 135, 143, 200, 203

pMDI（pressurized metered-dose inhaler, 加圧噴霧式定量吸入器） 31, 46, 59, 75, 84, 85, 86, 87, 88, 96, 98, 127, 129, 130, 146, 216
precision medicine（精密医療） 3
PSL（prednisolone, プレドニゾロン） 66, 127, 128, 129, 147

Q

QOL（quality of life, 生活の質） 42, 78, 79, 80, 81, 82, 91, 92, 94, 100, 102, 111, 116, 120, 122, 130, 141, 167, 168, 191, 193, 210
QOLCA-24（development of quality of life assessment scale for caregivers of asthmatic children） 82, 92
QOL 評価スケール 81

R

RAD（reactive airway disease, 反応性気道疾患） 170, 172
RADS（reactive airways dysfunction syndrome, 反応性気道機能不全症候群） 200
RANTES 51, 52
Rrs（respiratory resistances, 呼吸抵抗） 58, 59, 60
RS ウイルス（respiratory syncytial virus） 37, 38, 43, 170

S

SABA（short-acting β_2 agonists, 短時間作用性 β_2 刺激薬） 6, 11, 31, 40, 44, 45, 46, 62, 79, 98, 108, 123, 124, 125, 127, 129, 130, 136, 158, 162, 163, 184, 204, 205
SACRA（Self-assessment of Allergic Rhinitis and Asthma） 47
SARP（Severe Asthma Research Program, 米国喘息研究プログラム） 66, 67
SCIT（subcutaneous immunotherapy, 皮下免疫療法） 121, 122
SLIT（sublingual immunotherapy, 舌下免疫療法） 121, 122
SLM（salmeterol, サルメテロール） 86, 131, 137
SM（salmeterol xinafoate, サルメテロールキシナホ酸塩） 98, 99, 100
SMART 療法（single inhaler maintenance and reliever therapy） 99, 108, 123, 124, 127, 129

SpO$_2$（arterial oxygen saturation, 経皮的動脈血酸素飽和度） 9, 15, 56, 60, 124, 143, 144, 146, 149, 171
SRT（sustained released theophylline, テオフィリン徐放製剤） 100
stridor（吸気喘鳴） 5, 15

T

TGF-β（transforming growth factor, トランスフォーミング増殖因子ベータ） 52, 53
Th2 13, 37, 50, 51, 52, 53, 120, 132, 136, 137
TNF（tumor necrosis factor, 腫瘍壊死因子） 52
TSLP（thymic stromal lymphopoietin, 胸腺間質性リンパ球新生因子） 36, 37, 38, 52, 53, 67, 103
TUE（therapeutic use exemption, 除外措置） 162, 163
T 細胞 50, 51

U

under-diagnosis（過小診断） 4
UMEC（umeclidinium bromide, ウメクリジニウム臭化物） 98, 99, 100

V

VCAM（vascular cell adhesion molecule, 血管細胞接着分子） 52
VCD（vocal cord dysfunction, 声帯機能不全） 6, 15, 16, 115
VI（vilanterol trifenatate, ビランテロールトリフェニル酢酸塩） 96, 98, 99, 100
VOC（volatile organic compounds, 揮発性有機化合物） 39
VPD（vaccine preventable diseases, ワクチンで防ぎ得る疾患） 208

W

WADA（World Anti-Doping Agency, 世界アンチ・ドーピング機構） 162
wheezes 4, 6, 14, 15, 21, 170
WHO（World Health Organization, 世界保健機関） 121, 166, 179, 210

喘息予防・管理ガイドライン2021

2021年10月 8 日	第 1 版第 1 刷発行
2022年 1 月14日	第 2 刷発行
2023年 8 月 4 日	第 3 刷発行

■監修　　　　　　　一般社団法人日本アレルギー学会喘息ガイドライン専門部会
■作成　　　　　　　『喘息予防・管理ガイドライン2021』作成委員
■編集・制作・発売　株式会社協和企画
　　　　　　　　　　〒170-8630東京都豊島区東池袋 3 - 1 - 3
　　　　　　　　　　https://www.kk-kyowa.co.jp/
　　　　　　　　　　お問い合わせ：上記ホームページの〈お問い合わせフォーム〉
　　　　　　　　　　　　　　　　　よりお寄せください。
■印刷　　　　　　　株式会社アイワード

ⓒ無断転載を禁ず
ISBN978-4-87794-224-3　C3047　¥4600E
定価：5,060円（本体4,600円＋税10％）